ZEN

Zen

Geraint V. Jones

Argraffiad cyntaf: Tachwedd 2004

Cyhoeddir o dan gynllun comisiwn
Cyngor Llyfrau Cymru.

Rhif Llyfr Safonol Rhyngwladol:
0-86381-928-1

Clawr: Adran Ddylunio Cyngor Llyfrau Cymru

Argraffwyd a chyhoeddwyd gan Wasg Carreg Gwalch,
12 Iard yr Orsaf, Llanrwst, Dyffryn Conwy, LL26 0EH.
01492 642031
01492 641502
llyfrau@carreg-gwalch.co.uk
Lle ar y we: www.carreg-gwalch.co.uk

I gofio
IOLO
(Iolo Hughes Roberts 1934-2001)
Hen gyfaill ffraeth a diddan

Gan yr un awdur

I blant:

Antur yr Alpau	(1981)	
Antur yr Allt	(1981)	

I'r arddegau:

Alwen	(1974)	*Nofel am helyntion serch*
Storïau'r Dychymyg Du	(1986)	*Casgliad o storïau iasoer*
Melina	(1987)	*Stori antur yng ngwlad Groeg*

I oedolion:

Yn y Gwaed	(1990)	*Gwobr Goffa Daniel Owen, Cwm Rhymni*
Semtecs	(1998)	*Gwobr Goffa Daniel Owen, Bro Ogwr*
Asasin	(1999)	*Dilyniant i* Semtecs
Ar Lechan Lân	(1999)	*Nofel am streic mewn chwarel lechi*
Omega	(2000)	*Dilyniant i* Semtecs *ac* Asasin
Cur y Nos	(2000)	*Gwobr Goffa Daniel Owen, Llanelli*

Yn Saesneg:

The Gates of Hell	(2003)	*Nofel drychineb wedi'i lleoli yng Ngogledd Cymru*

Rhagair

Er nad dychmygol yw pob cymeriad yn y nofel hon, dychmygol serch hynny yw pob gair a gweithred a briodolir iddynt yma. Yr eithriad yw'r dyfyniad Saesneg – *Tomlinson* versus *MI6* – ar dudalennau 209-211. Mae'r fersiwn llawn o ddatganiad gwreiddiol Richard Tomlinson i'w gael ar y Rhyngrwyd, ond nid wyf yn honni am eiliad bod unrhyw sylwedd yn y cyhuddiadau a wneir ganddo. Yn wir, mae'n ymddangos bod rhai ohonyn nhw – parthed marwolaeth y Dywysoges Diana, er enghraifft – wedi cael eu gwrthbrofi eisoes. Er hynny, rhag creu tramgwydd, bernais yn ddoeth i gelu un enw yn y datganiad hwnnw.

Mae gennyf le i ddiolch i sawl un bod y gyfrol hon wedi gweld golau dydd o gwbl. Yn gyntaf, dichon mai stori yn dal i gyniwair yn fy mhen fyddai hi oni bai i Gyngor Celfyddydau Cymru gynnig ysgoloriaeth i mi wneud rhywbeth ynglŷn â'r peth. Felly, mae fy nyled i'r Cyngor yn fawr. Diolch hefyd i Iwan a Nesta am eu lletygarwch parod yn Llundain tra oeddwn yn gwneud fy ymchwil yn y ddinas fawr (a drud!) honno, ac i Dilwyn a Marian am y cyfle i fynd i'r afael â'r gwaith yn nhawelwch cefn gwlad Ffrainc. Rwy'n arbennig o ddyledus i Rhian Medi Roberts am fy nhywys fwy nag unwaith o gwmpas Palas Westminster a rhoi imi gymaint o wybodaeth ddiddorol am y lle, a hefyd i Ann Emanuel Jones a Dewi Morris Jones am olygu rhannau tafodieithol y nofel. Os bydd trigolion Cwm Gwendraeth yn teimlo imi neud cam â'u tafodiaith hyfryd, yna fy methiant i a neb arall fydd hynny ac ni allaf ond ymddiheuro ymlaen llaw am ba ddiffyg bynnag sydd eto'n aros. Yn olaf, diolch i staff Gwasg Carreg Gwalch am roi cystal diwyg ar y gyfrol hon eto, ac am eu hynawsedd tuag ataf bob amser.

GVJ 2004

Pennod 1

Bore Sul – Hyde Park – Llundain

'Excoose pleese!'

Teimlodd ei gyhyrau'n clapio a'i galon yn colli curiad. O ble daeth hi mor sydyn doedd ganddo ddim syniad ond yno'r oedd hi rŵan, beth bynnag, yn rhedeg wrth ei ochor, efo'i llaw chwith yn cynnig iddo feiro oedd wedi'i lapio mewn darn o bapur gwlyb.

Roedd Big Ben newydd daro deg o'r gloch ac roedd dinas Llundain yn ddiflas, oer a gwlyb. Daethai llen o niwl i lawr gyda'r glaw mân gan droi Hyde Park yn lle llwyd a diarth iddo.

'Yoo geeve awtograff, yes?'

Stopiodd a chymryd eiliad i styried yn lle'n union yr oedd. Faint ers iddo basio Marble Arch? Ers iddo weld bwa honno fel rhith yn ymddangos o'r niwl? Pedwar . . . pum munud? Yn Speaker's Corner roedd wedi cadw i'r chwith a gadael Broad Walk am North Carriage Drive. Ac yna, ychydig eiliada'n ôl, roedd wedi croesi pont y Serpentine, oedd yn golygu ei fod rŵan ar Rotten Row unwaith eto a bod y Royal Albert Hall yn cuddio rywle i'r dde yn y niwl tu ôl iddo, tu draw i'r colofnau tal o goed hanner noeth oedd yn sefyll rhyngddo a'r South Carriage Drive a stryd brysur Kensington, lle'r oedd grŵn cysón y traffig yn cael ei fygu gan y llwydni a'r dieithrwch.

'Pleeese?'

Gan iddo stopio mor sydyn, roedd hi wedi saethu ddau neu dri cham heibio iddo, a safai rŵan yn ei wynebu, yn rhwystr o'i flaen.

Edrychodd yn anghredíniol arni. 'Llofnod? Fi? Ti'n tynnu 'nghoes i, del!' Chwarddodd yn ddi-hiwmor er mwyn cael gwared â'i syndod. 'Ti 'di cael gafal ar y boi rong, siwgwr!' Hawdd deall ei bod hi wedi ei gamgymryd am rywun arall, meddyliodd, gan mai chydig iawn o'i wyneb oedd yn y golwg o gwbwl, rhwng bod y cap gwlân a wisgai wedi cael ei dynnu'n isel dros y talcen a'r clustiau a bod coler ei anorac ysgafn wedi cael ei chau'n uchel i guddio'r ên a'r geg.

Gwelodd yr amheuaeth yn lledu dros ei gwyneb, ac ansicrwydd yn rhychu'r talcen oedd â chudynnau tywyll yn glynu'n wlyb wrtho. Gwelodd hefyd y llaw efo'r papur a'r feiro yn gostwng yn gyndyn siomedig.

'Yoo Steffan Zenoveech Shmeet?' Bron nad oedd hi'n crefu am gadarnhad wrth i'w llygaid duon – dig hyd yn oed – graffu am ryw fath o adnabyddiaeth.

Chwarddodd yntau eto'n fyr a di-hiwmor, i guddio'i syndod. 'Ddim yn hollol . . . ond ia, rwbath tebyg i hyn'na, cariad.'

Gwelai ei meddwl hi'n troi, wrth iddi bwyso a mesur ei eiriau. Yna, dechreuodd ei hansicrwydd gilio eto beth, a daeth y papur a'r feiro i fyny unwaith yn rhagor. *'Yoo wurk in Westmeenster, yes? Een Owsees of Parly-iament?'*

Daeth hynny â'r syndod yn ôl i'w wyneb yntau. 'Sut gythral wyddet ti hyn'na ta, del?' Astudiodd hi'n fwy gofalus. Dwyrain Ewrop, penderfynodd. Rwsia? . . . Gwlad Pwyl? . . . Hwngari? . . . Yn ei hugeiniau cynnar, falla. Ac yn eitha pisyn at hynny! Ond s'gen i ddim ffansi i'w llygada hi, chwaith! meddyliodd. Rhy dywyll! Rhy uffernol o oer!

'Yoo geeve awtograff?'

Anelwyd y llaw efo'r feiro a'r papur tuag ato unwaith eto ac oherwydd y styfnigrwydd taer yn ei llais ac yn ei llygaid, penderfynodd ildio iddi. 'Pwy ŵyr?' meddai wrtho'i hun. 'Falla nad camgymeriad ydi o, wedi'r cyfan! Falla'i bod hi wedi 'ngweld i yn y gyfres deledu honno, flynyddoedd yn ôl, a'i bod hi'n cofio ngwynab i?' Teimlodd y chwerthin yn crynu'n ysgafn o'i fewn. 'Os felly, yna hi ydi'r unig un yn Llundain gyfan sydd *yn* cofio!'

'Iawn ta, cariad! Tyrd â fo yma!' Ac estynnodd am y pìn sgrifennu.

Gwelodd fod rhywbeth wedi cael ei argraffu'n barod ar y papur – cyfeiriad yn ôl ei olwg. Craffodd ar y rwdl geiria: 'Toom-Kodi, Hilya Raekoya Plats' darllenodd yn uchel, cystal â gofyn, 'Lle uffar ti'n disgwyl i mi arwyddo?'

Heb unrhyw arwydd o embaras, ond yn craffu'n ddrwgdybus arno fel pe bai hi'n chwilio am ryw arwydd o ddealltwriaeth yn ei wyneb, ailgydiodd hitha yn y papur, ei droi a'i roi yn ôl iddo fel bod ochor lân – ond yr un mor wlyb – iddo sgrifennu arni. Sgriblodd yntau 'Cyfarchion diffuant, Steven Z. Smith', gan regi o dan ei wynt bob tro y torrai blaen y feiro drwy'r papur gwlyb. Oedd o wedi sillafu *diffuant* yn gywir, gofynnodd iddo'i hun. Câi broblem efo petha felly! Ond be ddiawl ydio o bwys? meddyliodd wedyn. Fydd hon, o bawb, fawr callach! A chwerthin yn ei wddw'n ddi-hiwmor, wrth weld eironi'r cyfan. Rhywbeth i'w drysori a'i gadw oedd llofnod fel rheol. Felly, pa werth y papur gwlyb yma, efo'r inc yn fwy o staen nag o ddim arall?

'Yli, cariad! Dwi wedi rhoi fy rhif ffôn iti hefyd, jyst rhag ofn y bydd gen ti awydd rhoi caniad imi rywbryd.'

Ond doedd hi ddim hyd yn oed yn gwrando, gan ei bod wedi ymgolli gormod yn yr hyn yr oedd o wedi'i sgrifennu.

Blydi grêt! meddyliodd yn chwerw. Dydi hi ddim hyd yn oed yn *edrych* yn ddiolchgar.

A deud y gwir, roedd hi eisoes wedi hanner troi, fel pe bai i'w adael.

Twll ei thin hi! Sgrytiodd ei ysgwydda. 'Dy golled di ydi o, del!' Roedd hi'n llawer rhy ifanc iddo beth bynnag, meddyliodd. Pymtheng mlynedd, o bosib.

A chyda hynny, camodd heibio iddi, i redeg y chwarter milltir neu lai oedd ganddo ar ôl at lle'r oedd y beic wedi'i barcio, ar Knightsbridge. Wrth i'w gamau ledu, taflodd un edrychiad olaf dros ysgwydd, gan ddisgwyl ei gweld hi'n diflannu i'r niwl y daethai hi mor annisgwyl ohono. Ond prin ei bod hi wedi symud. Daliai i sefyll yn ei hunfan, ei breichiau a'i phen yn ysgwyd yn wyllt fel pe bai hi'n trosglwyddo neges o gadarnhad i rywun neu'i gilydd. Yn reddfol, stopiodd i'w gwylio ac i syllu i'r un cyfeiriad â hitha.

A dyna pryd y teimlodd ei goesau'n diflannu oddi tano. Ni chafodd gyfle hyd yn oed i feddwl pa un ai llithro ar ddail gwlyb ynteu baglu dros ei draed ei hun a wnaeth, oherwydd yn yr eiliad a gymerodd iddo fesur ei hyd ar y llwybr, cafodd gip ar rywun yn sefyll rhyw ugain metr i ffwrdd, fel rhith llwyd yn erbyn llwydni llai tywyll y niwl, ei freichia a'i ddwylo wedi eu codi ar anel.

Gwyddai o brofiad be oedd sŵn bwled yn pasio'n agos a gwyddai'n dda, felly, pa mor gythreulig o agos yr aeth hon heibio'i glust. Felly, cyn iddo hyd yn oed daro'r ddaear, roedd ei gorff yn rowlio'n wyllt am gysgod y llwyn rhododendron bychan ychydig lathenni oddi ar y llwybr. Greddf yn fwy na dim a ddywedai wrtho fod unrhyw fath o gysgod yn well na dim cysgod o gwbwl. Ac wrth iddo rowlio, hanner disgwyliai'r fwled boeth nesaf yn plannu i'w gnawd. Ond pan ddaeth honno, pellach, os rhywbeth, oedd ei si drwy'r awyr laith uwch ei ben.

Swatiodd am eiliad ar ei liniau yng nghysgod y llwyn, i frwydro am fwy o aer i'w ysgyfaint, a'r arswyd sydyn yn peri i'r gwaed gwrsio trwy'i wythiennau poeth. Yr unig beth ar ei feddwl oedd medru creu pellter rhwng ei gorff bregus ei hun ac arf marwol ei ddarpar asasin, pwy bynnag oedd hwnnw. Yn betrus, cododd ar un ben-glin, anadlodd yn ddwfn – Fel rhedwr yn aros am arwydd y gwn, meddyliodd yn wamal –

yna roedd yn sgrialu yn ei gwman i'r niwl, yn gwau yma ac acw rhwng boncyffion y coed a wahanai'r Parc oddi wrth brysurdeb y ddinas. Er ei fod yn ei hofni, ni ddaeth bwled arall.

* * *

Swyddfa'r Heddlu – Knightsbridge – Llundain SW7

'Gad inni fynd dros y manylion un waith eto.'

Gosododd y sarjant-ar-ddyletswydd ei bensel ar y ddesg o'i flaen a chydio yn ei lyfr nodiadau, i ddarllen ohono.

'Dy enw llawn ydi Steven Zendon Smith . . . Steven efo *v* – *Zen* i dy ffrindia – ac rwyt ti'n byw yn Fflat 128 Buxton Street, Tower Hamlets. Rwyt ti efo'r *Met*, meddet ti, yn un o warchodlu'r Tŷ Cyffredin – uned arfog *SO11* – ond does gen ti ddim math o *ID* i brofi hynny! Yn gynharach bore 'ma, dydd Sul y trydydd ar ddeg o Hydref, roeddet ti'n loncian yn Hyde Park – fel pob bore Sul arall pan gei di gyfle, meddet ti – pan ddaeth merch ifanc, yn ei hugeiniau cynnar ac o dras dwyreiniol Ewropeaidd, atat ti i ofyn am dy lofnod. Roedd y ferch hon tua phum troedfedd pum modfedd o daldra . . .'

Disgwyliodd am gadarnhad.

'Ia.'

' . . . Roedd ganddi wallt brown neu ddu, meddet ti . . .'

Synhwyrai Zen rywfaint o ddiflastod beirniadol yn y llais ac roedd y *meddet ti* yn cyfleu amheuaeth. 'Mae'n anodd bod yn bendant. Pan mae o'n wlyb, mae gwallt brown yn edrych yn dywyllach ei liw.'

'Iawn ta! . . . Sut bynnag, fe *roist* dy lofnod iddi, a dyna pryd yr ymddangosodd y partner, pwy bynnag oedd hwnnw, allan o'r niwl a thanio atat ti . . . ddwywaith . . . gyda'r bwriad o dy ladd, meddet ti . . .'

Y *meddet ti* eto, sylwodd. 'Ia. Dyna ddigwyddodd.'

'Pam fyddai hi'n gneud peth felly, wyt ti'n meddwl?'

Oedd, roedd y diffyg crediniaeth yn llais y sarjant yn

dechrau mynd o dan ei groen. 'Be? Fy lladd i, ti'n feddwl? Sut gythral wn i?'

'Na, be oedd gen i mewn golwg oedd, pam gofyn am dy lofnod? Pam fyddai hi'n gneud hynny, meddet ti?'

'Sut uffar wn i? Ond dyna wnaeth hi.'

'Ond ddaru hynny ddim gneud iti ama rwbath? Wedi'r cyfan, dwyt ti ddim yn enwog na dim, wyt ti?'

Sgrytiodd Zen ei ysgwydda'n ddiamynedd. 'Mi fues i mewn cyfres deledu rai blynyddoedd yn ôl. Falla iddi f'adnabod i o honno.' A difaru'n syth ei fod wedi cynnig gwybodaeth mor chwerthinllyd o amherthnasol.

'A pha gyfres fyddai honno, syr?'

'*Clifftop Lodge*. Dyna oedd ei henw hi.'

'O! Fedra i ddim deud mod i'n ei chofio hi. Fedra i ddim deud mod i'n cofio dy wynab ditha chwaith, o ran hynny. Be oedd y gyfres 'ma, felly? Rwbath i'w neud efo'r Seiri, ia?'

'Seiri?'

'Y Seiri Rhyddion! Wy'st ti, *lodge* a phetha felly.'

Gwyddai Zen fod y sarjant, rŵan, yn ei gymryd yn ysgafn, a pharodd hynny i'w waed ddechra berwi.

'Motel oedd y blydi *Lodge* dwi'n sôn amdani!'

Mi *fedrai* gyfadde mai methiant costus fu'r gyfres, ond penderfynodd beidio. Mi *fedrai* gyfadde hefyd mai fel rhyw *extra* bach dinod y cyflogwyd ef i ddechra ond iddo gael rhan-siarad fechan iawn yn ddiweddarach pan aeth un o'r actorion yn sâl. Ond penderfynodd beidio crybwyll hynny chwaith.

'O! Un o'r cyfresi *hynny* oedd hi! Fawr ryfadd nad ydw i'n ei chofio hi! Iawn ta! Felly gad inni dybio dy fod ti wedi cael dy weld ar y teli yn Nwyrain Ewrop, yn Rwsia neu Hwngari neu pa wlad bynnag y daeth y ddau yma ohoni . . .'

Gwyliodd Zen y wên wamal yn plycian yng nghorneli ceg y plismon a gwyddai fod rhyw ffraethineb ar ddod.

'. . . gydag is-deitlau, wrth gwrs! . . . A gad inni hefyd dybio bod yr hogan 'ma a'i hasasin-gariad wedi dod i Lundain ac wedi d'adnabod di yn Hyde Park, er gwaetha'r niwl trwchus, a'u bod nhw isio dy lofnod di . . . fel actor enwog . . . '

Oedd, roedd y diawl *yn* cymryd y *piss*!

' . . . Be dwi'n fethu ddallt, syr, ydi hyn. Sut oedden nhw'n gwbod lle i ddod o hyd iti? . . . Be *ti*'n feddwl? . . . A pham fydden nhw isio dy ladd di, beth bynnag?' Daeth mwy o goegni i'w wên, wrth i honno ledu. 'Doedd dy actio di ddim mor uffernol ddrwg â hynny, oedd o?'

Neidiodd Zen i'w draed, yn ddig. 'Ti'n trio gneud coc oen ohono i, ta be?'

Diflannodd y wên wamal yr un mor sydyn. 'Ddim o gwbwl. Ond rwyt ti wedi rhoi cyn lleied o wybodaeth inni, dyna i gyd. Rwyt ti'n blismon dy hun, meddet ti, felly fe ddylet ti weld y broblem. Yr unig ddisgrifiad fedri di ei roi o'r dyn a driodd dy saethu di ydi . . . ' Edrychodd eto ar ei nodiadau. ' . . . ei fod o rywle rhwng pum troedfedd saith modfedd a chwe throedfedd mewn taldra, ei fod o'n gwisgo côt laes, un dywyll a allai fod yn ddu, nefi blw neu frown . . . a'i fod o'n bennoeth. O! A bod ganddo fo wn, wrth gwrs! Ond wyddon ni ddim pa fath o wn! . . . A'r un mor dena ydi'r wybodaeth am y ferch, hefyd. O! Ac mi'r oedd 'na rwbath wedi'i brintio ar y papur roddodd hi iti – ti'n ama mai cyfeiriad rhwla dramor oedd o – ond fedri di ddim deud dim mwy na hynny, ac eithrio dy fod ti'n meddwl mai *plaza* oedd un gair ynddo fo. Swnio'n Eidalaidd!' Gwnaeth y sarjant bâr o lygaid i awgrymu diffyg gobaith. 'Fel ro'n i'n deud, fe ddylet ti weld drosot dy hun faint o broblem fydd dod o hyd iddyn nhw. Sut bynnag, fe drosglwydda i'r manylion i'r *CID* ac fe ofynna i i'r hogia ar y bît, hefyd, gadw llygad yn agored. Ac eithrio hynny, wela i ddim be allwn ni 'i neud, mae gen i ofn.'

Daliai Zen i synhwyro'i amheuon ac roedd hynny'n ei wylltio.

'Ia, ia! Dwi'n gweld faint o blydi blaenoriaeth wyt ti'n basa'i roi i'r achos.'

Roedd gwyneb y sarjant yn ddrych o wyneb rhywun wedi hen arfer â bod yn oddefol. 'Fel dwi newydd ddeud, syr, fe wnawn ni be fedrwn ni. Dim ond gobeithio, yndê, na ddaru'r bwledi a fwriadwyd ar dy gyfer di ddim creu difrod yn unlle arall – Kensington Road, er enghraifft!'

'Ia, ia! Gad inni obeithio hynny, siŵr dduw!' Tro Zen oedd swnio'n goeglyd. 'Ond os clywi di fod pobol yn methu mynd i mewn ac allan o'r Albert Hall am fod corff rhyw blydi comishiynêr boliog yn llenwi'r drws, o leia mi fyddi di'n gwbod o lle daeth y fwled.'

Pennod 2

Dydd Llun – Palas Westminster, Llundain SW1

Drannoeth, dros baned canol pnawn, adroddodd yr hanes wrth rai o'i gyd-weithwyr. Gwrandawodd y rheini gyda pheth syndod a chydymdeimlad, nes i Bluto gyrraedd. Roedd yn rhaid i bethau newid wedyn.

'Pwy oedd o ta, Smith? Rhywun arall roeddet ti wedi rhoi tro ar ei wraig o?' Dim ond cynffon y stori oedd y dyn mawr wedi'i chael.

Pen bach ar gorff siâp bylb letrig anferth oedd Bluto; un boliog, tindrwm. Hynny a'r gwallt a'r farf ddu oedd yn ei neud y peth tebyca y gellid ei ddychmygu i elyn pennaf Popeye. Ac fel y creadur rhodresgar hwnnw, roedd hwn hefyd yn uchel ei gloch, yn llawn hunanhyder ac yn mynnu sylw. Nid ei fod yn amhoblogaidd efo pawb, chwaith, oherwydd gallai fod yn ddigon ffraeth, yn amal; cyn belled â bod hynny ar gorn rhywun arall. A'r ffraethineb crafog hwnnw, yn anad dim arall, a'i gwnâi fel cadach coch i darw i Zen, am y gwyddai'n rhy dda pa mor uffernol o ystrywgar a thwyllodrus y gallai Bluto fod. Gwyddai hefyd am y ffafrau bychain defnyddiol y byddai'n eu gneud byth a hefyd i rai pobol ddethol. Crafwr oedd o, wrth natur; crafwr a wyddai i'r dim sut i droi pob dŵr i'w felin ei hun. Ac oherwydd hynny, chydig iawn o wleidyddion dylanwadol oedd yn medru troedio coridorau Palas Westminster, erbyn hyn, heb deimlo'n ddyledus, mewn rhyw ffordd neu'i gilydd, i'r dyn mawr.

Yn ôl y disgwyl, dechreuodd un neu ddau bwffian chwerthin i'w coffi, tra ffrwydrodd un arall yn hyglyw. Gwenu wnâi'r gweddill. Er gwaetha'i oed – tri deg wyth, nesa! – roedd Zen yn dal i gael ei styried yn dipyn o ferchetwr.

Daeth i'w feddwl daro'n ôl. Gallai grybwyll un o gampa priodasol Bluto dair blynedd ynghynt pan lusgwyd ef gerbron y Fainc ar gyhuddiad o ddyrnu'i wraig yn anymwybodol. Bu ond y dim i'r dyn mawr golli'i job bryd hynny, a gwyddai pawb y byddai wedi gneud hefyd oni bai i rywun mewn awdurdod ddeud gair drosto. Byddai cyfeirio'n gynnil at beth felly rŵan yn sicrach na dim o gau ceg Bluto ac o ddwyn gwên, hefyd, i wyneb sawl un yn y cwmni. Ond gan na welai Zen unrhyw dda yn deillio o godi crachod o'r fath, brathodd ei dafod, gwenodd yn ffug-addfwyn, llowciodd weddill ei goffi a chodi i adael y ffreutur gan wybod, yr un pryd, mai parhau a wnâi'r ensyniadau, hyd yn oed i'w gefn. Wedi'r cyfan, doedd neb cystal â'r dyn mawr am chwalu cymeriad trwy ledaenu'r gwir a'r gau yn gymysg.

'Fedra inna ddim diodda'r bastad chwaith!'

O adnabod y llais, trodd Zen a gwenu. Roedd Stan Tipton wedi ei ddilyn o'r ffreutur. Stan! Un o'r ychydig i herio Bluto erioed, er gwaetha'r gwahaniaeth maint ac oed rhyngddyn nhw.

'Fedar y diawl neud dim ond taflu weips o fora tan nos! 'Sa'n rheitiach i'r uffar edrych adra!'

Dim ond pum troedfedd pedair modfedd yn nhraed ei sana oedd Stan, ond roedd ei ysgwydda sgwâr a'i drwyn fflat yn rhybudd i unrhyw un rhag ei gymryd yn rhy ysgafn. Fel Zen, un wedi'i eni a'i fagu yn yr East End oedd ynta hefyd a dyna pam bod y ddau wedi tyfu'n gymaint ffrindia, er gwaetha'r bwlch oed rhyngddyn nhw. Ac nid dyna'r unig gwlwm, chwaith, oherwydd fe fu'r ddau'n gneud tipyn o focsio yn eu dydd; y ddau, fel roedd hi'n digwydd, allan o Maxie's Gym yn Shoreditch, ond bod ugain mlynedd a mwy rhwng gyrfa hir y naill yn y sgwâr, ac un fer y llall. Wyth gornest a gafodd Zen i gyd, a hynny fel amatur ar ôl mynd i'r fyddin, tra bod Stan wedi treulio'r chwedegau'n ennill bywoliaeth galed iddo'i hun yn y pwysau plu, ac wedi cael un cyfle – aflwyddiannus, mae'n wir – ar gipio pencampwriaeth Prydain yn y pwysau hwnnw.

'Paid â chymryd gynno fo!'

Gwenodd Zen. 'Wyt ti 'ngweld i'n gneud hynny, Stan?'

Un o'r hanesion cynta a glywsai Zen pan ddaeth yma i weithio, oedd y stori honno am y Stan Tipton bach yn bygwth torri trwyn y Bluto mawr, am i hwnnw feddwl y câi ei sarhau ar goedd. Bu ymateb annisgwyl y bychan yn gymaint o sioc i'r bwli, yn ôl pob sôn, fel bod hwnnw wedi troi ar ei sawdl a cherdded allan o'r stafell. Cafodd Stan lonydd byth oddi ar hynny, ac am sbel wedyn – i'w gefn, mae'n wir! – fe'i llysenwyd yntau yn 'Popeye' gan ei gyd-weithwyr.

Gwenodd Zen wên drist rŵan wrth wylio'r bychan yn ei sgwario hi'n dalog i lawr y coridor, a sŵn ei sodlau'n atseinio yn y nenfwd bwaog uwchben. Ymhen tri mis byddai Stan yn ymddeol, a dyna golli ffrind da.

* * *

Awr a hanner yn ddiweddarach, roedd yn anelu am y ffreutur unwaith eto, am ei bryd min nos y tro hwn, pan glywodd sŵn traed cyflym yn dynesu o'i ôl.

'Dal am eiliad, Zen! Mynd am fwyd wyt ti?'

'Ia. Waeth imi hynny ddim, Frank.'

'Mi ddo i efo ti, ta. Ro'n i isio gair, beth bynnag.'

Roedd Zen yn falch o'r cwmni. Ar wahân i Stan Tipton, Frank oedd yr unig un arall ar y shifft y gallai ei styried yn unrhyw lun o ffrind. Nid eu bod nhw'n gyfeillion agos o bell ffordd – cyfeillgarwch gwaith oedd o, dim mwy – ond roedd ganddyn nhw barch y naill at y llall a byddent yn cyfarfod yn

Churchill's Bar ar ddiwedd ambell wythnos waith, am beint neu ddau, er nad oedd hynny wedi digwydd ers mis neu fwy bellach, am fod Frank wedi bod yn gneud esgusion tros beidio.

'Roeddet ti wedi gadael y cantîn cyn i mi gyrraedd yno pnawn 'ma. Fe glywais y siarad, bod rhywun wedi trio dy saethu di ddoe. Ydi o'n wir?'

Nodiodd Zen ei ben y mymryn lleia, gan amau be oedd ar ddod. Ar yr un pryd, sylwodd gymaint gwelwach oedd ei ffrind yn ddiweddar; roedd croen ei wyneb o liw afiach pwti llwyd. Fe edrychai'n well pe bai ond yn cael torri'i wallt, meddyliodd. Roedd hwnnw'n gorwedd yn llaes ac yn seimlyd ariannaidd dros ei glustia a'i war.

'Dau dramorwr, yn ôl be oedd yr hogia'n ddeud?' Arhosodd Frank i'w ffrind nodio'r eildro. 'Sut fyddet ti'n eu disgrifio nhw? Gwallt tywyll gan yr hogan . . . at ei hysgwydda . . . gwynab gwelw . . . côt laes ddu a beret am ei phen?'

Edrychodd Zen yn ymholgar arno. 'Gwallt tywyll, ia . . . at ei hysgwydda, ia . . . ond welis i ddim côt ddu na beret.'

'Be am y boi, ta? Dy daldra di? Tua phum troedfedd naw modfedd? Gwallt brown byr? Ploryn ar ei ên?'

'Fedra i ddim deud wrthat ti, Frank. Roddodd o ddim llawar o gyfla imi 'i astudio fo. Sut uffar *ti*'n gwbod, beth bynnag?'

'Am eu bod nhw wedi bod yn holi amdanat ti . . . '

'Be? . . . Pryd?'

'Tua chanol dydd, ddydd Gwenar. Fe ddaethon at Borth San Steffan gan ddisgwyl cael cerddad yn syth i mewn.' Chwarddodd yn fyr. 'Doedd ganddyn nhw ddim syniad fel mae petha'n gweithio yma, yn amlwg! Sut bynnag, pan gawson nhw'u rhwystro, dyma nhw'n deud eu bod nhw'n chwilio am rywun oedd yn gweithio yma, a rhoi dy enw di. Felly dyma un o'r hogia'n galw arna i draw, am ei fod o'n gwbod, am wn i, ein bod ni'n dau yn dipyn o fêts.'

Roedd Zen yn glustia i gyd erbyn hyn. 'Gofyn amdana i? Be oeddan nhw isio'i wbod?'

'Wel, roedd dy enw llawn di ganddyn nhw, beth bynnag, neu rwbath digon tebyg iddo fo. Roedden nhw isio gwbod ymhle'r oeddet ti'n byw.'

'Ac fe ddeudist ti wrthyn nhw!'

Chwarddodd Frank yn fyr ac yn ddi-hiwmor gan beri i'r rhychau ymledu dros ei wyneb llwyd. 'Fedrwn i ddim, fedrwn i? S'gen i ddim syniad lle ti'n byw, beth bynnag, mond dy fod ti rwla yn Tower Hamlets.'

'Felly?'

Sgrytiodd y gŵr hŷn ei ysgwydda. 'Roedden nhw'n gythral o ffrwcslyd. Ar biga'r drain 'swn i'n deud! Roedd hi'n bwysig eu bod nhw'n cael gwbod, meddan nhw, felly mi ddeudis na fedrwn i gael gafael arnat ti ar fyr rybudd ac y byddai'n rhaid iddyn nhw aros nes iti orffan dy shifft am ddau o'r gloch. Ond fedren nhw ddim aros, medden nhw. Yna mi gofis dy fod ti'n jogio yn Hyde Park bob bora Sul pan wyt ti ddim ar ddyletswydd . . . '

'Ac mi ddeudist hynny wrthyn nhw!'

'Diawl erioed, Zen, mae'n ddrwg gen i! Wnes i ddim meddwl, wnes i . . . ?'

Pennod 3

Buxton Street, Tower Hamlets, Llundain E1

Roedd yn gas ganddo weithio'r shifft hwyr, dau tan ddeg! Hen wythnos ddi-ddim oedd hi a doedd dim gafael ar betha rywsut. Gorweddian yn hwyrach nag y dylai yn y bore, cyfuno brecwast hwyr efo cinio cynnar a chychwyn am Westminster i gyrraedd fan'no mewn da bryd i newid i'w lifrai ac i'w arfogi ei hun yn yr arfdy. Yna wyth awr o sefyllian a mân siarad, am yn ail â chrwydro a thin-droi ar y coridorau. Paned yn y ffreutur am hanner awr wedi pedwar, a mwy o fân siarad yn fan'no; pryd o fwyd am hanner awr wedi chwech ac aros wedyn i'r amser lusgo hyd ddiwedd y shifft. Byth adre cyn chwarter i un ar ddeg, waeth pa mor ysgafn neu drwm y traffig. Adre i fflat wag! Gwylio'r bocs fel rheol, ond ddim heno. Dim byd gwerth ei wylio, felly noswylio'n gynnar – cynnar iddo fo – efo'r gyfrol *Fifty Dead Men Walking*. Nid ei fod o'n ddarllenwr brwd o bell ffordd, na llithrig chwaith o ran hynny, ond roedd cyfrol Martin McGartland, ar silff y siop, wedi apelio ato. Hanes arwrol gwir, yn ôl y clawr, am asiant cudd Prydain yn treiddio i'r IRA. *The Sensational International Bestseller*. 'Sut maen nhw'n medru deud hynny, sgwn i, ar glawr yr argraffiad cynta, cyn i'r un copi gael ei werthu?' Ond gwrthododd oedi efo'r cwestiwn hwnnw rhag i'w amheuon sinigaidd daflu dŵr oer ar bleser y darllen.

Ni allai gofio prynu llyfr arall yn ei fywyd o'r blaen ond tra oedd yn aros yn y ciw i dalu am ei bapur newydd, fore heddiw, roedd clawr hwn wedi tynnu'i lygad. Croes ddu drom ar gefndir gwyrdd a blew croes mewn cylch coch yn awgrymu anel gwn arni. 'Hanes gwir!' Cyn prynu, roedd wedi edrych pryd y cyhoeddwyd y gyfrol. 1997. Pedair blynedd ar ôl iddo fo, Zen, adael y fyddin; naw mlynedd ers ei gyfnod yn Iwerddon. Roedd yr enw McGartland yn hollol ddiarth iddo. 'Ond,' ymresymodd, 'mae'n siŵr bod cyfnod y llyfr yn mynd yn ôl dros nifer o flynyddoedd, i ddiwedd yr wythdegau, o bosib, a phwy ŵyr na fydda i'n medru uniaethu efo rhai o'r digwyddiadau sydd ynddo fo; adnabod ambell enw hyd yn oed.'

Er mai o ddewis parod y gadawsai'r fyddin, ddeng mlynedd yn ôl bellach, eto i gyd fe fyddai'n hiraethu'n amal am y cyfnod cyffrous hwnnw yn ei fywyd, yn enwedig y blynyddoedd cynnar, cyn iddo gael ei ddyrchafu'n sarjant; cyfnod pan na fyddai byth yn brin o ffrindia.

Yn gorwedd yno ar ei wely, efo dim ond ei drôns bach coch amdano, gadawodd i'w lygaid grwydro oddi ar dudalen y llyfr i'r tatŵ ar ei fraich. Gwenodd wrth gofio'r diodde i gael hwnnw! Llid y nodwydd drydan yn torri trwy'i gnawd ifanc a llun yr eryr efo'i adenydd ar led a'i grafangau'n ymestyn am ryw ysglyfaeth dychmygol, yn graddol ymffurfio drwy'r gwaed a'r llid. Dim arwyddocâd arbennig i'r llun, am a wyddai, ond bod y cynllun yng nghatalog y tatŵydd wedi mynd â'i fryd. Pa well bathodyn, wedi'r cyfan, i filwr ifanc oedd am herio'r byd a'i beryglon? Gwenodd yn atgofus eto. Roedd y dolur wedi mynd yn ddrwg a fynta wedi gorfod cymryd cwrs o dabledi antibiotig. Yna, adre ar ei lîf cynta, swagro'n freichnoeth yn ei grys haf caci i dafarn y Bow Bells yn Shoreditch a gneud yn siŵr mai braich y tatŵ oedd yn estyn bob gafael am y peint sur. 'Wyt ti ddim yn oer, machgan i?' Er na sylweddolodd hynny ar y pryd, gwyddai rŵan, wrth gofio'n ôl, mai gwawdio'i swagar ifanc yr oedd y dyn pen moel yng nghornel y bar. 'Llewys byr . . . dim côt . . . a hitha'n ganol gaea! Tipyn o foi!' Gwenu'n ôl yn glên roedd o wedi'i neud a chynnig peint i hwnnw a'i fêt.

Siomedig ddiflas oedd y dudalen gynta, a'r ail . . . a'r drydedd hefyd. McGartland yn gneud dim ond hel atgofion am ei blentyndod yng Ngogledd Iwerddon; sôn am ei fam a gorymdeithiau'r Teyrngarwyr a phetha felly. Gadawodd i'r pentwr tudalenna gwyryfol lifo'n araf dros ei fawd, yn yr hanner gobaith y byddai enw lle neu enw dyn neu ddynes yn neidio allan o'r papur, i ganu cloch yn ei feddwl. Gwnaeth hynny'r eildro, a'r un peth wedyn am y trydydd tro, ond heb unrhyw lwyddiant. Yna'n ddiamynedd gwasgodd y cloriau at ei gilydd a gadael i'r gyfrol orffwys ym mlew ei frest.

Ers gadael y fyddin, yn sarjant erbyn hynny, fedra fo ddim deud iddo deimlo'n fodlon ei fyd o gwbwl. Fe gafodd waith yn Southwark am sbel, yn dreifio lorri gwrw; mynd â chasgenni llawn o'r bragdy i dafarndai ym mhob rhan o Lundain bron, a llwytho rhai gwag i'w cludo'n ôl. Gwaith digon hawdd, a deud y gwir, i rywun â'r bôn braich oedd ganddo fo, ac i un oedd wedi hen arfer â gyrru lorïau trymion y fyddin. Pa un ai cael y sàc o'r swydd honno ynte'n fwriadol roi'r gorau iddi a wnaeth, fedra fo ddim deud i sicrwydd erbyn heddiw ond, yn reit siŵr, fu gwylltio efo'r fforman a sodro hwnnw gerfydd ei lwnc yn erbyn drws y bragdy a deud wrtho am stwffio'i job ddim yn help o gwbwl! Yna, yn dilyn ychydig wythnosau fel actiwr-rhan-amser, cafodd waith fel labrwr ar safle bloc o swyddfeydd newydd yn Broadgate, dafliad carreg o'r Barbican a nepell chwaith o'i hen gartre yn Shoreditch. Cyfnod o euogrwydd, cofiodd, oherwydd dyna'r adeg y bu ei fam farw, yn ddim ond croen am asgwrn ar ôl bod yn orweddog mewn ysbyty am bum wythnos. 'Dwywaith mewn pum wythnos!' Daeth y geiria allan heb iddo'u bwriadu. Fe ddylai fod wedi ymweld â hi'n amlach! Ddylai hi ddim bod wedi gorfod marw ar ei phen ei hun, heb neb o'i theulu'n agos ati. Roedd marw'n rhywbeth digon unig i'w neud ar y gora; fe welodd hynny drosto'i hun, yn y fyddin. Blydi dwywaith! Gwylltiodd. Ond roedd dwywaith yn ddwywaith amlach na'i dad! Fu'r bastad hwnnw ddim ar ei chyfyl gydol y gwaeledd ac roedd dynes arall yn byw efo fo cyn i gorff ei wraig oeri bron!

Heb iddo sylweddoli, roedd Zen wedi gwasgu *Fifty Dead Men Walking* yn ei law chwith gref nes plygu meingefn y gyfrol. Angladd ei fam fu'r tro ola iddo ymweld â'i gartre yn Shoreditch; y tro ola iddo weld ei dad, a'r tro ola hefyd iddo gael gair efo'i ddwy chwaer – Nardia, yn byw rywle yng Nghernyw efo gŵr a thyaid o blant, a Maureen, hen ferch yn gweithio i'r Gwasanaeth Sifil yn Lambeth.

Yna, rai misoedd wedyn, gneud cais i'r Met a synnu at ba mor sydyn y cafodd ei dderbyn. Synnu mwy ymhen rhai wythnosau pan leolwyd ef ym Mhalas Westminster, yn swyddog gwarchodlu *SO11* efo gwn ar ei fraich ac un arall ar ei glun; ei flynyddoedd yn y fyddin – yn Iwerddon ac yn y Gwlff – wedi cael eu gweld yn gymhwyster arbennig at y gwaith, siŵr o fod. Yna, cael fflat-dwy-lofft fechan ar rent yn Tower Hamlets. A medru fforddio prynu beic! Dim byd rhy ddrud – Honda 350 – na phwerus chwaith, gwaetha'r modd, ond un a'i gwnâi hi'n dipyn rhatach a chyflymach na'r Tiwb iddo deithio i mewn i ganol y ddinas bob dydd.

'Ond damia unwaith! Dwi wedi cael llond bol ar y blydi job yma hefyd, erbyn rŵan!'

A dyna gyfadde'r ffaith iddo'i hun am y tro cynta! Oedd, roedd o wedi disgwyl i fywyd yn y Met gynnig mwy o gyffro ac o ramant, tebyg i fywyd y fyddin, ond doedd tin-droi o gwmpas Palas Westminster o ddydd i ddydd, yng nghwmni rhyw benna bach fel Bluto a'i fêts, a gneud dim byd mwy na chadw llygad ar lif diddiwedd o dwristiaid llygadrwth, ddim wedi dod yn agos at wireddu'r gobaith hwnnw.

'Y peth gwiriona wnes i oedd gadael y fyddin.'

Ond doedd fawr o argyhoeddiad yn y geiria hynny,

chwaith. Medrai gofio'n iawn pam y trodd ei gefn ar y bywyd milwrol. Bywyd unig oedd bywyd sarjant, ac ar y pryd doedd ynddo mo'r awydd, mwy na'r gallu chwaith, i ddymuno comisiwn uwch. '*Cyrnol* Steven Z. Smith!' Gwenodd wên gam. *Capten* . . . !' Hy! I lanc efo'i addysg brin o, a'i acen gocni drom, fyddai drws o'r fath ddim wedi cael ei agor byth.

Trodd ei feddwl at ddigwyddiadau ddoe ac at yr hyn a ddywedodd Frank wrtho. Pwy ar y Ddaear allai fod â rheswm i'w ladd? Doedd ganddo ddim gelynion cyn waethed â hyn'na, hyd y gallai feddwl; yn sicr nid yn Nwyrain Ewrop o bob man. Oedd, roedd o wedi treulio cyfnod gyda'r gatrawd yn yr Almaen, ond prin y bu allan o'r gwersyll yn y cyfnod byr hwnnw. Oedd o wedi tramgwyddo yn erbyn rhyw filwr neu filwyr ifanc yng nghwrs eu hyfforddiant? Wrth gwrs hynny! Y sarjant, wedi'r cyfan, yn enwedig mewn cyfnod o heddwch, oedd y lleia poblogaidd yn y fyddin, yn gocyn hitio ac yn fwch dihangol yr un pryd. Bod yn llawdrwm ar recriwtiaid ifainc oedd yr unig ffordd i'w cael nhw i drefn, ond er gneud hynny'n effeithiol, a chreu milwyr disgybledig ohonyn nhw, eto i gyd fydda fo byth yn uwch na baw sawdl yng ngolwg ei uwch-swyddogion. A gwyddai fod yr hogia ifanc, y milwyr cyffredin, yn ei gasáu â chas perffaith . . . nes iddyn nhw sylweddoli pwy oedd orau wrthyn nhw mewn sefyllfaoedd o berygl. 1989 yng Ngogledd Iwerddon, er enghraifft! '92 wedyn – Rhyfel y Gwlff! Dyna pryd y cawson nhw weld pwy oedd yn barod i sefyll ysgwydd wrth ysgwydd efo nhw, pwy oedd barotaf i fentro efo nhw i'r drin ac i ddangos gofal drostyn nhw. Na, go brin bod dim un o'r hogia hynny'n dal digon o ddig i fod isio'i ladd.

Er crafu cragen ei gof, ni allai yn ei fyw â chofio iddo dramgwyddo yn erbyn neb i'r graddau y byddai hwnnw, honno neu'r rheini yn dymuno dial arno rŵan, yr holl flynyddoedd yn ddiweddarach. Yr unig bosibilrwydd arall oedd Gogledd Iwerddon! Wedi'r cyfan, roedd ambell gell styfnig o'r IRA yn dal yn weithredol. Ond diawl erioed! Amaturiaid oedd y ddau yn Hyde Park! Pe bai'r IRA ar ei ôl, mi fyddai wedi bod yn fwyd i bry genwair ymhell cyn hyn. Dim ond un posibilrwydd arall oedd yn aros, felly. Fe saethwyd un o'i gatrawd yn farw yn Armagh, ddeuddydd yn unig cyn i'w gyfnod yn y Dalaith ddod i ben. Bachgen pedair ar bymtheg oed. William rhywbeth-neu'i-gilydd! Rhwbiodd Zen ei lygaid yn ffyrnig â blaenau bysedd ei ddwy law. Pam smalio methu cofio, a fynta'n gwybod yr enw'n iawn? Ar ôl yr holl amser, pam bod mor amharod i ddeud yr enw, hyd yn oed yn ei feddwl? 'William Matheson! . . . William Matheson, Edleston Street, Crewe,' meddai'n gyndyn rhwng ei ddannedd, fel pe bai yngan y geiria'n boen ac yn gatharsis yr un pryd. Allai rhywun o deulu hwnnw fod yn trio dial? Ond pam? Oedd, roedd o ei hun yn dal i deimlo rhyw elfen o euogrwydd am na fedrodd neud rhywbeth i arbed y drasiedi – roedd hynny i'w ddisgwyl, gan mai fo oedd yn arwain y grŵp bychan trwy strydoedd cefn Belfast ar y pryd – ond doedd dim bai arno fo, fel y cyfryw, am be ddigwyddodd. Dim bai o gwbwl. Ac eto i gyd, roedd o wedi synhwyro'r peryg rai eiliadau cyn i'r peth ddigwydd, a'i synhwyro fo'n fyw ac yn real iawn, ac fe ddylai fod wedi ymateb mewn pryd. Ond roedd o'n annheg â fo'i hun i feddwl felly. A deud y gwir, doedd dim bai ar neb ond ar yr IRA am i waed y creadur bach diniwed gael ei dywallt. 'Ond falla nad dyna fel mae rhai o'i deulu fo'n gweld petha!'

Aeth *Fifty Dead Men Walking* drwy'r awyr yn ddig a'i ddalennau mor swnllyd ag adenydd tylluan wedi cael braw. Yn ddifater, gwyliodd Zen y gyfrol yn taro ffrâm y drws ac yn syrthio'n glewt i'r llawr. Doedd be ddigwyddodd yn Hyde Park ddoe yn gneud dim mwy o synnwyr iddo rŵan nag yr oedd o bedair awr ar hugain yn ôl.

'Rhaid mai camgymeriad oedd o. Dyna'r unig eglurhad sy'n gneud unrhyw fath o synnwyr. Pwy bynnag oedd y ddau, maen nhw wedi meddwl mai rhywun arall oeddwn i.' Ac eto, fe wydden nhw ei enw, ac fe wydden nhw lle'r oedd o'n gweithio hefyd. Roedd Frank yn dyst pellach o hynny. Dylai fod wedi gofyn i hwnnw fynd efo fo i orsaf yr heddlu yn

Knightsbridge, er mwyn profi i'r sarjant-ar-ddyletswydd yn fan'no fod gwir yn y stori. 'Mi wna i hynny fory,' meddai, gyda phendantrwydd newydd. 'Fedra i ddim mynd i 'ngwaith bob dydd yn edrych dros f'ysgwydd rhag ofn imi gael bwled yn fy nghefn.'

Pennod 4

Pnawn Mercher canlynol –
Swyddfa'r Cronicl, Stryd y Fflyd, Llundain EC4

'Alex! Gollwng bob dim a dos draw i Westminster gynted ag y medri di.'

'Ond wi'n . . . '

'Gad o, beth bynnag ydi o! Dwi newydd gael galwad yn deud bod rhywun wedi trio saethu'r Ysgrifennydd Amddiffyn rai munuda'n ôl. Oes raid deud mwy? Mae tacsi wrth y drws yn aros amdanat ti. Mae Harry ar ei ffordd yno o Canary Wharf. Mi fyddi yno o'i flaen. Mae gen ti ddwyawr a hanner ar y mwya.' Ffotograffydd y *Chronicle* oedd Harry.

Hyd yn oed cyn clywed y ffôn yn cael ei ollwng i'w grud ar ben arall y llinell fewnol, roedd hi wedi safio'i gwaith ar y cyfrifiadur, wedi taflu'i chôt dros ei hysgwydda ac wedi cipio'i *laptop* oddi ar ei desg. Gwyddai beth oedd arwyddocâd y *dwyawr a hanner.* Dwyawr a hanner nes yr âi rhifyn nesa'r *Chronicle* i'w wely. Fe âi unrhyw beth diweddarach na hynny o dan y gyllell olygyddol, i ymddangos yn foel a phytiog yng ngholofn ddi-awdur y *Stop Press,* efo'r addewid arferol am ddilyniant llawn i'r stori yn rhifyn trannoeth – ond erbyn hynny byddai'r stori i'w chael ym mhob papur arall beth bynnag. Châi hynny ddim digwydd efo'r stori hon reit siŵr.

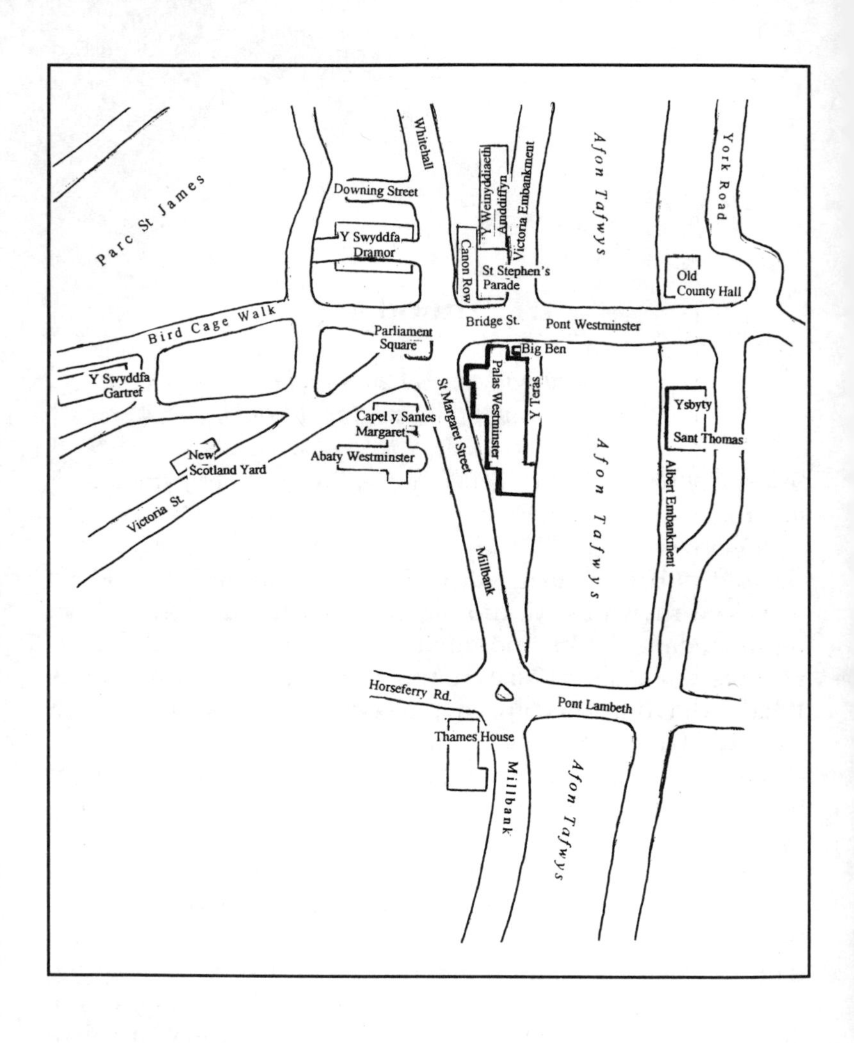
Parc St James
Whitehall
Downing Street
Y Swyddfa
Dramor
Y Weinyddiaeth
Amddiffyn
Victoria Embankment
Canon Row
St Stephen's
Parade
Afon Tafwys
York Road
Old
County Hall
Bird Cage Walk
Parliament
Square
Bridge St.
Pont Westminster
Big Ben
Y Swyddfa
Gartref
Palas Westminster
Y Teras
St Margaret Street
Capel y Santes
Margaret
Abaty Westminster
New
Scotland Yard
Victoria St.
Ysbyty
Sant Thomas
Albert Embankment
Afon Tafwys
Millbank
Horseferry Rd.
Pont Lambeth
Thames House
Millbank
Afon Tafwys

Stori dudalen flaen, heb os! Ei chyfle mawr cyntaf ers iddi ddod i Lundain!

'Diolch!' meddai hi'n gyffrous wrth olygydd gwleidyddol na allai, bellach, ei chlywed. 'A diolch i tithe, Walt, am bido bod ar ga'l.' Walt Truman oedd prif ohebydd gwleidyddol y *Chronicle*, ond heddiw roedd i ffwrdd mewn rhyw angladd neu'i gilydd. ''I anlwc e, fy lwc inne!' meddyliodd Alex.

Roedd gan A. A. Morgan, gohebydd y *Chronicle*, nid yn unig drwyn da am stori ond roedd ganddi hi hefyd ddawn go arbennig i'w deud. Nid bod angen y trwyn da hwnnw arni rŵan, wrth gwrs; fedrai'r gohebydd mwya di-glem a dibrofiad ddim peidio â gweld pwysigrwydd y stori oedd yn cynnig ei hun. Stori dudalen flaen gyfan! Yr hyn a ddywedai profiad wrth Alex, fodd bynnag, oedd bod brys i gyrraedd Westminster, er mwyn cael holi a stilio cyn i weddill yr haid newyddiadurol syrthio fel locustiaid ar y lle. Unwaith y digwyddai hynny, y cyfan a geid o groen yr heddlu wedyn fyddai datganiad byr, swyddogol i'r Wasg. Yr un stori i bawb. Roedd yn anochel y byddai rhai ohonyn nhw – y sylwebyddion gwleidyddol wrth swydd – wedi cael y blaen arni, ac yno'n barod, gan mai yn Westminster y treuliai'r rheini y rhan fwya o'u dyddia beth bynnag. Y gamp iddi hi fyddai dwyn y fantais honno'n ôl oddi arnyn nhw.

'Cei di ddeg punt o gildwrn os gollyngi di fi wrth Borth San Steffan o fiwn deg muned. Punt yn llai am bob muned dros yr amser.' Roedd hi'n gweiddi'r geiria wrth ddringo ar ei hyll i gefn tacsi oedd eisoes yn llawn siarad.

Taflodd y dreifar gip i'r drych a gwylio'r ferch hirwallt, drawiadol yn gollwng ei hun i sedd gefn ei gerbyd.

'Fedra i ddim! Be sy'n mynd ymlaen, beth bynnag?'

Rhythodd Alex yn wyllt i'r llygaid yn y drych. 'Cer!' gwaeddodd. 'Yn glou!'

'Gwranda!' meddai yntau, gan gyfeirio at ei radio ac at y parablu cras oedd yn dod ohoni. Yna, wrth weld ei thrafferth amlwg i ddeall y siarad stacato, aeth ymlaen i egluro. 'O fewn y munuda dwytha 'ma, mae'r heddlu wedi ynysu Westminster. Does 'na ddim bws na thacsi na uffar o ddim yn cael mynd yn agos at Parliament Square; does 'na ddim byd yn cael symud ar Whitehall na Millbank, ar Victoria Street na Phont Westminster. Be ddiawl sy'n mynd ymlaen yno, meddat ti?'

'Rhywun wedi trio sithu aelod o'r Cabinet,' gwaeddodd hitha'n ôl, yn ddiamynedd. 'Nawr, faint mor agos allet ti fynd â fi?'

Cyn ateb, ac yn hytrach nag aros i ddadlau, llywiodd y dreifar ei gerbyd allan i'r llif traffig a dechrau gwau ei ffordd o'r naill lôn i'r llall, gan anelu i lawr Stryd y Fflyd am y Strand. 'Yn ôl be dwi'n glywad, y gobaith gora fyddai inni groesi'r afon ac imi dy ollwng di wrth yr Hen Neuadd Sir, ym mhen arall Pont Westminster. Fyddi di ddim yn hir yn croesi honno ar droed. Dyna'r gora fedra i ei gynnig iti.'

'Gna 'ny 'te! A ma'r cynnig o ddeg punt yn aros.'

Er y gwyddai mai gobaith bach iawn oedd ganddo o ennill y ddecpunt nac unrhyw gyfran ohoni, fe ymdawelodd y gyrrwr am chydig. Yn ei feddwl roedd eisoes wedi penderfynu mai ei obaith gorau oedd anelu am Bont Waterloo, fyddai'n mynd â nhw i lan ddeheuol y Dafwys. 'Tipyn o stori, os medri di ei chael hi,' mentrodd ymhen sbel. Roedd ganddo beth profiad o ruthro gohebyddion diamynedd o gwmpas y lle.

Ond dwysáu, os rhywbeth, wnaeth y tyndra yn y car, yn bennaf am i Alex, yn ei rhwystredigaeth, gamgymryd agwedd ddigynnwrf y gyrrwr am ddiffyg ymdrech ddigonol ar ei ran. Câi pob golau droi'n goch ganddo cyn iddyn nhw ei gyrraedd ac yn ei barn hi roedd o'n rhy oddefgar tuag at ddefnyddwyr eraill y ffordd, yn enwedig y gyrwyr bws oedd yn mynnu gwthio i'r llif o'u blaen. Erbyn ei bod hi'n syllu ar y gawod drom yn sgubo dros yr afon oddi tani, gwyddai fod y deng munud eisoes wedi hen fynd heibio.

Pan ddaethant i gyfarfod prysurdeb y traffig ar gylchdro Tenison Way ar ben arall Pont Waterloo, gollyngodd ochenaid o ryddhad. Gwyddai mai Pont Westminster oedd rŵan yn ei haros, ond hyd yn oed wedyn, bu'n rhaid arafu deirgwaith ar York Road i neud lle i geir heddlu'n fflachio'n swnllyd heibio, pob un yn mynd i'r un cyfeiriad â nhw. Ychydig funudau'n ddiweddarach, daeth Palas Westminster, mor osgeiddig ddigyffro ag arfer, i'w golwg heibio cornel yr Hen County Hall. A dyna cyn belled ag y caent fynd. Ar draws ceg Pont Westminster, yn rhwystr o oleuadau glas cyffrous, safai dau gar heddlu, eu trwynau bron cyffwrdd ar siâp V. Ac fel pe bai hynny, ynddo'i hun, ddim yn ddigon o rybudd, safai pedwar plismon gwlyb ac arfog fel polion ffens ar draws y ffordd, eu gynnau Heckler a Koch MP5 yn fygythiad i gadw'r degau o gerddwyr chwilfrydig rhag croesi i weld be oedd yn mynd ymlaen ar ochor bella'r afon.

Wrth weld y tacsi'n anelu'i drwyn tuag atynt, cymerodd un o'r plismyn hynny gam ymlaen rŵan, efo cledar ei law yn yr awyr i'w hatal.

'Dyma cyn belled ag y ca i fynd â chdi, mae'n beryg.'

* * *

Dinas Westminster, Llundain SW1

Pedair punt ac ugain ceiniog oedd cyfanswm y mîtyr. Gollyngodd hithau'r papur decpunt a'r un pumpunt, y bu'n eu gwasgu'n boeth yn ei llaw ers meitin, i lanio ar y sedd flaen wrth ochor y gyrrwr. Er gwaetha pob dim, tybiai ei fod yn llawn haeddu cildwrn hael. Yna, cyn i'r tacsi stopio'n iawn, roedd hi allan ohono ac yn anelu am y plismon agosa ati.

Rywle o'i hôl clywodd lais yn diolch ac yn dymuno 'Pob lwc efo'r stori!'ond roedd ei sylw hi eisoes wedi ei hoelio ar Big Ben y tu draw i'r bont ac ar fawredd addurnol Westminster yn gwgu yng nghysgod camwedd a chymylau duon a smwcan glaw. Daliodd ei cherdyn 'Y Wasg' i'r plismyn ei weld ac yna prysurodd i groesi'r Dafwys unwaith eto, y tro hwn ar droed, gan ddiawlio'r sodlau uchel oedd yn ei rhwystro rhag rhedeg cyn gyflymed ag y byddai hi wedi'i ddymuno.

Ar lan bella'r afon, gwelodd fod ceg y Victoria Embankment hefyd wedi'i chau, gan blismyn ar feiciau modur y tro hwn. Ymhellach draw, tystiai rhagor o oleuadau glas fod blocêd ar draws Parliament Street a Whitehall yn ogystal. Teimlodd Alex y cynnwrf yn cynyddu o'i mewn. Roedd Westminster dan warchae! Prysurodd ei chamau a daeth Parliament Square i'r golwg, yn gwch gwenyn o brysurdeb ac yn gorlan i dwristiaid syn-yr-olwg oedd yn dioddef cael eu diadellu'n rhengoedd trefnus, a hwylus i'w croesholi, naill ai fel llygad-dystion posibl neu asasiniaid tebygol. Oddi ar ei bedestal aruchel, gwgai Winston Churchill ar y cyfan, fel pe bai'r sŵn cyrn diamynedd a'r holl seirenau aflafar yn tarfu ar ei lonyddwch. Roedd gwyll cynnar yn cau i mewn am bawb a phopeth.

Gan ddal ei bathodyn yn barhaol o'i blaen, rhag cael ei hatal eiliad yn hwy nag oedd raid, dilynodd Alex y wal efo'i rheilin uchel yng nghysgod Big Ben ac yna anelu i lawr St Margaret's Street, i gyfeiriad Porth San Steffan, am mai dyna'r lle mwyaf tebygol, yn ei thyb hi, i gael gwybodaeth. Ond, roedd ceir a rhes o blismyn yn fan hyn eto, yn rhwystr ar draws y ffordd, a gorfodwyd hi i groesi i'r palmant pellaf, i gysgod un o'r coed a daflai ei changhennau deiliog drosodd o lawnt Capel St Margaret. Yno, cafodd gyfle i estyn ei hambarél bychan o'i bag. Yn ei gysgod, ac yng nghysgod y goeden, oedodd i wylio beth oedd yn mynd ymlaen, a chael yr argraff mai hi oedd yr unig berson call a synhwyrol yn y lle i gyd; roedd pawb a phopeth arall o'i chwmpas yn hwrli bwrli gwyllt – dynion yn rhedeg blith draphlith, camerâu yn fflachio, lleisiau'n gweiddi, ceir heddlu yn nadu ac yn wincio'n las, rhes o blismyn arfog yn troi'n barhaol ar eu sodlau, yn ceisio edrych yn fygythiol i bob cyfeiriad ar yr un pryd . . . Ac uwchben, mewn awyr oedd hefyd yn llawn sŵn, troellai dau hofrennydd glas-a-gwyn llygadog.

Gyferbyn â hi, safai'r Carriage Gates – y fynedfa i faes parcio tanddaearol Palas Westminster – a thu draw i farrau haearn y rheini, rhagor o brysurdeb. Gwyddai mai yno, yn rhywle, chwarter canrif union yn ôl, y lladdwyd y Ceidwadwr blaenllaw Airey Neave, gan fom yr IRA. 'Rhyw ddwyrnod,' meddai Alex wrthi'i hun, ac nid am y tro cynta ers iddi ddod i Lundain chwe blynedd yn ôl, 'wi'n mynd i wilo'i hanes diddorol e, a falle sgrifennu llyfyr amdano fe.' Er y gwyddai fod cofiant, a sawl cyfrol arall yn ogystal, wedi ymddangos dros y blynyddoedd am y gŵr yr oedd Margaret Thatcher wedi'i ddewis yn Ysgrifennydd Gogledd Iwerddon i'w Chabinet cyntaf, eto i gyd roedd gan Alex ei syniadau ei hun am y math o gyfrol y carai hi ei hysgrifennu.

Craffodd i weld achos y cynnwrf yn y New Palace Yard. Trwy farrau'r giatiau caeedig gwelai gar mawr llwyd-dywyll – Jaguar un o aelodau'r Cabinet yn ôl ei olwg – yn sefyll ar ganol y lawnt, efo llwyn hydrefol lliwgar wedi'i wasgu o dan ei olwynion blaen. Roedd ei ffenest ôl yn chwilfriw. Safai nifer o wŷr mewn siwtiau tywyll, yn ogystal â phlismyn arfog a swyddogion diogelwch, o'i gwmpas, rhai yn ei archwilio'n fanwl, eraill yn holi'r *chauffeur*, tra bod dyn â chamera digidol yn cofnodi pob manylyn. Doedd dim sôn am yr Ysgrifennydd Gwladol ei hun; roedd hwnnw wedi cael ei ruthro i ddiogelwch ers meitin.

Yn yr un eiliad, sylwodd hefyd ar olion y sgid ar wyneb y ffordd yn arwain at y giatiau, y cadarnhad a geisiai mai yma y digwyddodd y ddrama, hanner awr neu lai yn ôl.

Camodd allan o gysgod y goeden a cheisio gwasgu'n nes, er mwyn cael golwg well ar be oedd yn mynd ymlaen, ond daeth un o'r plismyn arfog i sefyll yn ei llwybr. Dangosodd ei cherdyn 'Y Wasg' iddo, ond y cwbwl a wnaeth oedd gwenu'n dosturiol ac ysgwyd ei ben. 'Mae'n ddrwg gen i, *miss,*' meddai, 'ond does neb – ddim hyd yn oed y Wasg – yn cael mynd yn nes na hyn; ddim nes y bydd Fforensig wedi gorffen chwilio.'

'Gallwch chi weud be sy wedi digwdd 'ma, 'te?'

'Tipyn o saethu, dyna i gyd.'

'At yr Ysgrifennydd Amddiffyn, ife? Ga's e ddolur, 'te?'

'Naddo. A rŵan mae'n rhaid imi ofyn ichi gamu'n ôl, *miss*.'

Am iddo godi'i lais, fe barodd y rhybudd i blismon arall droi i edrych arni, a llamodd ei chalon. Wyneb cyfarwydd Emlyn John! 'A! Ma Ffawd yn gwenu, w!' meddai Alex wrthi'i hun, wrth adnabod y Cymro. Ond byr fu ei gorfoledd, serch hynny, wrth ei weld yn troi draw yn swta, heb gymryd arno ei hadnabod.

Wrth i'r gawod drymhau, cododd goler ei chôt a chilio unwaith yn rhagor i gysgod y gangen ddeiliog oedd yn taflu drosodd o lawnt Capel St Margaret. Daliai i wylio'r car yn cael ei archwilio, tra i'r chwith, ar Parliament Square, roedd y plismyn mewn cyfyng-gyngor amlwg, heb wybod a oedd ganddyn nhw'r awdurdod ai peidio i gadw praidd o dwristiaid – oedd yn anniddigo'n gwynfanllyd wrth yr eiliad – mewn corlan ddigysgod, i gael eu holi. Ni pharhaodd y cyfyng-gyngor yn hir, fodd bynnag, wrth i'r gawod drom droi'n genlli. O gornel ei llygad, gwelodd Alex y praidd yn sgrialu'n ddiganiatâd i bob cyfeiriad, i lechu ym mha gysgod bynnag oedd yn ei gynnig ei hun, a'r plismyn yn ildio'n ddibrotest i'w tynged.

Daliai i edrych i gyfeiriad Emlyn John, yn y gobaith o dynnu ei sylw, ond er bod hwnnw, fel gweddill yr *SO11* arfog, yn llygadu i bob cyfeiriad, eto i gyd cyndyn oedd o i edrych i'w chyfeiriad hi. Yn hytrach, fe gâi hi'r argraff ei fod yn fwriadol osgoi ei llygaid, er ei fod yn sefyll yn nes ati rŵan nag yr oedd o bum munud yn ôl.

Edrychodd Alex ar ei wats. Ugain munud i chwech! Roedd y gawod wedi llacio. Fe âi hi i lawr at Borth San Steffan, meddai wrthi'i hun, i weld a allai gael mwy o wybodaeth yn fan'no. Doedd dim sôn am Harry'n cyrraedd.

''Ych chi wedi ca'l un rhybudd i gadw'n ôl, *miss*. Os na fyddwch chi'n garcus bydd rhaid ifi ofyn ichi adel – y Wasg neu bido!' Ac yna, cyn iddi gael cyfle i ymateb i'w eiria, ychwanegodd Emlyn John mewn islais, 'Wi'n bennu am wech. Rho gwarter awr wedyn ifi newid.'

* * *

Cymerodd Zen rai munudau i gael mynediad i Parliament Square o Stryd Victoria.

Roedd wedi methu cael eglurhad am y dagfa draffig ar Sgwâr Trafalgar na pham na châi ef na neb arall fynd i lawr Whitehall i gyfeiriad Westminster. Nid oedd ganddo ddewis wedyn ond anelu am Piccadilly a'i gneud hi am Hyde Park Corner, a chyrraedd Westminster o gyfeiriad gwahanol iawn i'w arfer. Ac wrth adael y llif llonydd o'i ôl, 'Diolch i Dduw mai ar feic ydw i,' meddai wrtho'i hun, 'ac nid mewn car.'

Fe ddylsai fod wrth ei waith ers dau o'r gloch, ond roedd wedi cael caniatâd i fod yn hwyr heddiw am fod ganddo apwyntiad efo'i ddeintydd yn Tower Hamlets am hanner awr wedi tri. 'Ond nid mor hwyr â hyn chwaith!' meddai wrtho'i hun. Aethai'n ddeng munud i bedwar arno'n cael sylw'r deintydd ac yn bum munud ar hugain wedi'r awr arno'n cael cychwyn o fan'no wedyn am Westminster. Fe gostiai'r apwyntiad hwyr hanner stèm o gyflog iddo, meddyliodd yn chwerw.

Daeth yn fwy a mwy ymwybodol o'r ddau hofrennydd yn troelli uwchben.

Pan gyrhaeddodd Stryd Victoria, fe'i synnwyd gan yr anhrefn dig oedd yn fan'no hefyd. Doedd dim byd ar bedair olwyn yn gallu symud modfedd, yn ôl nac ymlaen, ac roedd sŵn cyrn diamynedd yn dod â mwy a mwy o wrid i wyneb y plismon unig a geisiai eu cyfeirio'n ôl y ffordd y daethant. Medrodd Zen fynd heibio hwnnw heb fawr o drafferth, nes cyrraedd Parliament Square. Syllodd yn gegrwth yn fan'no ar yr holl bobol oedd yn sgrialu i bob cyfeiriad drwy'r glaw, ac ar gynifer o blismyn arfog oedd o gwmpas y lle.

Arferai gyrraedd ei waith mewn da bryd a chael paned

hamddenol o goffi cyn dechrau ar ei shifft, ond heddiw doedd y dewis hwnnw ddim ganddo. Yn hytrach, byddai'n rhaid iddo frysio i barcio'i feic a rhuthro wedyn i'r stafell loceri yn Canon Row i newid i'w lifrai yn fan'no cyn mynd wedyn i'r arfdy i gael ei arfogi.

'Wyt ti'n meddwl mai blydi carnifal sgynnon ni, mêt?' Roedd dau blismon wedi camu'n wyllt ac yn ddiamynedd i'w lwybr, eu breichiau ar led i'w rwystro. Un o'r rheini oedd yn gweiddi arno. 'Fedri di ddim gweld nad oes uffar o neb yn cael mynediad? Rŵan dos yn ôl y ffordd ddoist ti!'

'Dwi'n gweithio yn y blydi lle, siŵr Dduw!' atebodd yntau'n ddig, gan bwyntio at Balas Westminster ar yr ochor arall i'r sgwâr. '*SO11*! Be ddiawl sydd wedi digwydd yma, beth bynnag?' Tra'n dadlau a dal pen rheswm, roedd wedi tynnu un o'i fenig er mwyn ymbalfalu â llaw noeth ym mhoced ei siaced ledar wlyb. O'r diwedd, teimlodd ei fysedd yn cau am ei gerdyn adnabod. 'Fe ddylwn fod wedi dechra fy shifft ers dau o'r gloch a ma hi rŵan yn . . . ' Edrychodd ar ei wats. 'Uffar dân! Ma hi bron yn chwartar i chwech!'

'Mae'n ddrwg gen i,' meddai un o'r plismyn yn swta wrth roi ei gerdyn yn ôl iddo, a chamu o'r neilltu i neud lle iddo fynd heibio, 'ond mae'n rhaid inni fod yn ofalus. Nid bob dydd mae rhywun yn trio lladd aelod o'r Cabinet.'

Wedi iddo ddod dros ei sioc, cafodd rwydd hynt i fynd heibio iddyn nhw ond nid yn bell, chwaith, cyn cael ei stopio eto, yng ngheg Stryd St Margaret ac wedyn wrth y Carriage Gates. Tra oedd yn aros i'r rheini gael eu hagor, er mwyn iddo fynd â'i feic trwyddynt, gwelodd y Jaguar llwyd o'i flaen, a'r prysurdeb o'i gwmpas. Sylwodd ar olion y sgid dros y lawnt ac ar y ffenest ôl oedd yn deilchion. 'Be gythral ddigwyddodd, tybad?' gofynnodd iddo'i hun. Ond doedd ei chwilfrydedd ddim yn ddigon, chwaith, i'w gadw rhag taflu cip gwerthfawrogol dros ysgwydd ar y ferch hirwallt, dal a safai o dan ambarél yng nghysgod coeden ar ochor bella'r ffordd.

Daliai hi ffôn yn dynn wrth ei chlust a hi, yn ôl pob golwg, oedd yn gneud y siarad i gyd.

* * *

'Ma'n flin 'da fi dy gadw di i aros, Alex, ond o'dd hi ddim mor rhwydd ifi adel heddi. Ac o'dd raid ifi newid o'n iwnifform.' Aethai bron dri chwarter awr heibio ers iddo addo'i chyfarfod ac erbyn hyn roedd gwyneb Big Ben yn dangos pum munud ar hugain wedi chwech. Synhwyrodd Alex yn syth ei fod yn anghyfforddus yn ei chwmni wrth iddo'i chyfarch mewn islais cyfrinachol a gneud sioe o edrych i gyfeiriad arall.

Oni bai am y llifoleuadau cryfion oedd rŵan yn creu disgleirdeb gwlyb ac yn troi'r diferion glaw yn wreichion gloyw, byddai'r nos wedi hen gau amdanynt. Teimlai Alex fel actores ar lwyfan, ei gwyneb yn noeth o golur a llygaid pawb arni. I aros am Emlyn, roedd hi wedi mynd i sefyll yng nghysgod wal allanol Capel St Margaret. O fan'no bu'n gwylio'r cynnwrf cynyddol wrth i ragor a rhagor o swyddogion y gwasanaethau cudd gyrraedd, ac er nad oedd ganddi syniad pwy oedd pwy o'u plith nhw – ac eithrio'r *Sergeant at Arms*, wrth gwrs, oedd yn troelli fel gwenynen mewn potel wrth drio mynd i bob cyfeiriad a siarad efo pawb yr un pryd – eto i gyd, fe wyddai hi'n reddfol fod rhai o hoelion wyth Scotland Yard ac *MI5* (ac *MI6* hefyd, o bosib) yn eu plith.

'Dim problem, Emlyn. Ble allwn ni fynd i siarad 'te? Churchill's?'

'Yffach dân nage! Bydd hi'n llawn dop fan'ny, siŵr iti. Ta beth, ma'n rhy ddanjerus . . . '

Daeth hitha i'r casgliad, o wrando arno ac o weld y ffordd wyliadwrus yr edrychai o'i gwmpas, fod aelodau'r gwarchodlu i gyd wedi cael rhybudd i beidio trafod o gwbwl efo'r Wasg. Her y llifoleuadau llachar a'r camerâu CCTV niferus oedd: 'Gamp ichi dorri'r gorchymyn yn ein gŵydd ni!'

' . . . Ma'r lle 'yn yn debycach nag erio'd i seilam, so ti'n credu?' Taflodd edrychiad gwyliadwrus arall o'i gwmpas, yna siaradodd yn gyflym heb unwaith edrych arni. 'Gronda, Alex! 'Se'n well 'da fi bido ca'l 'y ngweld 'da ti yn y lle 'ma, achos 'yn ni i gyd wedi ca'l rhybudd i bido siarad 'da'r Wasg, ti'n diall. Wi'n arfer dala'r tiwb yn St James' Park, beutu gwarter milltir o fan 'yn. Ma tafarn The Old Star fan'ny, ar bwys y steshon. Alli di byth 'i fiso. Allen ni gwrdd fan'ny miwn deg muned? Fydde 'ny'n iawn 'da ti? Er, s'da fi ddim lot o wybodeth iti, cofia!' A chyda hynny, roedd wedi mynd.

Gwyliodd hitha ef yn anelu am y llwybr rhwng y Capel ac Abaty Westminster ac yn fuan yn cael ei lyncu gan y cynnwrf poblog oedd yn cysgodi'n fan'no. Oedodd ennyd cyn cychwyn ar ei ôl.

'Alex!'

Deuai ei henw ati o bell, yn daer drwy'r holl sŵn. Trodd ei phen i chwilio.

'Alex! Aros!'

Harry! Fe'i gwelodd ef yn dod yn chwyslyd wynepgoch ac yn fflat wadan tuag ati, o'r un cyfeiriad ag y daethai hitha ohono sbelan ynghynt, ei wynt yn ei ddwrn, un llaw yn yr awyr i ddal ei sylw hi, a'r llaw arall yn cadw'i gamera rhag ysgwyd gormod am ei wddw wrth iddo redeg.

'Sôn am blydi traffarth i gyrradd yma!'

Roedd yn gneud llwybr tarw tuag ati ar draws Stryd St Margaret's ac yn gweiddi'r geiria, i bawb neu neb eu clywed. Cymerodd hitha gam neu ddau i'w gyfarfod.

'Sa i'n gallu aros, ma'n ddrwg 'da fi, Harry! Wi'n gorffod cwrdd â rhywun.' Pwyntiodd at y Jaguar clwyfedig tu draw i'r Carriage Gates. ''Co fe'r car! Byddan nhw'n ei symud e 'whap, siŵr o fod. Gofala ga'l llunie o'r ffenest ôl yn jibidêrs a'r olion sgid.'

Fe wyddai mai deud pader wrth berson yr oedd hi, ac y byddai Harry wedi edliw peth felly'n fuan iawn i unrhyw un arall ond hi. Ond roedd ganddo le cynnes yn ei galon i Alex Morgan; am ei bod hi'n gyson glên efo fo ac yn barod i oedi yn ei gwmni pan fyddai amser yn caniatáu.

Heddiw, fodd bynnag, doedd yr amser hwnnw ddim ganddi. 'Diolch, Harry! Ac os bydd 'da ti amser wedi 'ny i ffindo llygad-dyst, a ca'l llun ohono fe, a falle dyfyniad neu ddou am beth welodd e, fe fydden i'n ddiolchgar mas draw iti. Hwyl nawr!'

Wrth droi i ddilyn Emlyn John, pwy welodd hi'n rhuthro i gyfeiriad Porth San Steffan, ganllath i lawr y ffordd, ond Conrad Moore a'i ffotograffydd. Gwenodd. Roedd hi wedi cael y blaen ar y *Clarion* beth bynnag! Gwelodd mai yn fan'no yr oedd criw camera'r BBC hefyd, a Guto Harri yn cynnal cyfweliadau efo hwn a'r llall, ond go brin y câi ynta, Guto, hyd yn oed, fawr mwy erbyn rŵan na'r datganiad swyddogol moel oedd wedi'i baratoi ar gyfer y cyfryngau i gyd. Byddai'n rhaid aros cymaint â phedair awr ar hugain arall, efallai, cyn i fanylion llawnach gael eu datgelu.

Efo'i chyfrifiadur bach yn ei gês lledar yn dynn mewn un llaw a'i hambarél gwlyb yn gysgod yn y llaw arall, cyflymodd Alex ei chamau tua'r gorllewin. Roedd yn gyfarwydd â'r ffordd i orsaf St James' Park.

* * *

Palas Westminster

'Be ddigwyddodd, Frank?'

Roedd wedi cael trafferth gwau ei ffordd trwy'r dorf yn y Cyntedd Canolog, gan neud ei orau rhag i'r gwn yn ei gesail a'r llall ar ei glun daro yn erbyn rhywun neu'i gilydd a thynnu sylw. Nid yr isleisiau cyfrinachol oedd i'w clywed yma heddiw, ond clebran cynhyrfus wrth i'r Aelodau a'r Arglwyddi fel ei gilydd holi'r naill a'r llall be'n union oedd wedi digwydd. Roedd y lle'n ferw gwyllt.

Pwysai ei gyfaill yn erbyn pedestal cerflun Lloyd George wrth y fynedfa i Gyntedd yr Aelodau a Siambr y Tŷ. Gyferbyn â fo, ar ochor arall y drws, wrth droed y cerflun o Churchill, safai Bluto. Fel gweddill y gwarchodlu ym Mhalas Westminster, roedd y ddau yn llygaid ac yn glustiau i gyd, rhag ofn bod y darpar asasin wedi llwyddo, rywsut neu'i gilydd, i ddod i mewn i'r adeilad. Ar union ganol y Cyntedd âi sgwrs fywiog ymlaen rhwng y *Sergeant at Arms* a *Black Rod*, y naill yn atalnodi ei eiriau gyda stumiau'i ddwylo a'r llall yn nodio'i ben yn ddwys neu'n ddig yn ôl y galw.

Ddylai Frank ddim pwyso mor ddioglyd yn erbyn y pedestal 'na, meddyliodd Zen. Mae rhywun siŵr dduw o ddeud rwbath wrtho fo. Ond mae golwg uffernol arno fo, 'sa hi'n dod i hynny, o styried nad ydi o eto ond hannar ffordd drwy'i shifft! Yn edrych mor llegach â hyn'na, adra yn ei wely y dylai'r cradur fod.

'Stephen Smythe, yr Ysgrifennydd Amddiffyn! Rhywun wedi trio'i saethu fo, lai na hannar awr yn ôl.'

'Ia, ro'n i'n dallt hynny, Frank! Ond be 'di'r manylion?' Roedd yn anhygoel i Zen bod neb wedi gallu dod yn ddigon agos at gar yr Ysgrifennydd Gwladol i neud y fath beth, a hynny yn Westminster o bob man, yn enwedig rŵan o dan y drefn ddiogelwch newydd oedd wedi bod mewn grym ers trychineb Medi'r unfed ar ddeg yn America.

'Y cwbwl wn i ydi bod rhywun wedi tanio at y car fel roedd o'n troi i mewn trwy'r Carriage Gates. Fe gawn ni glywad mwy gyda hyn, mae'n siŵr.'

'Mi fydd 'na ddiawl o le, mi gei di weld. Mi fydd 'na chwilio am fwch dihangol, does dim byd sy'n sicrach.' Anodd ganddo gredu mor ddifater yr ymddangosai Frank ynglŷn â'r hyn oedd newydd ddigwydd. 'Wyt ti'n teimlo'n iawn, Frank? Dwyt ti ddim yn edrych yn rhy dda, sti.'

Ond chafodd ei ffrind mo'r cyfle i'w ateb.

'Mae gen *ti* feic, Zen, on'd oes?' Bluto oedd wedi croesi i ymuno â nhw.

'Oes. Pam?'

Roedd y wên gellweirus eisoes yn plycio yng ngodrau mwstás y dyn mawr. 'A gwn!' ychwanegodd, gan nodio'r mymryn lleia i gyfeiriad yr arf yng nghesail Zen. 'Rhyw feddwl o'n i mai ti oedd y cowboi driodd ladd yr Ysgrifennydd Gwladol!'

Roedd wedi diflannu i'r dyrfa cyn i Zen gael meddwl am ateb digon ffraeth.

* * *

Tafarn yr Old Star, St James' Park, Llundain SW1

' . . . Dou ar gefen beic! A fel o'dd y car yn troi drwy'r gatie am y maes parco dyma'r beic yn codi sbîd . . . '

Eisteddent wrth ffenest fyglyd yn yr Old Star, i aros am y coffi yr oedd Alex wedi'i archebu i'r ddau ohonyn nhw, a'r wisgi ychwanegol i Emlyn John. Ar ôl y glaw tu allan, roedd cysur braf i'w gael yng ngwres y stafell ac yng nghyfforddusrwydd y cadeiriau pren hynafol. Gwahenid y ddau gan fwrdd bychan crwn oedd â'i wyneb o dderw du.

' . . . Welodd y plismyn ar y gatie mo'r danjer miwn pryd. Fe welon nhw'r un o'dd ar biliwn y beic yn codi dryll a sithu ddwyweth trwy ffenest ôl y Jaguar fel ro'dd e'n troi miwn drwy'r gatie. Ond trwy lwc, ro'dd yr Ysgrifennydd Amddiffyn yn ishte reit yng nghornel y sêt gefen, ar bwys y drws . . . Alle'r un o'dd â'r dryll ddim 'i weld e, wrth gwrs, gan taw gwydyr tywyll sy yn ffenestri pob un o'r Jags. Dyw hi ddim yn rhwydd gweld miwn trwyddyn nhw, ti'n diall. Ta beth, ma *Ballistics* wedi ffindo'r bwledi; ro'dd un ohonyn nhw wedi mynd trw gefen y sêt fla'n a miwn i banel y drws, a'r llall wedi plannu i banel y *dash*. 'Sa honno beutu wech modfedd yn fwy i'r dde, yna bydde'r *chauffeur* ddim 'da ni nawr i weud yr hanes. Ro'dd y truan bach wedi panico, chredet ti ddim!' Stopiodd yn sydyn wrth sylweddoli ei fod wedi datgelu mwy nag a ddylai. 'Ond galli di ddim gweud hwnna yn y *Chronicle*, cofia, Alex!' siarsiodd. 'Y manylion beutu'r bwledi, wi'n feddwl! Bydde fe'n ddigon ifi golli'n jobyn.'

'S'dim ishe iti boeni beutu hynny, Emlyn. Ond beth am y ddou ar y beic? O's 'da rywun syniad pwy o'n nhw? Iracied? Cwrdied? Al Qaeda, falle? . . . '

'S'neb yn gweud dim, ond sa i'n credu y bydde Al Qaeda'n gweithredu fel'na. Wit ti? Amaturied o'dd rhein, garantîd!'

'Ond Arabied o'n nhw serch 'ny? Ife?'

'S'neb yn gwbod, o's e? O'n nhw'n gwishgo helmed.'

'S'neb yn gwbod ble ethon nhw, 'te?'

'Na, fe ddigwyddodd pethe mor glou. Fe ethon nhw lawr Millbank am Bont Lambeth.'

'Beth? Heb i neb neud dim?' Swniai Alex yn anghrediniol. 'Nath neb drio'u rhwystro nhw, 'te?'

'Sithu ar 'u hole nw ti'n feddwl?' Ysgydwodd Emlyn John ei ben. 'Ti'n gwbod o'r gore gyment o fisitors sydd obeutu'r lle drw'r amser. Alle neb sithu at y beic rhag ofon lladd rhywun diniwed. Fe fydde 'na stŵr a hanner wedi 'ny, so ti'n credu? . . . Yn y *Chronicle* gyment ag unlle, ddweden i! Ond ma whilo mowr am y ddou.'

Drwy'r cyfan, roedd Alex wedi bod yn prysur deipio manylion ar ei chyfrifiadur bach. Wrth i'r coffi gyrraedd, tawelodd y ddau nes i'r forwyn gilio unwaith yn rhagor, allan o glyw.

'A dyna'r cyfan? Dim syniad pwy allen nhw fod? Dim syniad pam taw'r Ysgrifennydd Amddiffyn ga's 'i dargedu?'

Roedd Emlyn John wedi ymgymryd â'r dasg o dywallt coffi a llefrith poeth allan o'r jygiau arian gloyw. Ysgydwodd ei ben.

'Fydde fe'n bosib taw'r Prif Weinidog o'dd y targed 'te, ond bod nhw wedi neud camgymeriad? Jaguar sy 'da Blair 'fyd, ife ddim?'

'Ie, ond ro'dd y PM wedi hen adel y Tŷ, ar ôl sesiwn Ateb Cwestiyne'r Aelode. Na, Alex, yr Ysgrifennydd Amddiffyn o'dd y targed reit i wala. Ro'dd e ar 'i ffordd i neud datganiad i un o'r pwyllgore seneddol obeutu'r datblygiade yn y Dwyren Canol.'

Synhwyrodd Alex fod nodyn o ansicrwydd wedi dod eto

i'w lais. 'Dere mlân, Emlyn! Bydd yr hanes i gyd mas erbyn fory, ta beth, a fe fydde 'i'n dr'eni – so ti'n credu? – sa rhaglen Newyddion y BBC yn adrodd yr hanes i gyd, a finne ond wedi gallu rhoi sgerbwd ohono fe yn y *Chronicle*.'

'Yffach gols, Alex! So ti am 'y ngweld i miwn dŵr twym, wyt ti?' Estynnodd yn reddfol am y wisgi a llowcio peth ohono.

'Fydde dim rhaid i neb wbod o ble ces i'r wybodeth, Emlyn. Allen i weud taw ca'l y wybodeth o'wrth lygad-dyst nes i. Ro'dd digonedd o rheini obeutu, on'd o'dd e?'

'A beth 'sa nhw isie gwbod pwy o'dd y llygad-dyst, i ga'l 'i holi fe 'u hunen?'

'Fydde dim rhaid imi ddatgelu dim. Ma 'da fi hawl i warchod 'yn ffynonelle.'

'Pwylla, lodes! Dim 'da'r heddlu fyddet ti'n delio, ond 'da *Special Branch* a *MI5* . . . a *MI6* 'fyd, synnen i ddim! Nele rheini ddim derbyn *Na* 'wrthot ti, cred ti fi.'

'Ond beth yw'r gyfrinach fowr 'te?'

Edrychai Emlyn John fel pe bai ar fin stwytho. 'Dyna'r yffach sydd! *Do's* dim cyfrinach fowr yn bod.' Oedodd eiliad cyn ychwanegu: 'Ond fe glywes i rai pethe heddi . . . ' Oedodd eto. 'Wi ofon gweud 'thot ti, achos byddan nhw yn y *Chronicle* bore fory wedyn, a bydde rhywun falle'n pwynto bys ata i.'

'Ond heb allu profi dim.'

'Diawl erio'd, Alex! Ti fel daeargi ar ôl cadno, w!'

Er fod y siwgwr yn ei goffi wedi hen doddi, daliai Emlyn i droi a throi efo'i lwy. Bron nad oedd hi'n gweld olwynion ei feddwl hefyd yn troi. O'r diwedd, cododd y cwpan at ei wefus.

'Ma'n nhw'n meddwl,' meddai ymhen hir a hwyr, 'taw . . . '

Arhosodd hitha iddo fynd ymlaen, nes dechrau ofni ei fod yn ailfeddwl. 'Taw beth, Emlyn?'

'Taw . . . taw menyw o'dd ar y piliwn. Ond do's dim modd bod yn siŵr, wrth gwrs, achos fod y ddou'n gwishgo helmed.'

'A hi, felly, nath iwso'r dryll!'

'Ie. Ond fel wi'n gweud . . . '

'*Mae'n anodd bod yn siŵr*! Ie ie, wi'n gwbod!' Ond rhaid bod sicrwydd, serch hynny, meddyliodd Alex, wrth deipio'r manylion. Wedi'r cyfan, go brin y byddai neb, ac yn sicr nid unrhyw blismon llygadog, yn cael trafferth gwahaniaethu rhwng pen-ôl merch a phen-ôl dyn, ar biliwn beic, 'Beth o'n nhw'n wishgo, 'te? Lleder?'

'Nage! Y ddou miwn jîns! Fe miwn anorac ddu, hithe miwn jwmper las.'

'A faint o'r gloch yn union o'dd hynny 'te, Emlyn? Allet ti weud 'tho i?'

'Obeutu pum munud i bump wedwn i. Smo i i fod i witho'r shifft hyn, ti'n diall. Fe ddylsen i fod wedi bennu ers dou o'r gloch ond o'n nhw wedi gofyn ifi gyfro dros rywun o'dd wedi gorffod mynd at y deintydd ne rwbeth, a o'dd e'n hwyr iawn yn cyrredd. Oni bai amdano fe, 'sen i wedi colli'r cyffro i gyd, w.'

'O's rhwbeth arall y dylsen i wbod 'te?'

Unwaith eto synhwyrodd hi'r oedi yn ei feddwl.

'Man a man iti weud wrtho' i.'

'Ia, debyg.' Ond magodd ei lais dôn gyfrinachol, serch hynny. 'Galle fod cysylltiad . . . ond ar y llaw arall falle nad o's dim byd o gwbwl yn y peth . . . ond fe glywes weud, rai dyddie'n ôl, bod rhywun wedi tanio dryll at un o'r Gwarchodlu – un ohonon ni, bois yr *SO11* – pan o'dd e'n jogo yn Hyde Park, bore dy' Sul dwetha. Dou estron o'n nhw, yn ôl beth glywes i, a menyw o'dd un o rheini 'fyd!'

Cynhyrfodd Alex. Roedd posibiliadau'r stori'n gwella wrth y funud. 'Beth yw 'i enw fe, Emlyn? Ble ma fe'n byw?'

'S'da fi mo'r syniad lleia. Ma fe'n gwitho shifft wahanol i fi.'

'Pwy alle weud wrtho' i 'te? Allet *ti* ffindo mas ifi?'

Gwenodd Emlyn John wên gŵr yn ildio i'w dynged. Llyncodd weddill ei wisgi. 'Iawn 'te, Alex! Fe wna i 'ngore . . . ond dim tan fory, cofia!'

Gwenodd hithau'n ddireidus yn ôl arno a dangos ei ffôn poced. 'Diolch, Emlyn! Ffona fi!' Edrychodd ar ei wats. Roedd ganddi lai nag awr i roi trefn ar ei herthygl cyn ei hanfon ar e-bost i swyddfa'r *Chronicle*. Fe deimlai'n fodlon oherwydd gwyddai o brofiad y gallai hi rŵan roi digon o gnawd am esgyrn y stori i haeddu'r dudalen flaen. Roedd ganddi bob ffydd hefyd y byddai Harri wedi cael llun dramatig o'r car, i gyd-fynd â'r stori. Cyfrifoldeb y Golygydd Penawdau fyddai gofalu am deitl addas i'r cyfan.

* * *

Palas Westminster

'Smith?'

'Ia.'

'Steven Smith?'

'Ia.'

'Gawn ni air?'

Syllodd Zen yn ddigyffro o'r naill i'r llall. Doedd dim angen gofyn pwy oedden nhw. '*Special Branch* neu *MI5*,' meddai wrtho'i hun. Dyna hefyd aeth trwy feddwl Frank, oedd yn sefyll wrth ei ymyl.

'Tyrd efo ni.' Gorchymyn, nid gofyn.

Gwthiodd y tri eu ffordd allan o'r Cyntedd Canolog ac i lawr y grisiau i Neuadd San Steffan ac oddi yno i lawr i Neuadd Fawr Westminster, oedd yn annaturiol o wag erbyn hyn oherwydd bod y llu arferol o ymwelwyr wedi cael eu bugeilio allan o'r adeilad, yn dilyn y digwyddiadau cyffrous tu allan. Wrth syllu o gwmpas gwacter eang y Neuadd, cofiodd Zen mai yma y cafodd y Llysoedd Barn eu sefydlu gan y Brenin John. Cofiodd hefyd, ond heb ddeall yn iawn pam ei fod yn cofio, mai yma y dedfrydwyd y Brenin Siarl i farwolaeth ac mai yma y rhoed gwŷr enwog eraill megis Syr Thomas More a Warren Hastings ar eu prawf. Sawl gwaith y clywodd ryw ffeithiau felly'n cael eu crybwyll wrth dyrrau bychain o dwristiaid astud a chorlannau o blant-ysgol difater? A rŵan, am reswm na allai ei egluro'n iawn, fe deimlai ei fod yntau hefyd ar ei brawf; yma i gael ei groesholi a'i gloriannu gan farnwyr *MI5* neu bwy bynnag.

'Ydi o'n wir bod rhywun wedi trio dy saethu di'n ddiweddar, yn Hyde Park?'

Roedden nhw allan o glyw pawb erbyn hyn a'r talaf o'r ddau, yr un oedd yn edrych ac yn siarad yn debyg i Syr Alex Ferguson, rheolwr Manchester United, oedd yn holi.

'Bora Sul dwytha! Ydi.'

'Deud wrthon ni be ddigwyddodd.' Yn hytrach na thrafferthu i godi nodiada, roedd yr holwr wedi estyn recordydd bychan o'i boced a daliai ef rŵan o dan drwyn Zen tra bod ei bartner llai, yr un tebyg i John Prescott, yn hanner troi draw, fel pe bai am neud yn siŵr nad oedd neb arall yn dod o fewn clyw.

Adroddodd Zen y cyfan a ddigwyddodd, a gorffen efo'r geiria: 'Mi wnes i ddatganiad ar y pryd, yn Knightsbridge. Mi fydd ganddyn nhw ffeil ar y peth yn fan'no.'

'Mi fyddwn ni'n tsecio.'

'Tsecio? Be? Dwyt ti rioed yn fy ama i?'

'Tsecio'r manylion, dyna i gyd. Ond siawns y medri di roi gwell disgrifiad o'r ddau na be wyt ti newydd ei roi inni?'

'Na. Y tebyg ydi y baswn i'n nabod yr hogan tawn i'n ei gweld hi eto, ond ches i ddim ond cip sydyn ar ei chariad hi.'

'Ei chariad hi?'

'Wel, dwi'n cymryd mai dyna pwy oedd o.'

'A fedri di ddim hyd yn oed deud pa fath o wn oedd ganddo fo?'

Synhwyrai Zen sŵn gwatwar yn y cwestiwn, cystal ag awgrymu . . . *a thitha i fod yn dipyn o foi efo gynnau!* . . . ond dewis anwybyddu'r dôn wamal wnaeth o. 'Na. Ches i'm cyfla.'

'Mi fyddwn ni isio iti ddod efo ni i Hyde Park mewn munud, i ddangos lle'n union y digwyddodd y peth.' Eto'n gorchymyn yn hytrach na gofyn.

'Iawn. Ond faint callach fyddwch chi?'

'Pwy ŵyr? Gyda lwc, falla bydd un o'r bwledi wedi taro

coeden. Fe geith *Ballistics* chwilio beth bynnag, jest rhag ofn.'

'O!' Gwelodd y pwrpas rŵan. Roedden nhw am gymharu bwledi os yn bosib, i weld ai'r un gwn a ddefnyddiwyd yn y ddau ymosodiad. Ond pa gyswllt posib allai fod rhyngddyn nhw?

'A thra'n bod ni yno, mi gawn ni olwg am ôl traed hefyd, rhag ofn. Annhebygol, dwi'n gwybod, ar ôl yr holl ddyddia o law a'r holl droedio arall sydd wedi bod yno, ond fyddwn ni ddim gwaeth â thrio. Rŵan, gad inni fynd 'nôl at be'n union ddeudodd y ferch wrthat ti. Roedd hi'n gwbod dy enw di, meddat ti. Dy enw llawn di! Wyt ti'n hollol siŵr o hynny?'

'Mor siŵr ag y medra i fod, o styried fel roedd hi'n ei ddeud o. *Yoo Steffan Zendoneech Shmeeth?* neu rwbath fel'na!'

'Ac rwyt ti'n sicir ei bod hi *wedi* crybwyll yr enw canol?'

'Diawl erioed! Ddaru mi ddim breuddwydio'r peth! Pam yr amheuaeth, beth bynnag?' Ond wrth ofyn y cwestiwn, fe allai weld yr ateb drosto'i hun. 'Be? Dach chi rioed yn meddwl mai . . . '

Ond roedd swyddog y gwasanaethau cudd yn torri ar ei draws: 'Ac roedd hi'n gwbod hefyd dy fod ti'n gweithio yn fa'ma, efo *SO11*?'

'Oedd, ma raid, ond ddim efo *SO11* o angenrheidrwydd. *Yoo wurk in Westmeenster, yes? Een Owsees of Parly-iament*? Dyna ddeudodd hi.'

Gwenodd y ddau swyddog am y tro cyntaf wrth werthfawrogi dawn Zen i ddynwared llais.

'Ond soniodd hi ddim am y *math* o waith wyt ti'n ei neud yma.' Deud yn hytrach na gofyn. 'Driodd hi gael unrhyw wybodaeth arall o dy groen di?'

'Gwybodaeth? Fel be 'lly?'

'Wel, wyt ti'n siŵr na ddaru nhw mo dy fygwth di i ddeud petha wrthyn nhw?'

'Petha?' Roedd ei lais wedi codi dôn. 'Pa betha?'

'Am system ddiogelwch y lle *yma*, er enghraifft?'

Cymerodd Zen ato'n syth wrth glywed yr ensyniad. 'Be?

Dwyt ti rioed yn meddwl y baswn i'n ddigon diniwad neu dwp i ddeud petha felly wrthi?'

Anwybyddwyd y cwestiwn yma ganddo hefyd. 'Mi gei di edrych trwy'r llunia sydd gynnon ni ar ffeil, a hefyd ar y cof-fideo CCTV. Ac mi fyddwn angen iti roi llun *photofit* at ei gilydd.' Gorchymyn eto, nid gofyn! 'Rŵan, gad inni fynd draw am Hyde Park.'

Pennod 5

O Bayswater i Stryd y Fflyd

Gadawodd Alex ei fflat yn Bayswater am chwarter wedi saith, fel arfer. Roedd yn well ganddi godi'n blygeiniol, a chyrraedd ei gwaith yn llawer rhy gynnar, na dioddef prysurdeb diweddarach y Tiwb. Fel hyn, fe gâi sicrwydd o sedd a chyfle i bori'n hamddenol trwy dudalennau llydain y *Chronicle* cyn cyrraedd pen ei thaith yng ngorsaf Chancery Lane. Heddiw, roedd wedi prynu pentwr o bapurau eraill yn ogystal â'r *Chronicle,* ac edrychai ymlaen at gael cymharu'r tudalennau blaen. Gwyddai eisoes y byddai ei Golygydd yn fodlon iawn efo'i stori hi oherwydd, dros ei choffi a thôst i frecwast, bu hi'n neidio'n ôl a blaen rhwng Newyddion y BBC ac ITV a chael boddhad o weld na fu rhagor o ddatblygiadau dros nos ac nad oedd y naill wasanaeth na'r llall yn gallu cynnig dim mwy o fanylion am gyffro ddoe nag a geid yn ei stori flaen hi ei hun. Os rhywbeth, roedd y *Chronicle* yn rhagori ar adroddiadau'r teledu am nad oedd yr un ohonyn *nhw* wedi cael achlust o'r digwyddiad yn Hyde Park ddechrau'r wythnos.

WESTMINSTER ROCKED BY ASSASSINATION ATTEMPT ON MINISTER meddai'r pennawd. Digon teg! meddyliodd, ond diddychymyg, serch hynny. Nodweddiadol o'r Golygydd Penawdau, mae'n debyg! Ond llun da iawn gan Harry! Olion y sgid yn glir drwy'r graean a'r lawnt, a'r Jaguar – efo'i ffenest gefn yn deilchion a'i ddrysau i gyd yn llydan agored i'r glaw – fel rhyw chwilen fawr farw. A thu draw i'r car, yn wyn drwy'r mwrllwch, dau o'r tîm Fforensig mewn trafodaeth ddwys ynghylch rhywbeth neu'i gilydd. Go dda, Harry! Ond yn bwysicach na dim iddi hi, Alex, oedd y geiria italig o dan y pennawd: *by our special correspondent A. A. Morgan*. Am y tro cynta ers cyrraedd Llundain, roedd hi wedi gneud tudalen flaen y *Chronicle*!

Ar yr eiliad ola y sylweddolodd hi fod y trên wedi stopio yn Notting Hill Gate, a chael a chael fu hi iddi wedyn neidio allan cyn i'r drysau gau arni. Yna, efo'i bag dros ei hysgwydd, cês ei *laptop* yn dynn mewn un llaw a phentwr anhylaw y papurau wedi ei wasgu'n frysiog ac yn flêr yn erbyn ei brest efo'r llaw arall, gadawodd blatfform y *Circle Line* am un *Eastbound* y *Central*. Gwyddai, o gael sedd ar y trên yn fan'no, y câi lonydd wedyn nes cyrraedd Chancery Lane.

Ugain munud yn ddiweddarach, roedd pob papur heblaw'r *Chronicle* yn cael eu gadael ganddi ar y sedd o'i hôl, i'w hawlio gan deithwyr eraill. Yna, ar y grisiau symudol, aeth trwy'i defod foreol o estyn ei ffôn o'i bag, i roi bywyd ynddo. Fe wyddai y deuai'r signal yn gryf unwaith y cyrhaeddai'r awyr agored.

Wrth gamu i olau dydd, diolchodd fod y glaw wedi cadw draw a bod ambell lygedyn glas erbyn hyn yn torri drwy'r llwydni uwchben. Roedd Holborn yn rhyfeddol dawel o draffig, ac wedi bod felly ers i'r ddinas ddechrau hawlio'r Ffî Atal Tagfeydd. Croesodd y stryd ac anelu am Fetter Lane a fyddai'n mynd â hi'n syth i lawr i Stryd y Fflyd. Ac eithrio'r *Chronicle* a'r *Express* doedd dim swyddfa bapur newydd arall ar ôl yn fan'no mwyach. Roedd Wapping a lleoedd tebyg, heb sôn am Fanceinion wrth gwrs, wedi dwyn y prysurdeb newyddiadurol yr arferid ei gael rhwng Ludgate Hill a'r Strand.

Wrthi'n cerdded heibio cefn Swyddfa'r Archifau Gwladol yr

oedd hi pan ganodd y ffôn yn ei bag.

'Helô! Angharad?'

Dychrynwyd hi gan y llais. 'Tada! O's rwbeth yn bod?' Edrychodd ar ei wats. 'So hi'n wyth o'r gloch 'to!'

'Wi'n sylweddoli 'ny. O'n i'm ishe dy ffono di cyn hyn ond ro'n i ishe gair 'da ti cyn iti adel y fflat.'

'O!' Ni welai bwynt mewn deud wrtho ei fod eisoes yn rhy hwyr i hynny. 'Ond be sy'n bod, w? Dyw Mam ddim yn dost, gobitho?'

Roedd hi wedi cael achos cynyddol i boeni ynghylch ei rhieni'n ddiweddar. Ers tro, bu ei mam yn diodde pwysedd gwaed uchel a doedd y tabledi a roesai'r meddyg iddi ddim wedi gneud rhyw lawer o les hyd yma. Ar ben hynny, daethai'r cadarnhad, rai misoedd yn ôl, bod ei thad yn diodde o'r clefyd Parkinson's ac na ellid ond disgwyl i'w gyflwr waethygu yn ystod y blynyddoedd nesaf. Felly, yn wyneb hynny i gyd, gwyddai Alex fod cyfnod ar ddod pryd y byddai'n rhaid iddi neud y penderfyniad poenus i adael Llundain a dychwelyd i Sir Gâr i gymryd gofal o'r fferm, ac yn arbennig o'r merlod a'r ceffylau. Hi, wedi'r cyfan, bron i wyth mlynedd yn ôl bellach, oedd wedi mynd dros ben ei rhieni i arallgyfeirio ac i droi eu fferm yn ysgol ferlota a chodi estyniad i'r tŷ ar gyfer agor Bistro newydd sbon. 'Wi'n folon mentro,' – dyna eiria'i thad ar y pryd – 'os wyt ti'n folon helpu os fydd pethe'n mynd o whith, neu'n ormod i dy fam a fi.' A hawdd iawn fu iddi gytuno. Wedi'r cyfan, doedd gadael Sir Gâr ddim yn opsiwn i'w styried ar y pryd; yn sicr nid i ddilyn gyrfa newyddiadurol yn Llundain, o bob man! 'Chi'n gwbod mod i'n dwlu ar 'ffyle, Tada, a weda i hyn 'tho chi; sa i'n bwriadu treulo gweddill 'y mywyd 'da'r *Carmarthen Gazette*! Garantîd!' Chwerthin wnaeth y tri ohonyn nhw wedyn. Efo'i gylchrediad o lai na saith mil, doedd y *Gazette* ddim yn cynnig unrhyw fath o yrfa barhaol i ferch ifanc beniog yn syth o'r coleg. Gwaith dros dro yn unig oedd hwn i fod.

Ond fe ddaethai tro sydyn ar fyd. Tipyn o lwc

newyddiadurol, sgŵp annisgwyl . . . a galwad ffôn! *'Hello! I'd like to speak to A. A. Morgan.'*

'Ie, fi yw Angharad Morgan. Pwy sy'n siarad?'

'O! A woman! Eiliad yn unig y parhaodd y syndod yn y llais. *'Are you the correspondent with the* Carmarthen Gazette?'

'Ie, 'na chi.'

'Gus Morrisey here, Editor-in-Chief of the Chronicle *in Fleet Street. I have in front of me a copy of last Thursday's* Carmarthen Gazette, *the one that runs your front-page article on the Pembrokeshire murders of five years ago and the smart bit of journalistic investigation that led to the recent arrests. I have it on good authority, young lady . . . From the sound of your voice, you are young, aren't you?'* Ond ni roddodd gyfle iddi ateb. Nid oedd yn swnio fel y math o ddyn i amau ei argraffiadau ei hun. *' . . . that it was your fine piece of investigative journalism that enabled the police to make those arrests. I might also add that I'm particularly impressed with the quality of your journalistic prose.'*

'Diolch yn fowr. Ond sa i'n diall . . . '

'Why I'm phoning you, you mean? Well it's quite simple, Miss Morgan. I'm offering you the chance to work on the Chronicle. *A national newspaper! How would you like that?'*

Roedd hi'n syfrdan. 'Beth? Heb gyfweliad na dim?'

'Interview? What for, for God's sake? If you can guarantee that this article and the investigative research that led up to it is your work and no one else's, then that's good enough for me. What I'm offering you, young lady, is a three month trial appointment. If, in that time, you live up to expectations . . . if you come up with the goods, so to speak . . . then you can consider the job permanently yours. How does that sound?'

Be fedrai hi ei ddeud? Wyth mis ar ôl gorffen ei chwrs ar y Cyfryngau ym mhrifysgol Abertawe, roedd y cynnig wedi syrthio fel manna o'r nefoedd. Anodd fu gwrthod, ac roedd ei rhieni wedi derbyn hynny. Ac yna, wrth i'w gyrfa hi efo'r *Chronicle* ei sefydlu'i hun a graddol fynd o nerth i nerth yn y misoedd i ddilyn, roedd y fenter merlota a'r Bistro hefyd wedi llwyddo'n rhyfeddol. Erbyn hyn, roedd ei thad yn cyflogi dau fachgen lleol i'w helpu gyda'r gwaith, a'i mam yn cyflogi cogydd proffesiynol, yn ogystal â phedair o ferched ifanc i weini wrth y byrddau fin nos.

'Dyw pethe ddim yn edrych yn dda, m'arna i ofon, Angharad. Dyw dy fam ddim wedi bod yn sbesial ers tro, fel ti'n gwbod. A gweud y gwir, dyw'r Bistro ddim wedi bod ar agor 'da hi ers pythewnos . . . '

'Ond o'n i ddim yn gwbod 'ny! Pam 'sech chi wedi'n ffono i, w!' Roedd hi wedi cyrraedd gwaelod Fetter Lane erbyn hyn ac yn edrych ar Stryd y Fflyd yn agor o'i blaen. 'Dyw Mam ddim gwa'th nawr, gobitho?' Ond er ei phryder greddfol, roedd hi hefyd yn siomedig bod cymhlethdod teuluol, mwya sydyn, yn bygwth difetha'i diwrnod. Roedd y wefr o weld ei henw ar y dudalen flaen yn dechrau pylu'n barod.

'Ma Doc Phillips newy fynd odd'ma nawr. Gorffod i fi'i ffono fe nithwr, obeutu naw o'r gloch. Dy fam 'da phoene mowr yn ei phen ac yn bwldagu. O'dd hi'n gymysglyd iawn 'fyd, fel 'sa hi ar goll yn llwyr. O'dd Doc Phillips yn ame nithwr bod hi wedi ca'l strôc; erbyn bore 'ma o'dd e'n fwy siŵr fyth. Ma fe wedi ffono am ambiwlans i fynd â hi i Glangwili. Dishgwl am honno 'yn ni nawr.'

'Fe ddof i gatre heddi, ond sa i'n siŵr pryd ma'r trene'n rhedeg. Wi ar 'yn ffordd i'r swyddfa nawr. Fe ffona i o fan'ny, i holi.'

'Na. Gwranda, cariad! So ni moyn iti ddod gatre heddi. Ma dy fam yn well nawr nag o'dd hi nithwr ond 'i bod hi'n ca'l tamed bach o drafferth 'da'i lleferydd. Ma hi'n gweud bod y po'n pen yn well nag o'dd e nithwr, felly . . . '

'Fe ddof i gatre, ta beth.'

'Na, s'dim ishe iti, wir. Ond o'dd rhaid gadel iti wbod, neu fyddet ti byth yn madde imi. Dere gatre pan fydd 'da ti gwpwl o ddwyrnode o wylie. Fe fyddwn ni'n falch o weld ti pryd 'ny. A Douglas 'fyd, glei. Ma fe'n achwyn bob tro fi'n 'i weld e yn Gafyrddin, dwyrnod y mart, bod ti byth yn ateb 'i alwade fe.'

Ochneidiodd. 'O'r nefodd! Gwedwch wrtho fe mod i'n rhy fishi.' Dim ond teirgwaith y bu hi allan efo'r cyfreithiwr o Gaerfyrddin a chyn belled ag yr oedd hi yn y cwestiwn, roedd y berthynas wedi hen wywo.

'Ti sy'n gwbod, cariad. Ta beth, so ni'n dishgwl iti ddod gatre heddi. Ma'r ffôn yn ddigon hwylus inni gadw cysylltiad, so ti'n meddwl?'

'Iawn 'te.' Mewn un ffordd, fe deimlai Alex ryddhad nad oedd disgwyl iddi fynd yr holl ffordd adre i Sir Gâr, yn enwedig nawr, yn dilyn y digwyddiadau cythryblus yn Westminster. 'Dim ond bo chi'n addo'n ffono i'n syth os bydd unrhyw ddatblygiade. Fe ffona i chithe miwn . . .' Edrychodd ar ei wats. ' . . . awr a hanner, i weld shwd bydd Mam erbyn 'ny. Fe ddylech chi fod wedi cyrredd yr ysbyty erbyn 'ny. Beth am Catherine? Odych chi wedi cysylltu 'da hi?'

'Ddim 'to. Gobitho o'n i y gallet *ti* neud 'ny, Angharad. S'da fi ddim amser nawr – rhaid imi baratoi pethe dy fam, cyn i'r ambiwlans gyrredd – a ti'n gwbod mor anodd yw cysylltu 'da dy whâr, mas yn fan'na. Fe alle gymryd orie imi . . . dyddie hyd yn o'd.'

* * *

Swyddfa'r Chronicle

Fe gafodd Alex y clod disgwyliedig oddi wrth ei chydweithwyr wrth i'r rheini gyrraedd eu gwaith o un i un, ond roedd anhwylder ei mam eisoes wedi taflu dŵr oer ar y cyfan. Y cwbwl roedd arni eisiau nawr oedd cadarnhad Tom Allen, y Golygydd Gwleidyddol, mai yn Westminster y disgwylid iddi fod eto heddiw, yn dilyn yr un stori. Cyn hynny, fodd bynnag, byddai raid trio cael neges i'w chwaer yn Affrica. Dyma'r broblem yr oedden nhw fel teulu wedi'i rhag-weld bedair blynedd yn ôl pan benderfynodd Catherine droi'n Babydd ac yn lleian, a gadael ei swydd nyrsio yng Nglangwili i fynd allan i Angola i weini efo lleianod eraill mewn ysbyty anghysbell. Gwyddai Alex na fyddai'n hawdd o gwbwl cael gafael arni oherwydd roedd gwaith y lleianod yn amal yn mynd â nhw allan o'r ysbyty ei hun am ddyddiau bwy'i gilydd, i ymweld â phentrefi tlawd hwnt ac yma yn yr ardal. Cael neges iddi ffonio adre neu ffonio'i chwaer ar y cyfle cyntaf, dyna gymaint ag y gellid ei obeithio. Wedi'r cyfan, doedd ond yn iawn i Catherine hefyd gael gwybod am gyflwr eu mam, er nad oedd bywyd honno mewn unrhyw berygl mawr, diolch i'r Drefn. 'Falle gall y Swyddfa Dramor helpu,' meddai Alex wrthi'i hun. 'Ma 'da'r *Chronicle* ryw gyment o berswâd yn fan'ny a falle y bydden nhw'n barod i helpu. A falle bydd yr Eglwys Gatholig ei hun yn barod i wneud rwbeth 'fyd.'

Aeth dwy alwad yn chwech i gyd, ond o'r diwedd roedd ganddi addewidion pendant y byddid yn ceisio cael neges allan i'r Chwaer Catherine Morgan yn Angola, i honno gysylltu â'i theulu ar y cyfle cyntaf posib.

Teimlai Alex yn well wedyn, a ffoniodd ei thad i egluro iddo be oedd hi wedi llwyddo i'w neud. Ond doedd y ffôn poced ddim ymlaen ganddo. Rhaid eu bod wedi cyrraedd yr ysbyty, meddai wrthi'i hun, a bod ei thad wedi gorfod troi'r teclyn i ffwrdd yn fan'no. Gadawodd neges.

* * *

Palas Westminster

Yn y *Jubilee Cafeteria*, sef y caffi bychan selerog ynghlwm wrth Neuadd Fawr Westminster, y cafodd Alex ei chinio – taten trwy'i chroen efo saws cimwch yn blastar drosti, a phaned o de camomeil i gyd-fynd â hi. Er mor newydd-yr-olwg oedd y lle, efo'i gownter gwydr, ei fyrddau pren glân a'i gadeiriau chwaethus, eto i gyd nid hawdd oedd iddi anghofio ymhle'r oedd hi. Roedd siâp Gothig y ffenestri uchel a thywodfaen melynwyn y waliau noeth yn nodweddu pob rhan o Balas

Westminster ac yn rhoi i fan hyn hefyd, er gwaetha'i newydd-deb fel bwyty, ei gymeriad hynafol ei hun, a gallai Alex werthfawrogi peth felly.

Cliriwyd y llestri budron oddi ar ei bwrdd gynted ag iddi orffen bwyta, ond doedd dim osgo symud arni wedyn. Yn hytrach, fe ddaliai i eistedd efo'i chyfrifiadur-llaw yn agored o'i blaen, yn paratoi rhagarweiniad i ba erthygl bynnag fyddai ganddi i'w chyflwyno i rifyn trannoeth y *Chronicle.* Ers cyrraedd, ganol bore, ac ymgynnull efo aelodau eraill ei phroffesiwn, cawsai glywed Swyddog y Wasg yn eu hysbysu'n foel bod yr Ysgrifennydd Amddiffyn yn ôl wrth ei ddesg, fel pe na bai dim wedi digwydd, ac na fu unrhyw ddatblygiadau o bwys oddi ar bnawn ddoe ac eithrio bod y gwasanaethau diogelwch erbyn hyn yn llwyr gredu mai rhyw granc gwallgof oedd wedi bod yn gyfrifol am yr ymosodiad. Doedd dim lle o gwbwl i gredu, meddid, bod unrhyw gysylltiad rhwng yr hyn ddigwyddodd ddoe a'r trafodaethau oedd ar fin cychwyn yn y Dwyrain Canol. A datganiad digon tebyg a wnaed i'r Aelodau Seneddol yn y Siambr hefyd gan y Llefarydd, hanner awr yn ddiweddarach, efo'r Wasg unwaith eto'n gwrando yn yr oriel uwchben. Nid bod Alex, na fawr neb arall chwaith, yn derbyn am eiliad y fath eglurhad. 'O's, ma digon o grancod obeutu,' meddai wrthi'i hun, 'ond sa i'n credu am eiliad bod nhw'n mynd obeutu'r lle bob yn ddou, chwaith!' Ac, o gofio be ddeudodd Emlyn John wrthi ddoe am y busnes yn Hyde Park, 'Na'u bod nw am ga'l gwared â phob un sy'n gwitho yn Westminster!'

Yn dilyn y datganiadau swyddogol, roedd y rhan fwyaf o'r gohebyddion wedi cilio erbyn hyn, i baratoi eu hadroddiadau. Ond nid Alex. Yn hytrach, bu hi'n crwydro coridorau syber Westminster, yn clustfeinio, bob cyfle a gâi, ar sgwrsio tawel aelodau'r gwarchodlu, yn y gobaith o gael achlust ar ambell fanylyn yma ac acw a fyddai'n rhoi mwy o gig am esgyrn ei herthygl at drannoeth; mwy, gobeithio, nag y gallai unrhyw bapur newydd arall ei gynnig. Roedd y ffaith bod Conrad

Moore hefyd wedi aros yn destun pryder iddi. Gallai'r *Clarion* achub y blaen arni os na fyddai hi'n ofalus. 'Ond so 'ny'n mynd i ddigwdd!' meddai'n benderfynol wrthi'i hun, 'dim os ca i enw'r bachan 'na o'i flaen e.'

Gallai fod yn eitha tawel ei meddwl nad oedd Conrad, chwaith, wedi cael yr enw hyd yma. Doedd ond hanner awr ers iddo'i chyfarch: 'Wel, Alex! Wyt ti am ddeud wrtha i pwy oedd y rhedwr yn Hyde Park, ta be?' Hitha wedi gwenu'n ddireidus yn ôl arno a tharo ymyl ei thrwyn efo'i bys, cystal â deud wrtho am feindio'i fusnes. Ac ers hynny, fe'i gwelsai ef yn rhuthro o gwmpas y lle, fel iâr heb ben, yn holi pob swyddog y deuai ar ei draws, a chael yr un math o ymateb gan bob un, sef ystum o godi ysgwyddau i awgrymu na wyddid yr ateb i'w gwestiwn. Roedd yn amlwg bod y plismyn i gyd dan rybudd i ddeud dim.

Daethai ar draws Emlyn John droeon y bore hwnnw, yn ystod ei chrwydriadau, ond roedd o bob amser mewn rhyw gwmni neu'i gilydd ac ni chymerasai fawr o sylw ohoni, er iddi dybio ei fod unwaith wedi taflu winc slei i'w chyfeiriad.

Aethai pedair blynedd a mwy heibio ers iddi gyfarfod Emlyn gyntaf, a hynny trwy gyd-ddigwyddiad llwyr. Newydd ddechrau yn ei swydd efo'r *Chronicle* roedd hi ar y pryd. Walt Truman yn drwm o dan y ffliw y diwrnod hwnnw a'r Golygydd Gwleidyddol wedi ei hanfon hi, Alex, i Westminster yn ei le, i adrodd yn ôl ar drafodaeth go bwysig yn y Siambr. 'Wi'n nabod yr acen, odw i ddim?' Roedd Emlyn wedi ei chlywed hi'n sgwrsio ag aelod arall o'r Wasg ac wedi aros nes ei chael hi ar ei phen ei hun. 'Shir Gâr ife? Chi'n siarad Cwmrâg?' Hitha mor falch o glywed llais cyfeillgar. 'Odw. A Shir Gâr 'ych chithe 'fyd, siŵr o fod!' 'Ie. O'r Tymbl, w.' A dyna sefydlu rhyw fath o gwlwm rhyngddynt, cwlwm oedd wedi graddol dynhau dros y blynyddoedd, er gwaetha'r ffaith nad oedd eu llwybrau byth bron yn croesi.

Ers y cyfarfod cyntaf hwnnw, doedden nhw ddim wedi gweld ei gilydd ond rhyw hanner dwsin o weithiau ar y mwya, a hynny yma, ar goridorau Westminster. A hyd yn oed heddiw, bedair blynedd yn ddiweddarach, ychydig iawn iawn a wyddai'r naill am gefndir y llall. Y cyfan a wyddai hi am Emlyn, er enghraifft, oedd ei fod wedi ymuno â'r *Met* chwarter canrif yn ôl a threulio deunaw o'r blynyddoedd hynny yma, yn Westminster, yn yr adran arfog *SO11*. Clywsai ef yn deud hefyd iddo dreulio cyfnod byr yn y Llynges cyn penderfynu mynd yn blismon. Gwyddai ei fod yn briod â Saesnes o Fryste, eu bod yn byw rywle yn Ealing a bod ganddynt ddau fab oedd bellach yn y fyddin. A dyna'r cyfan – ac eithrio, wrth gwrs, ei fod o'n Gymro o Sir Gâr ac yn berson hynaws iawn. A gan iddi ei glywed, yn ddiweddar, yn sôn am ymddeol, yna roedd ganddi syniad hefyd o'i oed. Sbel dros ei hanner cant, siŵr o fod!

Am hanner awr wedi un ar ei ben, cododd Alex i adael y caffi, ei rhwystredigaeth ar gynnydd. Hyd yma, ni fu neb yn barod i drafod dim efo hi, mwy nag efo unrhyw aelod arall o'r Wasg o ran hynny. Roedd pawb, yn amlwg, o dan rybudd llym i gadw'i geg ar gau ynglŷn â busnes ddoe, a doedd neb o'r gwarchodlu – os gellid eu credu! – wedi clywed am unrhyw ymosodiad ar un o'u nifer yn Hyde Park y Sul cynt.

Ar ochr allanol y caffi roedd drysau gwydr yn arwain allan i'r New Palace Yard lle digwyddodd drama ddoe, ac ni allai Alex lai na sylwi mai aelodau arfog *SO11* yn eu siacedi Kevlar du, yn hytrach na'r *SO17* arferol, yn eu melyn llachar, oedd bellach yn cadw llygad ar y safle. Yn freuddwydiol, crwydrodd draw at y drws agosaf ati, i weld a oedd Emlyn John yn eu plith. Doedd o ddim.

'Stephen Smith . . . *SO11*!' meddai llais annisgwyl yn ei chlust, ac yna'n fwy chwyrn, 'Na! Paid troi dy ben, w!'

Nid oedd raid iddi. Gwyddai mai Emlyn oedd wrth ei hysgwydd yn sibrwd.

'Sa i'n 'i nabod e, ond fe glywes taw Zen ma pawb yn 'i alw fe. Bydd e'n dod miwn ar y shifft nesa, siŵr o fod. Ond dim 'da fi cest ti'r wybodeth, cofia!'

'Diolch, Emlyn!' sibrydodd yn ôl gan ddal i syllu allan

drwy'r gwydr. Erbyn iddi droi, bedair neu bum eiliad yn ddiweddarach, doedd dim sôn am y gŵr o'r Tymbl. Roedd wedi cilio mor gyflym ac mor dawel ag y daeth.

Edrychodd Alex ar ei wats. Gyda lwc, fe gâi hi gyfle i holi'r Zen 'ma, pwy bynnag oedd hwnnw, o fewn yr awr nesaf. Y cwestiwn rŵan oedd, a fyddai'r *Chronicle* yn barod i dalu am ei stori pe bai raid? Ac os felly, faint?

Fe roddai ganiad i'w golygydd gwleidyddol.

* * *

Pencadlys MI5, Thames House, Lambeth, Llundain SE11

Treuliodd Zen fore cyfan, a rhan o'r pnawn hefyd, yn Thames House yn gwibio trwy ffeil ar ôl ffeil gyfrifiadurol, a buan y daeth i'r casgliad bod archif *MI5* o wyneba amheus yn un anhygoel a deud y lleia. Roedd yno filoedd ar filoedd o luniau ar ddisg, ond doedd bosib bod pob un ohonyn nhw'n fygythiad i ddiogelwch gwlad meddyliodd. 'Trylwyredd' yn ôl diffiniad *MI5*. 'Mynd dros ben llestri' fyddai eraill yn galw'r peth. Ac erbyn canol dydd diffrwyth roedd Zen yn ei gyfrif ei hun ymysg yr *eraill* hynny. Wedi dwyawr a mwy o bwyso rheolaidd ar fotwm y llygoden a gwylio gwyneb diarth ar ôl gwyneb diarth yn neidio i'r sgrin, methodd ymatal rhag mwmblan yn chwerw, 'Pe bawn i'n chwilio'n iawn, dwi'n siŵr dduw bod llunia fy hen daid a nain inna yma hefyd yn rwla!' Erbyn rŵan roedd ei lygaid yn flinedig ac yn groes ac yn teimlo fel petaen nhw'n llawn tywod. Roedd ei amynedd, hefyd, wedi treulio'n dena iawn, a gwyddai fod rhai degau o ddrwgweithredwyr honedig wedi dod a mynd heb iddo eu gweld trwy niwl ei ddiflastod.

Ar orchymyn yn fwy na chais, bu hefyd yn craffu ar gynnyrch camerâu CCTV Westminster i weld a allai adnabod y ddau a welsai yn niwl Hyde Park. Trwy lygad un camera, a edrychai i fyny St Margaret's Street o Borth San Steffan, gwelodd gar yr Ysgrifennydd Amddiffyn yn cyrraedd y Carriage Gates ac yn troi i mewn i'r New Palace Yard . . . gwelodd y beic modur yn nesáu'n gyflym o'i ôl a rhywun ar ei biliwn yn gwyro fymryn i'w chwith . . . gwelodd law a gwn yn codi ar annel brysiog a gwelodd wydyr tywyll ffenest ôl y car yn chwalu'n shwrwd . . . yna'r beic yn ffyrnigo a mwg yn codi o'i olwyn ôl wrth i hwnnw sgythru gwyneb y ffordd. Roedd trwyn Zen bron yn y sgrin. Craffai ar y gyrrwr a'i bartner piliwn fel y gwibient yn syth i lygad y camera, i lawr St Margaret's Street, cyn diflannu o'i olwg i gyfeiriad Millbank a Phont Lambeth. Ond er craffu, ac er gwylio eilwaith a thrydydd gwaith, a fferru'r llun fwy nag unwaith, ni allai yn ei fyw weld y llygaid tu ôl i wydyr unrhyw un o'r helmedau. Wedyn bu'n gwylio'r un digwyddiad o bedair ongl arall, fel y cofnodwyd ef gan gamerâu eraill, ond ofer fu'r cyfan, ar wahân i fedru cadarnhau iddo'i hun mai merch yn wir oedd y sawl a daniodd y gwn.

Am ugain munud i un daeth rhywun â chinio iddo. Dwy frechdan gaws a choffi claear! Bu'n edrych ar ragor o luniau wedyn, tan hanner awr wedi dau, ond heb unrhyw lwyddiant. A dyna pryd y penderfynodd mai digon oedd digon, yn enwedig gan fod disgwyl iddo fod yn ei waith ers dau o'r gloch! Doedd bod yn hwyr ddeuddydd yn olynol, er bod hynny gyda chaniatâd, ddim yn rhywbeth a fyddai'n dwyn gwên i wyneb y *Sargeant at Arms*.

'Wel dyna ni, felly! Rhaid derbyn nad ydyn nhw ar ffeil gynnon ni.' Holwyr ddoe – Syr Alex Ferguson a John Prescott yr *MI5* – oedd wedi ymuno â fo. 'Ddim hyd yma, o leia!' ychwanegodd yr Albanwr yn hyderus. 'Diolch iti, beth bynnag! Falla y ceith dy fêt, Frank, well lwc.'

A dyna'r cwbwl! Diolch swta am dros bedair awr o ddiflastod, a chur pen arteithiol at hynny. *Diolch yn dalpia i titha, mêt!*

'A chofia nad wyt ti i drafod y busnas yn Hyde Park efo neb arall. Dallt?'

Dallt yn iawn, cono! Twll dy din di!

Dim amdani, felly, ond gneud ei ffordd am Westminster, parcio'i feic ac edrych ymlaen at egwyl hanner awr wedi pedwar pryd y câi dawelu rhywfaint ar y chwant bwyd oedd yn dechra cnoi yn ei stumog. Oedd, roedd yn gas ganddo weithio'r shifft hwyr.

* * *

Palas Westminster

Fel y tynnai ei helmed yn y maes parcio tanddaearol, gallai glywed Big Ben yn taro deirgwaith, oedd yn golygu ei fod eisoes awr union yn hwyr. Doedd dim amdani, felly, ond mynd yn syth i'r stafell locer yn Canon Row. Ni allai oedi i fynd am rywbeth i'w fwyta gan y byddai Thames House yn siŵr o fod wedi ffonio trwodd erbyn hyn i ddeud ei fod o ar ei ffordd yn ôl. Sut bynnag, roedd y ddisgyblaeth gynhenid ynddo fo'i hun, neu'r un a blannwyd ynddo gan y fyddin efallai, yn deud wrtho mai wrth ei waith y dylai fod.

I gyrraedd Canon Row o'r maes parcio roedd ganddo ddau ganllath o goridor tanddaearol i'w gerdded, allan o Balas Westminster ac o dan ffordd brysur Bridge Street. Ond mor gyfarwydd oedd y daith honno iddo bellach fel ei fod yn fyddar i rŵn diddiwedd y traffig uwch ei ben. Cyn hir, cyrhaeddodd y grisiau symudol a âi ag ef i fyny i St Stephen's Parade, sef y sgwâr agored o dan do gwydr eang oedd yn gyrchfan ac yn fan cyfarfod ac yn gaffi hefyd. Trwy groesi hwnnw groesgornel fe gâi fynediad i Canon Row ac i stafelloedd loceri'r gwarchodlu.

Safai plismon – *SO11* fel yntau – yn agos at ben y grisiau, yn cadw golwg ddigyffro dros y sgwâr, lle'r oedd amryw o bobol o wahanol liw a llun yn mwynhau coffi neu smôc a sgwrs wrth y byrddau. Rhoddai'r plismon yr argraff ei fod yn tin-droi'n ddiamcan yn ei unfan, wedi diflasu ar waith y dydd, ond fe wyddai Zen yn amgenach. 'Mae'n siŵr ei *fod* o wedi diflasu,' meddyliodd yn amddiffynnol. 'Gwaith felly ydi o. Ond mae un peth yn reit siŵr, y peth ola wneith o fydd mynd i gysgu ar ei draed.' O brofiad, fe wyddai fod hwn, fel pob swyddog arall, yn gwbwl effro i bob dim oedd yn mynd ymlaen o'i gwmpas ac yn barod am unrhyw berygl neu fygythiad annisgwyl. Roedd ei afael gadarn ar yr *MP5* yn brawf o hynny, oherwydd ni chrwydrai ei fys fyth ymhell oddi wrth driger y gwn.

Trodd yr heddwas i edrych arno wrth iddo gamu oddi ar y grisiau symudol a gwelodd Zen ei lygaid ifanc yn gwibio'n brofiadol drosto, o'i gorun i'w sawdl, i neud yn siŵr nad oedd yn fygythiad o unrhyw fath. Eiliad y parhaodd hynny, yna roedd llygaid y ddau'n cyfarfod a'r plismon yn gwenu'n fyr ac yn nodio'n swta arno, nid am ei fod wedi adnabod Zen fel cyd-weithiwr – doedd o ddim – ond oherwydd bod disgwyl iddyn nhw i gyd, ac i'r *SO11* yn arbennig, ymateb yn glên i'r cyhoedd, gan nad pawb o'r rheini oedd yn hapus i weld plismyn arfog mewn lle mor gyhoeddus â St Stephen's Parade. Y seicoleg oedd bod ambell wên neu nòd yn ffordd o dawelu ofnau pobol.

Wrth groesi'r sgwâr, denwyd ei sylw at ferch a eisteddai ar ei phen ei hun wrth un o'r byrddau. Un funud, roedd hi'n brysur yn teipio ar gyfrifiadur llaw, ei gwyneb o'r golwg bron tu ôl i raeadr o wallt golau llaes, a'r funud nesaf roedd hi'n edrych yn syth tuag ato trwy lygaid llwydlas culion. 'Hm! Handi!' meddai wrtho'i hun gan syllu'n bowld ond yn werthfawrogol yn ôl arni. 'Tipyn o bisyn!' Gwenodd ond ni ddaeth gwên yn ôl. Yn hytrach, gwelodd ei thalcen yn crychu'r mymryn lleia, fel pe bai hi'n feirniadol o'i sylw. 'O! Tipyn o drwyn hefyd, mae'n rhaid!' meddyliodd, heb sylweddoli nad edrych arno ond trwyddo yr oedd y ferch a bod ei meddwl hi ymhell iawn yn rhywle neu'i gilydd. 'Os felly, yna twll dy din di, 'ngenath i!'

Wrth anelu ar draws y sgwâr am yr allanfa yn ei gornel bellaf, yr un a'i harweiniai'n syth i Canon Row lle'r oedd yr ystafelloedd newid a'r loceri, daeth i'w feddwl ei fod wedi'i gweld hi yn rhywle o'r blaen, a hynny'n ddiweddar iawn, ond ni allai feddwl ymhle, na phryd. A daliai'r peth i'w bigo, funudau'n ddiweddarach, ar ei ffordd i'r arfdy i gasglu ei ynnau. 'Do, dwi *wedi*'i gweld hi o'r blaen! Ond yn lle?'

Roedd hi'n dal yno, yn brysur eto'n teipio, wrth iddo gerdded yn ôl ar draws y sgwâr, y tro hwn yn ei lawn lifrai, efo'r *Glock* ar wregys ei glun, y cyffion ar wregys ei feingefn a'r *MP5 Heckler* a *Koch* yng nghrud ei fraich chwith. Hanner disgwyliai iddi godi ei phen a chymryd mwy o sylw ohono'r tro hwn, ond wnaeth hi ddim.

Stori wahanol oedd hi efo'r plismon wrth y grisiau symudol. Cymerodd hwnnw ddiddordeb gwahanol iawn ynddo y tro yma, heb sylweddoli efallai ei fod wedi ei weld a'i gydnabod lai na chwarter awr ynghynt. Gan fod y gwyneb yn ddiarth iddo, a hwythau'n rhannu'r un shifft, cymerodd Zen yn ganiataol ei fod yn newydd i'r swydd, gan fod nifer y gwarchodlu yn cynyddu'n wythnosol bron.

'All quiet on the Western Front!' meddai'r gwyneb diarth, mewn tôn oedd yn awgrymu diflastod.

'Keep up the good work!' meddai Zen mewn llais yr un mor wamal yn ôl ac oedi eiliad i'w holi. 'Mae dy wynab di'n ddiarth! Newydd ddechra wyt ti?'

'Yn y job wyt ti'n feddwl?' Gwenodd. 'Na. Wedi newid shifft, dyna i gyd. Maen nhw wedi symud pedwar ohonon ni oddi ar y shifft nos i'r shifft yma.'

'Ar ôl be ddigwyddodd ddoe?'

'Ia.'

'O! Wela i di o gwmpas, felly. Hwyl!'

Aeth y grisiau ag ef yn ôl i lawr o dan Bridge Street ac ymhen ychydig eiliadau roedd yn troedio coridorau Palas Westminster unwaith yn rhagor. Edrychodd ar ei wats. Ugain munud wedi tri.

* * *

Edrychodd Alex ar ei wats a rhegi dan ei gwynt. Ugain munud wedi tri! Roedd hi wedi ymgolli gormod yn ei gwaith ac wedi bod wrthi'n hirach nag y bwriadodd. 'Ond o leia ma dwy ran o dair o'r erthygl wedi'u cwpla nawr!' meddyliodd wrth anelu saeth y cyrchwr yn frysiog at lun y ddisg fechan ar ben ei sgrin a phwyso'r botwm i ddiogelu'r ddogfen.

Digon di-ffrwt y teimlai, serch hynny, oherwydd hyd yma roedd hi wedi methu â chael gafael ar y swyddog diogelwch Steven Smith, *alias* Zen. Aethai bron ddwyawr heibio ers i Emlyn John sibrwd yr enw hwnnw wrthi yn y Jubilee Café ac er iddi gael cychwyn addawol i'w hymholiadau, eto i gyd buan roedd y trywydd wedi mynd yn oer.

Wedi i Emlyn ei gadael, roedd hi wedi oedi yn Neuadd San Steffan i wylio'r gwarchodlu'n newid shifft. Gwelsai bedwar arfog yn cymryd lle'r pedwar oedd wedi bod ar ddyletswydd wrth y Porth ers chwech o'r gloch y bore, a bu'n gwylio pedwar arall – dau *SO11* arfog yn eu gwasgodau Kevlar du a dau *SO17* mewn siacedi melyn llachar – yn cymryd lle'r pedwar arall yn Neuadd San Steffan, i barhau â'r gwaith o archwilio eiddo pob ymwelydd a ddeuai i'r adeilad. Gwyddai y byddai tîm newydd, erbyn hyn, yn cadw golwg ar y New Palace Yard ac unigolion gwahanol fyddai hefyd, bellach, yn crwydro'r coridorau. Ond cael gwybod pwy oedd Zen, ac ymhle'r oedd o, dyna'r flaenoriaeth iddi hi.

Roedd hi wedi aros i'r shifft newydd gael ei thraed dani cyn dechra holi neb, gan gychwyn, yn ffodus iawn fel y digwyddodd petha, yn y Cyntedd Canolog, lle'r oedd y prysurdeb mwya wedi bod. Roedd llawer llai nag arfer o ymwelwyr o gwmpas y lle ac amheuai Alex fod rhywun neu'i gilydd – y *Sergeant at Arms* a *Black Rod* mwy na thebyg – wedi gorchymyn cyfyngu ar eu nifer, o leiaf nes y câi *MI5* a Scotland Yard amser i asesu difrifoldeb y bygythiad i Aelodau'r Tŷ. Roedd Alex wedi gwylio'r mynd a dod ar draws llawr y Cyntedd nes gweld dim ond un pâr o swyddogion yn aros i sgwrsio wrth y porth i Dŷ'r Arglwyddi. Penderfynodd mai dyna'r lle i ddechrau holi. Ond sut? Ai holi'r ddau efo'i gilydd ynte aros iddyn nhw wahanu? Penderfynodd aros.

'Pa un yw'r mwya ffein, sgwn i?' meddyliodd wrth astudio gwynebau'r ddau yn ofalus. 'Yr un tal, 'da'r wyneb brown iach, siŵr o fod! So'r llall yn neud dim ond gwgu fel 'sa rhywun wedi stablan ar 'i gyrn e!'

Pe bai hi wedi gallu clywed eu sgwrs, fe fyddai hi wedi bod yn sicrach fyth o'i dewis.

'Fe gollais i'r cyffro i gyd, felly?' Yr un tal oedd yn holi.

'Hy! Storm mewn cwpan oedd y cwbwl, 'sa ti'n gofyn i mi.'

'Rwbath arall wedi digwydd ta, tra o'n i i ffwrdd?'

'Bygyr ôl! Sut wylia gest ti, beth bynnag?' Ond a barnu oddi wrth ei olwg a thôn ei lais, doedd fawr o bwys ganddo be fyddai'r ateb, beth bynnag.

'Rhy boeth o beth cythral, a deud y gwir! Diolch nad aethon ni yno ganol ha, ddeuda i, neu mi fyddai'r wraig a finna wedi toddi. Ond dyna fo, roedd rhywun yn disgwyl gwres yn yr Aifft, yn doedd. Dwi'n meddwl mai'r Antarctic fydd hi flwyddyn nesa!' Dywedai ei wên mai jocian yr oedd, ond ni ddaeth dim ymateb oddi wrth y llall. Yna syrthiodd tawelwch rhyngddynt.

Aethai eiliada heibio wedyn cyn i Alex weld y bach yn troi at y mawr i ddeud rhywbeth ac yna'n cychwyn cerdded ar ei ben ei hun ar draws llawr y Cyntedd a diflannu i gyfeiriad Siambr y Tŷ. Dyma'i chyfle, meddyliodd, a chuddio'i bathodyn 'Y Wasg'.

'Helô! Shwd 'ych chi?'

Trodd i wenu i lawr arni. Roedd Alex ei hun yn bum troedfedd naw modfedd yn nhraed ei sana, ond roedd hwn o leia chwe modfedd yn dalach wedyn.

'Iawn diolch, a sut dach chi?' gofynnodd, ac aros iddi ofyn y cwestiwn oedd mor amlwg yn ei llygaid.

'Wi'n whilo am rywun.'

Lledodd ei wên yn ddireidus. 'Wel da iawn! Fi, gobeithio!'

Gwenodd hithau'n ôl a chodi ael i awgrymu ei bod hi,

hefyd, yn gweld apêl yn y syniad. Roedd Alex Morgan y gohebydd, fel Angharad Morgan y disgybl yn Ysgol Bro Myrddin slawer dydd, yn gwybod i'r dim sut i ddefnyddio llygaid direidus a gwên ddeniadol i ddwyn perswâd ar fechgyn a dynion fel ei gilydd. 'A! Trueni bod chi'n briod!' meddai gan chwerthin yn chwareus a thaflu cip awgrymog ar y fodrwy ar ei fys. 'Ond un ohonoch chi yw e, serch 'ny. Steven Smith yw 'i enw fe, ond wi'n credu taw Zen ma pawb yn 'i alw fe.'

'A! Fe ddylwn fod wedi ama! Rhaid imi gofio gofyn i'r diawl lwcus be 'di'r gyfrinach.'

'Y gyfrinach?'

'Wel ia! Y gyfrinach i fedru denu merched del fel chi.'

Chwarddodd Alex eto, efo'r un direidi. 'O! A be sy'n neud ichi feddwl 'i fod e wedi fy nenu i, 'te?'

'Mae'n ddigon eich bod chi'n chwilio amdano fo!'

'Ha! Ond sa i hyd yn o'd yn 'i nabod e.'

'Llawn cystal. A gwell ichi gadw'n glir hefyd, yn ôl pob sôn.'

'O? A beth 'ych chi wedi'i glywed amdano fe, 'te?' Teimlai'n ffyddiog. Doedd y swyddog ddim yn amharod o gwbwl i drafod y dyn Zen! Tybed a oedd Emlyn John wedi gneud môr a mynydd o'r gyfrinachedd? Yna cofiodd fod hwn wedi bod ar ei wyliau, a falla heb dderbyn unrhyw rybudd i gadw'i geg ar gau.

'Nad oes yr un ferch yn saff o fewn milltir iddo fo.' Gan na wnâi unrhyw ymdrech i guddio'r wên o'i lygaid, gwyddai Alex mai dal i dynnu ei choes yr oedd.

'Felly gwedwch wrtho i ble ma fe, i fi ga'l mynd y ffordd gro's iddo fe.'

Chwarddodd y ddau, ac roedd y chwarae drosodd.

'A deud y gwir wrthoch chi, does gen i ddim syniad lle mae o ar ddyletswydd y dyddia yma. Heddiw dwi'n ailgychwyn ar ôl fy ngwylia, dach chi'n gweld. Ond mae o'n siŵr o fod o gwmpas yn rwla, os nad ydi ynta hefyd ar wylia, wrth gwrs.'

'Shwd dw i'n mynd i'w nabod e, 'te?'

'Tua'ch taldra chi, ddwedwn i. Gwallt byr yn dechra britho. Reit olygus a deud y gwir . . . ' Gwenodd eto. ' . . . er bod yn gas gen i gydnabod hynny!'

'Diolch yn fowr.'

Fel roedd hi'n troi i'w adael, fe gofiodd y plismon rywbeth arall, 'O ia! Mae o hefyd yn llawchwith.'

'O?' Ei gwyneb yn awgrymu *Ond shwd dw i'n mynd i wbod 'ny pan wela i e?*

Gwelodd yntau'r cwestiwn. 'Chwiliwch am rywun sydd â strap ei *MP5* . . . hynny ydi, ei wn . . . dros ei ysgwydd chwith.'

Ond er crwydro'n ôl a blaen am hanner awr dda yn chwilio am blismon *SO11* i ffitio'r disgrifiad, ildio i'w methiant fu raid iddi yn y diwedd. Yn hytrach na dychwelyd i Stryd y Fflyd, fodd bynnag, i sgrifennu ei herthygl, roedd hi wedi dod draw yma i St Stephen's Parade i neud hynny.

A rŵan, awr a mwy yn ddiweddarach, prysurodd i gau caead y cyfrifiadur bach a rhoi hwnnw'n ddiogel yn ei gas lledar, cyn cydio yn ei chwpan i ddrachtio gweddill y coffi oer. 'Damo unweth!' cofiodd, wrth i don o euogrwydd lifo drosti. 'Fe ddylsen i fod wedi ffono Tada i holi shwd ma Mam erbyn hyn! Shwd allen i anghofio!' Tyrchodd yn ei bag am y ffôn. 'Fe wna i 'ny nawr, ar fy ffordd 'nôl i'r Neuadd Ganolog, achos taw fan'ny, ma'n siŵr 'da fi, yw'r lle gore i ddechre whilo 'to am y dyn Zen 'na!' Oni châi afael arno, i'w holi ynghylch yr hyn a ddigwyddodd yn Hyde Park dros y Sul, yna go brin y byddai'r Golygydd Gwleidyddol yn gwirioni efo'i chyfraniad hi i rifyn fory o'r *Chronicle.*

Yn hanner-cerdded hanner-rhedeg, anelodd am y grisia symudol, gan oedi ond yn ddigon hir yn fan'no i ddangos i'r plismon arfog ei cherdyn 'Y Wasg' a roddai iddi'r hawl i fynd heibio iddo, i lawr o dan Bridge Street ac ymlaen i Balas Westminster. Oedd, meddyliodd, roedd tynhau garw wedi bod ar y drefn ddiogelwch ers yr adeg yma ddoe.

Mwya'n y byd y meddyliai am y peth, mwya'n y byd y melltithiai ei hun am ddatgelu o gwbwl yr hyn ddigwyddodd yn Hyde Park dros y Sul. O edrych yn ôl, dylai fod wedi cadw'r wybodaeth honno iddi hi ei hun, o leia nes cael ei chyfle i gyfweld Steven Smith, *alias* Zen, i gael y stori lawn gan hwnnw. Ond rŵan roedd peryg i Conrad Moore a phob gohebydd arall achub y blaen arni. 'Ond s'dim pwynt codi paish ar ôl pisho!' meddai'n ddiamynedd fel yr atseiniai ei sodlau buan yn y coridor tanddaearol. 'Ta beth,' meddyliodd, o gofio mor gyndyn ac yna mor gyfrinachol oedd Emlyn John wedi bod i ddatgelu'r enw yn y lle cynta, 's'neb arall yn gwbod 'i enw fe, 'to!' A gwnaeth hynny iddi deimlo rhywfaint yn well.

Roedd hi'n ôl ym Mhalas Westminster erbyn hyn a chan mai un llaw rydd oedd ganddi i gydio yn ei ffôn, câi beth trafferth i ddeialu efo bawd y llaw honno. Er gwaetha'i rhwystredigaeth a'i brys, rhaid oedd tawelu ei hofnau ynghylch cyflwr iechyd ei mam, a thawelu'i chydwybod hefyd yr un pryd. Trodd i mewn i gyntedd yr *'O Blaid'*•, er mwyn cael llonydd a thawelwch i siarad efo'i thad. Gwrandawodd ar glician y cyswllt ar y lein, yna sŵn y teclyn yn canu ym mhellter Sir Gâr . . . ac yn dal i ganu . . . ond neb yn ei ateb! Dechreuodd deimlo'n anesmwyth a chynyddodd y pryder ychydig eiliadau'n ddiweddarach pan na ddaeth ateb chwaith ar ffôn poced ei thad. Gadawodd i hwnnw ganu a chanu.

* * *

Crychodd Zen ei drwyn. Ddecllath o'i flaen ar gyntedd yr *'O Blaid'*, safai Bluto, big yn big efo rhywun tal a moel, y ddau mewn sgwrs gyfrinachol. Er bod y llall yn cadw'i gefn tuag ato, gallai Zen ddeud ei fod yn tynnu mlaen mewn oedran – 'Yn ei chwe dega, siŵr o fod,' meddai wrtho'i hun – a bod rhyw fath o anabledd arno hefyd, a barnu oddi wrth ei ystum. Yna, yn chwerw o dan ei wynt, ychwanegodd. 'Beth bynnag sy'n cael ei

---

• *Aye Lobby*

drafod a'i drefnu, mae Bluto'n siŵr dduw o fod yn troi pob dŵr i'w felin ei hun.'

Ym mhellter y coridor tu draw i'r ddau, efo ffôn wrth ei chlust, safai merch hirwallt, siapus, ac er bod ei chefn tuag ato fe wyddai Zen yn iawn pwy oedd hi. Hi oedd yr hen drwyn ar St Stephen's Parade lai na hanner awr yn ôl, a hi hefyd, cofiodd rŵan, oedd yn sefyll yng nghysgod y coed gyferbyn â'r Carriage Gates ddoe fel roedd o'n cyrraedd at ei waith. Ei hystum wrth ddal y ffôn at ei chlust oedd wedi ei atgoffa o hynny.

Gwelodd hi'n rhoi hanner tro tuag ato ac yn dechra parablu'n gynhyrfus. 'Hm! Pwy bynnag sydd ar ben arall y lein,' meddai wrtho'i hun, 'mae hi'n falch ar y diawl o glywed ei lais o. Y stŷd, mae'n siŵr! Diawl lwcus!' Ond, o gofio fel roedd hi wedi edrych trwyddo ar St Stephen's Parade gynnau, ni theimlai ormod o awydd i werthfawrogi ei phrydferthwch, chwaith. 'Wejan un o aelodau iau y Senedd, mae'n siŵr,' awgrymodd ei chwilfrydedd iddo. Ond os felly, pam fyddai hi'n treulio'i phnawn dydd Gwener ar gyfrifiadur yn St Stephen's Parade, o bob man? 'Na! Stamp y Wasg sydd ar hon!' penderfynodd. 'Cyn sicred â dim, cynrychiolydd rhyw bapur newydd neu'i gilydd ydi hi. Felly, fe ddylai fod ganddi fathodyn i brofi'r peth! Ond does ganddi'r un! Nid yn weladwy, beth bynnag. Rwyt ti'n swyddog yn y lle 'ma, Zen. Mae o'n rhan o dy waith di i roi prawf arni.'

Gwnaeth bwynt o daro'i ysgwydd yn galed yn erbyn Bluto wrth fynd heibio iddo. 'Sori!' meddai'n ffuantus.

* * *

'Wi 'di bod yn trio'ch ffono chi, Tada, ond do'dd dim ateb. Shwd ma Mam erbyn hyn?'

'O! Shwd wyt ti cariad? Ma hi'n well, yn siŵr iti. Ar 'yn ffordd sha thre o'r sbyty wdw i nawr, a gorffod ifi stopo'r car i ateb y ffôn. O'dd hi'n lot yn well. So'r strôc hanner mor ddrwg ag o'dd *e*, Doc Phillips, wedi'i ofni, diolch i'r drefen.'

Teimlodd Angharad y rhyddhad. 'Chi *yn* gweud y gwir wrtho' i, on'd 'ych chi, Tada?'

'Wrth gwrs 'ny. Pan adewes i Glangwili . . . obeutu ugen munud yn ôl? . . . ro'dd dy fam yn ishte lan yn y gwely yn hifed te a rhoi ordyrs i fi gadw'r tŷ yn deidi. Felly ti'n gweld bod hi'n well ishws!'

'Wi'n falch.'

'O'dd hi'n holi amdanot ti, ac am dy whâr. Lwyddest ti i ga'l gafel arni?'

'Wi 'di gadel neges iddi, Tada. Wi'n aros iddi ffono fi'n ôl.'

* * *

Arhosodd Zen nes gweld ei bys yn pwyso botwm y ffôn i ddiweddu'r alwad, yna camodd yn nes. Roedd ei chefn tuag ato unwaith eto.

'Rwy'n cymryd bod gynnoch chi hawl i fod yma, *Miss*?' a'i gwylio hi'n troi'n gyflym ar ei sawdl, i'w wynebu, yn union fel pe bai hi wedi teimlo chwip annisgwyl ar ei phen-ôl.

'Wrth gwrs 'ny! Shwd arall fydden i wedi ca'l dod miwn 'ma?'

Roedd fflach dig ei llygada a'r min ar ei llais yn cadarnhau ei farn amdani. Pam raid, felly, iddo ynta fod yn rhy glên efo hitha? 'Ond ar ba awdurdod, os ca i ofyn?'

Cofiodd Alex ei bod wedi cuddio'i bathodyn 'Y Wasg' cyn mynd i holi'r plismon arall hwnnw. Ffwlbalodd amdano rŵan. 'Y *Chronicle*!' eglurodd yn swta.

'O! Iawn, 'lly. Ond fe ddylai hwn . . . ' Cyfeiriodd efo'i lygaid at y bathodyn a wthiwyd yn ddiseremoni o dan ei drwyn. ' . . . fod yn y golwg gynnoch chi drwy'r amsar, yn enwedig heddiw o bob diwrnod.'

Gallai weld oddi wrth ei hedrychiad ei bod hi'n gwrthwynebu'r sioe o awdurdod ar ei ran a bod y cyhuddiad '*Blydi hollti blew!*' yn agos iawn at flaen ei thafod. Os felly, yna twll ei thin hi, meddyliodd. Pwy ddiawl ma hi'n feddwl ydi hi, beth bynnag? Nodweddiadol o'i theip! Nodweddiadol hefyd o'r Wasg! Meddwl y cân nhw grwydro fel fyd fynnon nhw yn y lle 'ma . . . A sgrifennu be fyd fynnon nhw hefyd! 'Rhaid ichi gofio be ddigwyddodd yma ddoe, Miss. A be *allai* ddigwydd yma heddiw eto, os na fyddwn ni'n ofalus. Felly, rhaid inni fod ar ein gwyliadwriaeth . . . efo *pawb*.' Rhoddodd bwyslais deifiol ar y gair olaf. 'A 'dan ni'n disgwyl i chi, bobol y Wasg o bawb, sylweddoli hynny.'

Gan deimlo'i fod rŵan wedi ei rhoi hi yn ei lle, trodd i'w gadael. Roedd hithau ar fin gneud yr un peth i gyfeiriad arall pan sylwodd arno'n ailosod strap y gwn yn fwy cyfforddus ar ei ysgwydd . . . ei ysgwydd chwith! Ai fe oedd e? Ai dyma Zen? Roedd e'n olygus, oedd, ac roedd ei wallt wedi dechre britho'n gynnar. Ac roedd e hefyd yn llawchwith! Dim amheuaeth, felly, o gofio disgrifiad y plismon arall.

Eiliad yn unig a gymerodd iddi ymresymu a phenderfynu. Eiliad hefyd a gymerodd iddi newid ei hagwedd tuag ato.

'Ma'n wir ddrwg 'da fi, offisyr! Fy mlerwch i oedd e.' Gwelodd ef yn aros ar ganol cam ac yna'n troi'n ôl i'w hwynebu. Gwenodd hitha ei gwên anwyla a gadael iddo syllu i ddyfnder ei llygaid. Daliodd i wenu nes gweld y tyndra'n llacio yn y cernau a'r ên. 'Wrth gwrs bod raid ichi fod yn garcus. Wi'n sylweddoli 'ny.' Gwnaeth sioe o chwerthin yn nerfus. 'Bydde'r Golygydd yn 'i gweud hi 'san i'n cael 'y nhowlyd mas o'r lle 'ma am bido gwishgo bathodyn.' A chwarddodd eto gan redeg ei thafod yn araf dros ei gwefus uchaf.

Roedd hynny'n fwy na digon i Zen. Gallai ddarllen yr arwyddion pan oedd merch yn ei ffansïo, meddyliodd, ac mi oedd hon. Gwenodd yn ôl. 'Dim problem. Ac mae'n ddrwg gen inna os oeddwn i'n swnio'n braidd yn shòrt efo chdi.'

'Diall yn iawn, offisyr!' Daliai i wenu. 'Diall yn iawn! Ma'n amser gofidus ichi, wi'n siŵr. Ma'r terfysgwyr hyn yn ddigon i godi ofon ar unrhyw un. So chi'n credu?'

Ei dro ef oedd chwerthin. 'A! Fyddwn i ddim yn mynd cyn

bellad â deud hynny, chwaith. Ond i ni wbod pwy ydy'r diawliaid, yna fyddwn ni fawr o dro yn delio efo nhw.'

Agorodd Alex ei llygaid yn fawr mewn sioe o ffug edmygedd. 'Ond falle bod mwy na jest y ddou ohonyn nhw. Glywes i fod rhywrai wedi trio saethu un ohonoch chi, y gwarchodlu, yn Hyde Park dydd Sul dwetha.' Chwiliai am ymateb yn ei lygad ac ni chafodd ei siomi. '*Al Quaeda*, medde rhywun. *Mujahadeen*, medde rhywun arall. Rhaid ichi fod yn garcus *iawn* ddweden i.'

Ofnai fod y pwyslais yn awgrymu gormod o gonsýrn ac felly'n swnio'n ffuantus, ond fu dim rhaid iddi boeni oherwydd roedd Zen yn araf lyncu'r abwyd, er bod yr amheuaeth ynddo yn gyndyn o gilio'n llwyr.

'Pwy ddeudodd beth felly wrthat ti, sgwn i?'

'Dyw e ddim yn gyfrinach, w. Ma fe ar dudalen fla'n y *Chronicle* heddi.'

Roedd y syndod ar ei wyneb yn dweud wrthi nad oedd o wedi darllen yr erthygl na chwaith wedi clywed un dim amdani.

'Be? Ac yn deud hefyd pwy oedd o? Yn ei enwi?'

'Na. Dyw 'i enw fe ddim yn y papur. O's 'da chi syniad pwy yw e, 'te?'

'Hyd yn oed pe bawn i'n gwbod, chawn i ddim deud wrthat ti.' Roedd rhywfaint o ymddiheuriad yn ei edrychiad ond yna gwawriodd y gwir arno, ac o weld y ddealltwriaeth yn neidio i'w lygaid, a'i wyneb yn caledu unwaith eto, gwyddai Alex iddi gymryd camau rhy fras.

'Y *Chronicle* ddeudist ti? Ond efo'r *Chronicle* wyt titha hefyd, meddat ti! Felly . . . '

Gwyddai hi y gallai'r eiliadau nesaf fod yn dyngedfennol. 'Ie. Fi sgrifennodd yr erthygl.'

Pe bai hi wedi anelu dwrn ato, fydda fo ddim wedi ymateb yn fwy chwyrn. 'Be ddiawl ydi'r gêm, ta?'

Smaliodd hitha ddiniweidrwydd, a pheth dychryn. 'Gêm? Pwy gêm 'ych chi'n feddwl?'

'Ti'n gwbod yn iawn pa gêm! Mae rhywun wedi deud wrthat ti'n do? A dyna pam ti yma! Slei ar y diawl! Ond dyna fo, criw fel'na ydach chi, bobol y Wasg, yndê?'

Cymerodd arni fod ei eiriau wedi ei brifo. 'Sa i'n gwbod beth 'ych chi'n sôn obeutu. Nid *fi* o'dd yn whilo amdanoch *chi* ond *chi*, os 'ych chi'n cofio, dda'th ata *i* a bod yn gas, bod dim bathodyn 'da fi. Felly, dydd da ichi!' Roedd hi wedi penderfynu sawl cam i'w gymryd cyn troi'n ôl. Cyfrifodd wyth, yna trodd a dweud yn dawel, ond yn ddigon uchel serch hynny iddo allu'i chlywed hi bum llath i ffwrdd, 'Ond os 'ych chi'n gwbod pwy yw e – y plismon yn Hyde Park, dy' Sul dwetha – yna falle y byddech chi ishe neud tro da 'da fe, a rhoi hwn iddo fe . . . ' Estynnodd gerdyn efo'i henw a'i rhif ffôn ei hun, yn ogystal â rhif ffôn y *Chronicle,* arno. ' . . . a gwedwch wrtho fe y bydde'r *Chronicle* yn barod i dalu'n dda iddo fe am ei stori.' Yna, gan edrych ar ei wats, ychwanegodd, 'Ond bydd raid iddo fe ffono fi cyn hanner awr wedi whech.'

Astudiodd Zen hi am eiliad neu ddwy, wrth geisio penderfynu pa mor ddiffuant oedd hi, yna camodd ymlaen i gydio yn y cerdyn o'i llaw. Safodd wedyn yn ei unfan i'w gwylio hi'n gadael.

Ar y coridor tu ôl iddo roedd Bluto a'r dieithryn yn dal mewn sgwrs ddwys. 'Gobeithio na chlywodd y diawl mawr yna ddim o'r sgwrs,' meddai yn ei feddwl. Doedd Bluto ddim yn un i'w drystio.

* * *

Aeth Alex i'w gwely'r noson honno heb glywed gair oddi wrth Zen na chwaith oddi wrth ei chwaer, Catherine.

Pennod 6

Tafarn y Bow Bells, Shoreditch, Llundain N1

Pendiliodd y goch yn araf o'r naill ochor i'r boced i'r llall cyn llonyddu'n bryfoclyd yn ei cheg a pheri i Zen ochneidio'n siomedig wrth i'w frêc o ddeunaw ar hugain ddod i ben. Roedd y ffrâm, cyn sicred â dim, wedi'i cholli rŵan, heb sôn am y pumpunt a fetiodd arno'i hun i'w hennill. Yn fingam, ciliodd at y fainc gyferbyn, i wylio'r goch yn diflannu ac yna'r ddu i'w chanlyn. Prin oedd y cysur ar ôl hynny o weld ymdrech Duke ar y felyn yn methu. Gan fod arno angen cymaint â thair snwcer bellach, yna roedd y gêm ar ben iddo.

'Ffrâm arall?'

'Na,' meddai. 'Dwi wedi cael llond bol, a dwi wedi blino.'

'Peint, ta?'

'Cwestiwn gwirion, gan mai chdi sy'n talu.'

'Fel arfar!' A gwenodd Duke ei wên lydan i awgrymu mai fo, yn amlach na pheidio, fyddai'n ennill y pumpunt ac mai fo, felly, fyddai'n gorfod mynd gynta at y bar, yn ôl y trefniant arferol rhwng y ddau.

Roedd tafarn y Bow Bells mor llawn ag yr arferai fod ar nos Wener, a'r un mor swnllyd hefyd; yn fwrlwm o siarad ac o chwerthin ifanc.

'Ffeindia di gongol! Mi a' inna i nôl y cwrw.'

Gwyliodd Zen y frwydr arferol i fynd at y bar, ac nid brwydr Duke yn unig oedd hi. 'Sgiwsiwch fi! Sgiwsiwch fi!' gwaeddai ambell lais, am yn ail â mwmblan dig neu reg gan arall. A brwydr waeth wedyn oedd gwthio'r ffordd yn ôl efo hafflau llawn. Dotiodd Zen, ac nid am y tro cyntaf, at y petha lliwgar yr oedd pobol ifanc heddiw'n eu hyfed allan o boteli – yn las ac yn felyn, yn binc ac yn biws – tra i'r ddau neu dri o iypis yn eu plith, dim ond *Budweisser* a wnâi'r tro, a'r rheini, wrth lymeitian, yn gofalu nad oedd cledar llaw byth yn cuddio label ffasiynol y *Bud*. Yn uchel ar un wal clwydai set deledu, yn olau ond yn ddi-sŵn ac yn ddi-sylw.

Wrth fwrdd tu ôl i'r drws, eisteddai'r tri henwr arferol uwchben eu potiau peint tri chwarter gwag. Gwyddai Zen am eu harfer o gyrraedd yn ddigon buan bob min nos i hawlio'u bwrdd, i hawlio'u lle. Prin fyddai'r sgwrs rhyngddyn nhw byth, gan mai eu diléit pennaf oedd gwylio'r mynd a dod, a chael mwmblan ambell sylw beirniadol.

Hoeliwyd eu tri phâr o lygaid gwydrog ar Duke, rŵan, wrth i hwnnw hefyd wthio'i ffordd at y bar. Yn y cyfamser, cafodd Zen le i bwyso'i ysgwydd yn erbyn un o'r amryw golofnau sgwâr oedd yn cynnal nenfwd eang y dafarn.

'Ti wedi gorffan dy wythnos shifft nos, felly?' Estynnodd Duke y peint ewynnog iddo.

'Do, diolch byth!'

'Dyna iti un peth na fedrwn i byth mo'i neud sti – gweithio nos. Sut ti'n medru cysgu yng ngola dydd, Duw a ŵyr!'

Clywsai Zen yr un geiria ganwaith o'r blaen ganddo. Roedd y ddau yn ffrindia bore oes, wedi byw o fewn tafliad carreg i'w gilydd yn Shoreditch pan oeddynt yn blant a mynychu'r un ysgol gynradd ac uwchradd, nes i'w llwybrau wahanu pan aeth Zen i'r fyddin. Roedden nhw wedi cadw cysylltiad achlysurol, ar ôl hynny, ac wedi cyfarfod o bryd i'w gilydd hefyd pan ddeuai Zen adre ar lîf, a doedd neb yn falchach na Duke o glywed bod ei ffrind wedi dychwelyd i'w gynefin ac wedi cael fflat yn Tower Hamlets.

'Ond mae'n well gen ti'r shifft nos na'r shifft hwyr, meddat ti?' Roedd yr un oslef anghrediniol ag arfer yn ei lais a gwenodd Zen iddo'i hun wrth glywed y cwestiwn oedd mor gyfarwydd iddo erbyn hyn. Ar y dôl yr oedd Duke wedi bod ers blynyddoedd, ac ni fyddai byth yn codi o'i wely tan hanner dydd. Dyna'r eironi a wnâi i Zen wenu wrth wrando ar ei ffrind yn mynd trwy'i betha. Treuliai Duke ei bnawniau haf naill ai yng nghlwb bowlio Shoreditch neu'n llymeitian uwchben y *Racing Times* yn nhafarn y Tomlinson, drws nesa i siop fetio Ladbroke's, a'i bnawniau gaeaf yn y neuadd snwcer yr oedden nhw newydd ddod ohoni.

'Ydi, Duke. O leia dwi'n cael pob min nos i mi fy hun ar y shifft yma, sy'n fwy nag y medra i'i ddeud am y shifft pnawn. Mae'n gas gen i honno. Ond mi fydd hi'n brafiach byth cael dechra, ddydd Llun, ar y shifft gynnar unwaith eto.'

'Sut ma petha'n mynd yn y gwaith, ta? Be ddo'th o'r busnes saethu 'na, dair wythnos yn ôl?'

'Yr Ysgrifennydd Amddiffyn ti'n feddwl? Dim byd o gwbwl, hyd y gwn i. Ond dyna fo, rhywun fel fi fyddai'r ola i gael gwbod, beth bynnag.'

Cyn belled ag yr oedd Zen yn y cwestiwn, doedd y rhybudd swyddogol iddo beidio trafod achos y saethu efo neb ddim yn cynnwys Duke, oherwydd doedd hwnnw'n ddim mwy o *security risk* na'r Frenhines ei hun, neu'r Nelson mud ar ei golofn yn Sgwâr Trafalgar. Roedd arno angen trafod y peth efo rhywun, pe bai ond i gael gwared â'r rhwystredigaeth a deimlai, oherwydd ers mis bron, bu'n mynd o gwmpas efo'i lygaid yng nghefn ei ben, yn hanner-ofni hanner-disgwyl gwres bwled yn ei gnawd. Ond wedi deud hynny, fe deimlai'n weddol hyderus hefyd, erbyn rŵan, bod y ddau ddarpar asasin wedi gneud camgymeriad mawr yn Hyde Park y diwrnod hwnnw, ac wedi ceisio lladd y Steven Smith/Stephen Smythe anghywir.

'Ond diawl erioed! Os ydyn nhw wedi'u dal nhw – y ddau oedd ar y beic – yna maen nhw'n rhwym o adael i ti, o bawb, wbod. Wedi'r cyfan, fe ddaru nhw drio dy saethu ditha, a chdi ydi'r unig un sydd wedi gweld eu gwyneba nhw, felly mi fydda dy dystiolaeth di yn hanfodol.'

Ysgydwodd Zen ei ben mewn gwên wamal. 'Sôn am *MI5* ydan ni, Duke, cofia hynny, a does wbod sut y bydd rheini'n ymateb i unrhyw sefyllfa . . . na be ydi'u cymhellion nhw chwaith, yn amal.' Difrifolodd, ac estyn cerdyn o'i waled. 'Ond mi ddeuda i un peth wrtha ti! Maen nhw wedi costio pres i mi, beth bynnag.'

'Be ti'n feddwl?'

Syllodd Zen ar y cerdyn am rai eiliada cyn ateb. *Alex Morgan, Gohebydd Arbennig,* meddai hwnnw wrtho. *Arbennig yn wir!* meddyliodd, wrth gofio'r wên a'r llygaid fflyrtiog, a'r llaw wen â'r bysedd hir a estynnodd y cerdyn iddo. 'Mi ges gynnig deud fy stori wrth y *Chronicle* – gwerth rhai miloedd imi, synnwn i ddim . . . '

'Miloedd? Uffar dân! Pam na wnest ti ddim, ta?'

'Ro'n i o dan rybudd i beidio deud dim wrth neb. Mi allwn fod wedi colli fy job, fel arall.'

'Arglwydd mawr! Am bres fel'na mi faswn i'n deud pob uffar o bob dim dwi'n wbod, heb hyd yn oed sychu 'ngwefla . . . a bygro'r job.'

'Basat, mae'n siŵr!' Gwyddai Zen na fyddai'r job i Duke – pe bai ganddo un! – *yn* golygu dim o gwbwl; tra byddai'r pres, ar y llaw arall, yn siŵr o olygu popeth. Ac wedi meddwl, pwy oedd i ddeud nad Duke oedd yn iawn? O gymharu â'r oriau hir a diflas yn crwydro coridorau syber Palas Westminster o ddydd i ddydd, roedd llawer i'w ddeud dros gêm o snwcer, a mynd am beint, a phicio i mewn ac allan o Ladbroke's, siŵr o fod. 'Falla y dylwn i fod wedi derbyn cynnig y *Chronicle,*' meddai o dan ei wynt.

Ac ar ei ffordd adre'r noson honno, wedi ffarwelio â'i ffrind, yr un peth yn union ddaeth i'w feddwl eto: fe ddylwn fod wedi derbyn y cynnig, ac fel y deudodd Duke, *bygro'r job*.

Doedd o fawr feddwl be oedd yn ei aros!

* * *

Inverness Court, Bayswater, Llundain W2

'Wi mor falch bod chi 'nôl gartre, Mam. Ma Catherine a finne wedi poeni lot fowr obeutu chi. Fe ffonodd hi Tada nithwr, medde hi, o Angola, a fe ffonodd hi fi 'to bore 'ma i wbod a ddyle hi ddod gatre ai pido.'

Sŵn protest yn unig a ddaeth dros y lein, yna clywodd Alex lais ei thad unwaith eto.

'Fel ti'n cl'wed, Alex, ma dy fam lot fowr yn well, ond bod y lleferydd damed bach yn lletwhith o hyd.'

'Wi'n bwriadu dod gatre ymhen cwpwl o ddiwrnode, Tada. Wi'n addo, tro hyn.' Oedd, roedd ei chydwybod yn ei phigo, meddyliodd. Wedi'r cyfan, aethai bron i dair wythnos heibio ers i'w mam gael ei chipio i Ysbyty Glangwili, ac er gwaetha pob addewid iddi'i hun ac i'w thad, doedd hi ddim eto wedi bod yn ôl yng Nghymru i'w gweld. Yr unig gysur iddi oedd y ffaith mai tridiau'n unig y cadwyd ei mam yn yr ysbyty, felly doedd bosib bod ei chyflwr yn achosi gormod o bryder i'r meddygon. 'Wi 'di bod mor fishi, 'na i gyd. Ma popeth yn iawn fel arall, odyn nhw?'

'Odyn, glei!'

Ond fe synhwyrodd hi'r oedi cyn ateb, serch hynny. 'Ma rwbeth yn bod! Beth yw e? So Doc Phillips wedi rhoi newyddion drwg, odi e?'

Chwarddodd ei thad yn nerfus ar ben arall y lein a chafodd hi'r argraff ei fod yn cerdded i ran arall o'r tŷ, efo'r ffôn wrth ei glust. Pan atebodd, roedd wedi gostwng ei lais yn gyfrinachol. 'Na'dy, wir. Rhyw broblem fach 'da Joni Jipsi, 'na i gyd.'

'Joni Jipsi?' Roedd y cymeriad yn hen gyfarwydd iddi. 'Pwy fath o broblem, 'te?

'Dim byd i ti boeni dy ben obeutu fe, Alex. Ma fe'n pallu symud bant, dyna i gyd.'

'Be 'ych chi'n feddwl, Tada, *pallu symud*? Symud bant o ble, w?'

Unwaith eto, gwrandawodd ar y chwerthiniad nerfus a'r oedi eiliad cyn ateb, a ddywedai wrthi bod ei thad yn ceisio gneud yn fach o'r broblem, beth bynnag oedd honno.

'Ma fe wedi parco'i garafán ar y Weirglodd Ucha, dyna i gyd, a ma fe'n pallu symud bant.'

'Pallu symud bant?' Roedd ei goslef yn llawn anghredinedd. 'A beth ma'r polîs yn neud obeutu'r peth?'

'Cythrel o ddim, m'arna i ofon. Wi wedi riporto'r peth ers wythnose, ond sa i'n credu bod nhw hyd yn o'd wedi ca'l gair 'da Joni, 'to. Ma nhw 'i ofon e, wi'n credu . . . fe a'r ci alseshan 'na sy 'da fe. Ti'n gwbod cystal â finne shwd dymer sy 'da Joni!'

Gallai Alex gofio Joni Jipsi yn cyrraedd yr ardal. Plentyn oedd hi ar y pryd, ar fin gadael yr ysgol fach am un fawr Bro Myrddin, ac fel ag i weddill plant y pentre, roedd yr horwth blêr o ddyn – ef a'i gi, yn eu carafán fudur – wedi bod yn destun rhyfeddod i ddechrau ac yna'n destun ofn. Ond nid sipsi mo Joni Jipsi, er gwaetha'i lysenw – nid tincer hyd yn oed – ond llabwst diog a dim mwy, heb neb yn gwybod o ble y daethai nag i bwy y perthynai, ac ni fu'n hir cyn bod pawb yn ei osgoi ef fel y pla, fo a'i alsêshan gwyllt. Gynted ag y dechreuodd y ddau fynychu tafarn leol y Tarw Du, ciliodd yr yfwyr eraill o un i un, a phan welodd Gwil y Tafarnwr fod ei fusnes yn dioddef, nid oedd ganddo ddewis ond meddwl am ffordd o gael gwared â'r ysgymun rai heb eu tynnu'n ormodol i'w ben. Yr ateb syml iddo, felly, fu codi pris y cwrw'n sylweddol a thrwy hynny beri i Joni a'i gi gadw draw yn gyfan gwbwl. Yna, wrth i'r cwsmeriaid arferol ddod yn ôl o un i un, gostyngodd y pris unwaith eto. Yn y cyfamser, roedd Joni wedi dechrau prynu ei ddiod – a'i wisgi yn bennaf – yn un o archfarchnadoedd Caerfyrddin, ond doedd hynny chwaith, fel y digwyddodd petha, ddim yn ateb i broblem yr ardal oherwydd fe sylweddolwyd yn fuan iawn nad oedd Joni Jipsi a wisgi yn cymysgu'n rhy dda. Mwya'n y byd yr yfai ohono, byrra'n y byd yr âi ei dymer ac amla'n y byd wedyn y byddai'n tynnu'r pentrefwyr i'w ben. A chan fod ei gi, hefyd, yn magu'r un eithafion ymddygiad, caed lle i gredu bod Joni'n rhannu rhywfaint o'r wisgi efo hwnnw'n ogystal. Daeth llygedyn o obaith, unwaith, pan fu Rebel y ci farw o henaint ond ni fu'n hir cyn i Rebel arall, hyllach a gwylltach, ddod i gymryd ei le.

'Ond ar y Comin Bach ma fe wedi byw ers blynydde. Pam ma fe wedi symud nawr?'

'Ma'r cyngor shir wedi troi fan'ny'n lle picnic ac yn barc whare i blant fisitors. O'dd rhaid i Joni symud, ti'n gweld.'

'A nawr ma fe'n towlu'i boitsh ar y Weirglodd Ucha?'

'Odi, gwaetha'r modd.'

'Hy! Fe gawn ni weld obeutu 'ny pan ddo i gatre wthnos nesa, Tada.'

Gobeithiai Alex nad geiria gwag mohonyn nhw, oherwydd ni theimlai hanner mor ffyddiog ag y swniai.

Pennod 7

Tŷ'r Cyffredin, Palas Westminster

Ni wyddai ai cael ei ddewis ymlaen llaw ynteu ar hap a wnaeth, ond am hanner awr wedi un ar ddeg fore Llun fe'i cafodd ei hun, efo Bluto a dau arall, yn sefyll gerbron y *Sergeant at Arms* i dderbyn cyfarwyddiadau.

'Ymhen hanner awr bydd Stephen Smythe, yr Ysgrifennydd Amddiffyn, yn dod â gwestai arbennig efo fo i'r Tŷ, i'w dywys yn bersonol o gwmpas Palas Westminster. Wna i ddim enwi'r gwestai, er mae'n debyg y byddwch yn ei adnabod yn syth pan welwch chi fo. Sut bynnag, dwi am ichi wybod mai trefniant-munud-olaf ydi hwn ac na wyddwn i fy hun ddim byd o gwbwl am y peth tan chwarter awr yn ôl.' Swniai'n ymddiheurol ac yn rhwystredig ddiamynedd yr un pryd. 'Cyn cychwyn, fodd bynnag, gan ei bod hi'n fore mor heulog, mae o wedi penderfynu y bydd y ddau ohonyn nhw'n cael coffi ar y Teras.' Roedd goslef ei lais yn awgrymu: *Fedrwch chi gredu'r peth?* 'Yn naturiol, fe geisiais ddwyn perswâd arno i ailystyried, yn wyneb yr ymgais i'w ladd, lai na mis yn ôl, ond doedd fy ngeiria i ddim yn tycio, mae gen i ofn.'

Edrychodd yn ddifrifol arnyn nhw o un i un. 'Sut bynnag, erbyn hyn mae Thames House ac *SIS* fel ei gilydd – yn ogystal â'ch meistri chi yn Scotland Yard – yn llwyr o'r farn mai amaturiaid oedd yn gyfrifol am y busnes anffodus hwnnw.' Oedodd cyn ychwanegu: 'Fe ddylen *nhw* wybod, decinî, a fedra inna neud dim byd mwy na gobeithio'u bod nhw'n iawn!' Roedd yn gwbwl amlwg oddi wrth dôn ei lais, fodd bynnag, ei fod ymhell o fod yn hapus efo penderfyniad y Gweinidog i osod ei hun yn darged mor agored. 'Sut bynnag, rydw i am i chi'ch pedwar gadw golwg ar betha; dau ohonoch chi i gerddded ar y blaen wrth iddyn nhw fynd o gwmpas yr adeilad, a dau arall o'u hôl. A pheidiwch â chadw'n rhy agos, na bod chwaith yn rhy amlwg! Dyna'r gorchymyn dwi wedi'i gael gan y Gweinidog ei hun. Ond mae busnas y Teras yn fater cwbwl wahanol.' Roedd holl awdurdod ei swydd i'w glywed yn y geiria. 'Dwi wedi rhoi fy nhroed i lawr ynglŷn â hwnnw. Mi fydd raid i chi'ch pedwar fod yn gwbwl amlwg yn fan'no, gydol yr amser y byddan nhw'n cael eu coffi. Ydi hynny'n glir? Ac yn gwbwl gwbwl effro! Dydw i ddim isio embaras arall fel yr un a gawsom ni fis yn ôl, yn reit siŵr.'

Cyfeirio'r oedd at y ffordd y cafodd y gwarchodlu – ac ef ei hun yn arbennig oherwydd cyfrifoldeb ei swydd – eu beirniadu'n ddidrugaredd gan y Wasg bryd hynny.

Yna, edrychodd ar ei wats, eto fyth. 'Mi fyddan ar eu ffordd ymhen hanner awr neu lai. Dwi am ichi fod ar y Teras yn aros amdanyn nhw. Tsieciwch y lle'n ofalus cyn iddyn nhw gyrraedd. Gwnewch yn siŵr nad oes neb amheus yn gwylio oddi ar Bont Westminster, ac nad oes dim byd amheus chwaith yn mynd ymlaen ar ochor bella'r afon, nac ar yr afon ei hun.' Ar hynny, trodd a brasgamu i ffwrdd.

'Mae'r diawl gwirion yn paranoid! Dwi'n mynd am bisiad.'

Chwarddodd y ddau arall at wamalrwydd Bluto, ond nid Zen. Doedd ganddo mo'r amynedd.

Ar y Teras, gwelsant fod un bwrdd – yng nghysgod wal yr adeilad ac yn agos at y drws y disgwylid i'r Gweinidog a'i westai ddod trwyddo – wedi ei osod yn barod efo lliain claerwyn a hambwrdd arian arno'n dal dwy soser a dau gwpan, yn ogystal â dwy fowlenaid o siwgwr lwmp – gwyn yn y naill, brown yn y llall. Ac eithrio un bwrdd arall, lle'r eisteddai cyn-arweinydd yr SNP efo tri o'i westeion ei hun, roedd y Teras yn wag.

Trwy ddealltwriaeth fud, aethant ill pedwar i wahanol gyfeiriadau, pob un â'i lygaid barcud yn craffu'n bell ac agos dros y Dafwys; Bluto i wylio'r lan gyferbyn, Zen ei hun i wylio pob symudiad ar Bont Westminster, a'r ddau arall i gadw golwg ar bob cwch masnach a chwch pleser oedd yn mynd a dod ar yr afon. Roedd haul y bore'n isel ac yn llachar yn awyr y de.

Cyn hir, ymddangosodd yr Ysgrifennydd Amddiffyn a thaflodd y pedwar plismon gip greddfol dros ysgwydd i weld pwy oedd y gwestai pwysig. Adnabu Zen ef yn syth. Onid oedd llun Sadoun Majid, yn camu oddi ar ei awyren yn Heathrow, wedi ymddangos ar dudalen flaen pob papur newydd bron, fore heddiw, efo penawdau bras a chignoeth megis THE BUTCHER OF BAGHDAD, THE RED HAND OF SADDAM a SCOURGE OF THE KURDS i gyd-fynd ag ef? Sadoun Majid! Un o ddirprwyon mwyaf gwaedlyd y Brigadîr Omar Khatib, pennaeth yr Amn-al-Amm neu'r AMAM, sef heddlu cudd Saddam yn y dyddiau a fu.

'Be gythral sydd gan Stephen Smythe i'w drafod efo boi fel hwn, o bawb?' gofynnodd Zen iddo'i hun. 'Bwled yn ei ben mae'r diawl yn ei haeddu, nid triniaeth *VIP* yn fa'ma, o bob man.' Sylwodd fod y cynrychiolydd *SNP* a'i dri gwestai wedi codi a'u bod rŵan yn gadael y Teras mewn protest. 'Da iawn nhw!' meddyliodd.

Ac yntau'n filwr ifanc yn Rhyfel y Gwlff, roedd Zen wedi dod i glywed am erchyllterau Majid. Sadoun Majid! Y dyn a grefodd, os gwir y sôn, am gyfrifoldeb y 'glanhau ethnig' yng ngogledd Irac. *Glanhau ethnig!* Term yr oedd y cyfryngau'n hoff iawn o'i ddefnyddio. *Glanhau!* Gair rhyfedd ar y diawl i ddisgrifio gweithred o ddileu miloedd os nad miliynau o Gwrdiaid oddi ar wyneb Daear! Ac os gellid credu adroddiad y

Mail fore heddiw, roedd Majid wedi gneud hynny efo'r un wên ar ei wyneb ag oedd ganddo pan gamodd oddi ar ei awyren yn Heathrow, ddoe. A dyma fo rŵan yn dal i wenu ac, yn hytrach na bod o flaen ei well mewn llys barn, yn cael ei drin fel gwestai parchus – ym Mhalas Westminster o bob man! Fe deimlodd Zen yn gyfoglyd, mwya sydyn; ac am rai eiliada, wrth i'r meddyliau ei gorddi, cafodd drafferth canolbwyntio ar yr hyn oedd yn mynd ymlaen ar Bont Westminster. 'A pham ddiawl mae'n rhaid dod â fo ar y Teras i fa'ma, beth bynnag? Gneud targed ohono fo'i hun . . . ac o hwn hefyd, yr un pryd! Mae'r peth yn blydi anghyfrifol hollol. Pam ddiawl nad eith o â fo i selerydd y Weinyddiaeth Amddiffyn am goffi, yn hytrach na dŵad â fo i fa'ma, yn llygad pawb?'

'Nid dyma'r bwrdd y gofynnais i amdano fo!'

O'i ôl, clywodd Zen lais y Gweinidog yn cyfarch rhywun yn flin, yn dangos ei bwysigrwydd a'i awdurdod yng ngŵydd ei westai.

' . . . Bwrdd uwchben yr afon, ddeudis i! Rŵan brysia i osod un o'r rheini!'

Rhaid, felly, mai un o'r gweinyddwyr oedd dan y lach.

'Mae'n ddrwg gen i, Mr Smythe, ond gorchymyn y *Sergeant at Arms* oedd . . . '

'A 'ngorchymyn i, os nad wyt ti'n drwm dy glyw, ydi iti osod un o'r byrddau acw.'

Heb droi i edrych, cymerodd Zen yn ganiataol fod y gweinydd – Alfred, yn ôl ei lais – wedi mynd ati i ufuddhau. Teimlodd ei bryder yn cynyddu a synhwyrodd yr un ymateb yn ei gyd-swyddogion hefyd, hyd yn oed yn Bluto. I hwnnw, fel ag i'r gweddill ohonyn nhw, roedd *paranoia* honedig y *Sergeant at Arms* yn rhywbeth real iawn, erbyn hyn.

Yna'n sydyn, ym mêr ei esgyrn, a thrwy ryw reddf anesboniadwy, fe synhwyrodd Zen fod rhywbeth mawr ar fin digwydd. Fe'i teimlodd yn rhedeg yn rhybudd oer i fyny'i feingefn nes crynhoi'n storm yn ei ben. Cofiodd mai dim ond unwaith erioed o'r blaen y cafodd deimlad o'r fath, a hynny yng Ngogledd Iwerddon, eiliada'n unig cyn i'r William Matheson ifanc hwnnw dderbyn bwled angheuol yr *IRA*. Bryd hynny, roedd y rhybudd wedi dod iddo'n rhy hwyr.

Yn reddfol, a heb ddeall yn iawn pam, dechreuodd droi golygon gwyllt o'i gwmpas, ei wn ar annel barod a'i fys yn hofran uwchben y glicied. Gwibiodd ei lygaid dros bob rhan o'r olygfa o'i flaen. Trodd hyd yn oed i chwilio ffenestri Palas Westminster yn uchel tu ôl iddo, rhag ofn bod darpar asasin yn cuddio yn fan'no hefyd. Yna roedd ei lygaid yn ôl ar Bont Westminster unwaith yn rhagor, ond doedd dim i'w weld yn fan'no chwaith, dim ond y drafnidiaeth drom arferol a chwch pleser, yn llawn twristiaid, yn ymddangos o'i chysgodion. Dros y dŵr yn Lambeth, yng nghysgod adeilad eang Ysbyty Sant Thomas, roedd yr Embankment yn ddigyffro. Dim byd i beri pryder . . . ac eto, roedd y pryder yn bod! Yn rhywbeth real, byw!

Yr un mor reddfol, roedd y tri arall hefyd, erbyn hyn, wedi synhwyro panig Zen. Heb ddeall yn iawn pam, chwilient yn wyllt o'u cwmpas am ryw fath o fygythiad, ond heb weld yr un.

Yn y cyfamser, roedd yr Ysgrifennydd Amddiffyn wedi mynnu cael ei ffordd ac roedd rŵan yn tywys ei westai at fwrdd uwchben yr afon. Yn eu dilyn yn chwyslyd, yn cario hambwrdd oedd yn dal plataid o frechdana samon a chiwcymbyr a dau debot arian yn llawn o goffi a llefrith poeth, deuai Alfred y gweinydd.

Fflach yn unig o rybudd a gafodd Zen, wrth i'r un heulwen ddisglair ag oedd yn dallu'r Gweinidog a'i westai daro hefyd ar fymryn o wydyr neu fetal gloyw ar do gwastad yr ysbyty gyferbyn.

'LAWR!'

Rhwygodd ei waedd yn orchymyn drwy'r awyr, ond prin ei bod hi wedi gadael ei gorn gwddw na chyrraedd clustia'r lleill o'i gwmpas, nad oedd y fwled yn rhwygo'n goch trwy frest yr Ysgrifennydd Amddiffyn nes taflu hwnnw wysg ei gefn, yn gadach llipa dros gerrig patio'r Teras. Wrth ruthro'n wyllt tuag ato, gwelodd Zen a'r lleill y corff yn plycio ddwywaith . . . deirgwaith . . . cyn llonyddu. Ac uwchben y gyflafan, yn gegrwth fud a heb eto amgyffred yn iawn be oedd newydd ddigwydd, safai Alfred, efo diferion gwaed yn cael eu sugno'n araf i frethyn gwyn ei grys ac i fara meddal y brechdana.

Eiliad yn unig a gymerodd y pedwar swyddog i gau'n hanner cylch am y corff llonydd, eu cefnau tuag ato a gynnau tri ohonynt yn chwilio'n wyllt am yr asasin pell tra bod y pedwerydd, sef Zen, yn gweiddi cyfarwyddiada cyflym i'w radio llaw. 'Argyfwng! Argyfwng! Dyn i lawr! Dyn i lawr! Paramedic i'r Teras ar frys! AR FRYS! Yr asasin ar do Ysbyty Sant Thomas, gyferbyn! Dwi'n deud eto – Dyn i lawr ar y Teras! Yr asasin ar do Ysbyty Sant Thomas!'

Y cyntaf i gyrraedd oedd y *Sergeant at Arms*, ei wyneb yn glaerwyn. Roedd wedi bod yn sefyllian yn y drws agored yn dyst i'r ddrama oedd newydd ddigwydd. Wrth ei gwt, ac ar ruthr, llifodd ffrwd o aelodau'r gwarchodlu, *SO11* i gyd, pob un â'i *MP5* wedi'i godi uchder ysgwydd.

Daliai Alfred, efo'i hambwrdd gwaedlyd, i sefyll yn gegrwth, wedi'i wreiddio i'w unfan, nes i rywun neu'i gilydd ei wthio'n ffyrnig o'r neilltu i baratoi lle i'r tîm paramedic. Yn y cyffro, ni sylwodd neb ar glindarddach y potiau coffi wrth i'r rheini drybowndian dros lawr carreg y Teras gan daflu eu cynnwys poeth i bob cyfeiriad, nac ar y brechdanau yn chwalu eu cynnwys dros y lle.

Ni chymerodd neb sylw chwaith o Sadoun Majid, yn dorch grynedig o dan y bwrdd a'i wyneb yn welwach nag y bu ers tro byd. Yno rŵan, yn ei ofn, fe gofiodd hwnnw mai dim ond unwaith o'r blaen y curodd ei galon yn gyflymach na hyn, a hynny pan ddaliodd Uday, y mwya gwallgo o feibion Saddam, wn at ei ben a dechra gwasgu'r glicied yn araf wrth wenu'n ddisgwylgar yr un pryd. Sut oedd o, Sadoun, i wybod bod baril y gwn yn wag ac mai gêm dyn gwirion oedd y cyfan? Ond fe gofiai, hyd ei fedd, a chyda chywilydd hefyd, chwerthin lloerig

Uday yn syth wedyn wrth i hwnnw ffroeni'r ogla drwg a lanwodd y stafell. 'Gwers fach oedd honna, Sadoun!' meddai mab ienga'r Pennaeth wrtho wedyn, rhwng cyfarth a chwerthin. 'Gwers ar sut i gael d'elynion i dy barchu.' Ac yn y blynyddoedd i ddod fe ddysgodd Sadoun Majid y wers honno i amal un arall.

Cyrhaeddodd y tîm paramedic o fewn dim, ac eiliada'n unig a gymerodd iddyn nhw ysgwyd pen a chadarnhau'r hyn a wyddai Zen eisoes, sef nad oedd dim y gellid ei neud i achub bywyd y Gweinidog. Roedd bwled yr asasin wedi gneud ei gwaith; wedi rhwygo'i ffordd trwy frest a chalon y targed, gan sicrhau bod hwnnw'n farw gelain hyd yn oed cyn i'w gorff daro'r ddaear.

Erbyn rŵan, roedd y gwarchodlu wedi chwalu allan yn un rheng ddu gyda chanllaw'r Teras, pob *MP5* wedi'i godi at ysgwydd ac yn pwyntio allan yn fygythiol dros yr afon. Gwelodd Zen y chwilfrydedd yn hel ar Bont Westminster ac ar y lan gyferbyn, wrth i dwristiaid a gweithwyr synhwyro bod rhyw gyffro mawr ar droed. Yna gwelodd hefyd yr hyn y bu'n disgwyl yn ddiamynedd amdano, sef y rhuthr gwyllt mewn ceir ac ar droed i gyfeiriad Ysbyty Sant Thomas, a phlismyn, yn ogystal â rhai o aelodau'r gwarchodlu – yr arfog du *SO11* a'r di-arf melyn *SO17* – yn rhuthro'n haid i ynysu Pont Westminster a glan y Dafwys gyferbyn, i gorlannu pawb oedd yno. Nes y gellid profi'n wahanol, roedd pob un oedd yno yn asasin i'w amau.

'Dau ohonoch chi i fynd â Mr Majid i ddiogelwch,' cyfarthodd y *Sergeant at Arms*, ac o gornel llygad gwyliodd Zen ddau o'i gyd-swyddogion yn ufuddhau ac yn cydio yn yr Iraciad, a oedd erbyn hyn wedi codi'n simsan i'w draed, gerfydd ei geseiliau ac yn ei hanner-cario hanner-llusgo oddi ar y Teras i ddiogelwch y Tŷ.

'Y pedwar oedd ar wyliadwriaeth! Efo ni, rŵan!' cyfarthodd y *Sergeant at Arms* eto, gan droi draw yng nghwmni *Black Rod* oedd newydd ymuno â fo; gwynebau'r ddau yn bictiwr o boen ac o ddiwedd byd. Wedi'r cyfan, nhw ill dau oedd Awdurdod Diogelwch Palas Westminster ac ar eu hysgwydda nhw, felly, yn fwy nag ar neb arall, y byddai'r cyfrifoldeb a'r bai yn syrthio am yr hyn oedd newydd ddigwydd.

Erbyn cyrraedd stafell y *Sergeant at Arms*, roedd eraill wedi ymuno â nhw: Gregory Roylance, Cadlywydd Rhanbarthol y Met yn un, Bill Ramsey, Swyddog Atal Torcyfraith a Therfysgaeth ym Mhalas Westminster, yn un arall, a dau o swyddogion *Special Branch* na wyddai Zen mo'u henwau. Dewis peidio eistedd wnaeth pob un ohonyn nhw. Fel y gellid disgwyl, roedd awyrgylch y stafell yn drydanol.

'Reit! Yn fyr ac yn sydyn, be ddigwyddodd?' Roedd gan y *Sergeant at Arms* a *Black Rod*, yn ogystal â'r swyddogion eraill oedd yno, bethau pwysig yn galw am eu sylw.

Edrychodd Bluto a'r ddau arall yn reddfol tuag at Zen.

'Syr!' meddai hwnnw. 'Roedd Mr Smythe, fel y gwyddoch chi, wedi mynnu cael bwrdd yn nes at yr afon. Roedd o a Mr Majid yn paratoi i eistedd wrth hwnnw pan gafodd ei saethu.'

'Fe glywais rybudd yn cael ei weiddi, eiliad cyn i'r peth ddigwydd. Pwy oedd hwnnw?' Edrychodd arnynt o un i un.

'Fi, syr!' meddai Zen eto. 'Fe ges gip ar rywbeth yn fflachio ar do Ysbyty Sant Thomas gyferbyn, ond roedd yn rhy hwyr, gwaetha'r modd.'

'Fflach y gwn wyt ti'n ama?'

'Mae'n bosib iawn, syr.'

'Welodd rhywun arall rwbath?'

Ysgydwodd y tri arall eu pennau, nes i Bluto ychwanegu: 'Ond roedden ni i gyd wedi cael ein cynhyrfu braidd cyn hynny, syr.'

'Eich cynhyrfu? Pam?' Gregory Roylance oedd yn holi rŵan.

'Wel, mae'n anodd deud. Zen oedd wedi ama rwbath dwi'n meddwl.' Chwiliodd Bluto am gadarnhad gan y ddau blismon arall, ac fe'i cafodd trwy'r nòd lleiaf o'u pennau.

Roedd sylw pawb yn ôl ar Zen, unwaith eto, ac er y byddai

wedi bod yn well ganddo beidio trio egluro'r rhag-rybudd rhyfedd a deimlodd ychydig eiliada cyn y saethu, doedd dim ffordd o osgoi hynny rŵan. 'Teimlad, dyna i gyd, syr. Anodd ei egluro mae gen i ofn, ond rhyw synhwyro wnes i bod rhywbeth ar fin digwydd.'

'Rhaid iti egluro'n well na hyn'na, yn reit siŵr!' Ni cheisiai'r *Special Branch*, os mai dyna oedd o, gelu ei anghredinedd na'i goegni. 'Dwyt ti ddim am inni gredu dy fod ti'n seicig, gobeithio?'

Syllodd Zen yn ôl i fyw ei lygad. 'Fel y deudis i, mae'n anodd iawn egluro'r peth. Cyd-ddigwyddiad oedd o, o bosib.'

'Cyd-ddigwyddiad rhyfadd ar y diawl, 'sa ti'n gofyn i mi.'

Teimlodd Zen ei lygaid yn culhau ac yn caledu, cystal â gofyn: *'Be uffar wyt ti'n awgrymu, mêt?'* a chael y boddhad o weld mai'r llall oedd gynta i edrych draw.

'Ond fe welist ti fflach y gwn?' Gregory Roylance eto.

'Do, neu felly ro'n i'n tybio, beth bynnag.'

'Ar do'r ysbyty?'

'Ia.'

'Welodd rhywun arall rwbath?' Trodd y Cadlywydd Rhanbarthol i weld Bluto a'r ddau arall yn ysgwyd eu pennau, yna trodd eto at Zen. 'Ti, felly, oedd yn cadw golwg ar lan bella'r afon.' Deud yn hytrach na gofyn. Fe wyddai Roylance drefn pethau, cystal â neb, ac fe wyddai, felly, y byddai'r pedwar wedi rhannu'r ofalaeth rhyngddynt.

'Nage, syr. Pont Westminster oedd fy ngofalaeth i ond fe ddigwyddis i weld y fflach ar do'r ysbyty.'

'Pwy oedd yn gofalu am y lan bella, ta?'

'Fi, syr!' meddai Bluto, yn sythu i'w lawn faint.

'A welist ti ddim byd?'

'Dim o gwbwl.'

'Ac roeddet ti'n gwbwl effro?'

'Wrth gwrs, syr.'

'Reit! Mae gwaith i'w neud.' Roedd y *Sergeant at Arms* wedi cymryd cam tuag at y drws. 'Fe gawn ni barhau efo hyn rywbryd eto'n fuan.'

* * *

Bloc o fflatiau rywle yn Fulham, SW6

Eisteddai Alex yn sipian te allan o gwpan a chrac ynddo. Gyferbyn â hi, ar ochor arall y bwrdd, eisteddai gwraig tua deugain oed yn gneud yr un peth, ac mewn cornel tu ôl i honno yn ei fflat gyfyng safai set deledu â'i sgrin yn olau ond yn ddi-sŵn.

'Felly, os wi wedi'ch diall chi'n iawn, Mrs Ewell, fe ga's Kenny eich mab ei ladd oherwdd i fod e wedi datgelu enw rhywun i'r heddlu; enw'r dyn sy'n rhedeg busnes cyffurie, yma yn Fulham?'

Sychodd y wraig ddeigryn arall o gornel ei llygad a nodio'n ddwys. '*Miss,*' meddai.

'Pardwn?'

'*Miss* nid *Mrs.* Dydw i ddim wedi priodi.'

'A! Ma'n ddrwg 'da fi! Ond r'ych chi'n ame bod y plismon y buodd Kenny'n siarad 'dag e wedi cysylltu 'da'r *dealer,* pwy bynnag yw hwnnw, i rybuddio fe am Kenny, a bod e, wedyn, wedi trefnu . . . ' Tawelodd Alex ar ganol brawddeg wrth weld y geiria *NEWS FLASH* yn ymddangos ar y sgrin tu ôl i'r wraig, a llun llawn drama o Balas Westminster yn ymddangos yn syth wedyn, efo ceir heddlu'n llenwi Stryd St Margaret's a'u goleuada glas yn troelli'n gyffrous. Roedd yno hefyd ddwy ambiwlans efo'u drysa ôl ar agor, a'u goleuada hwythau hefyd yn fflachio. Safai plismyn arfog yn ddeuoedd yma ac acw, a rhuthrai gwŷr mewn siwtiau tywyll o'r naill le i'r llall. Yna, ymddangosodd llun llonydd o wyneb Stephen Smythe, yr Ysgrifennydd Amddiffyn.

'Sgusodwch fi, Mrs Ewell, ond 'sech chi'n mindo'n ofnadw 'sen i'n troi sŵn y teledu lan?' A heb ddisgwyl caniatâd, cydiodd Alex yn y teclyn oddi ar y bwrdd o'i blaen, a dal ei bys ar un o'r botyma.

' . . . *ar y Teras. O'r hyn a glywsom, roedd Mr Smythe yn cael coffi efo'i westai, Mr Sadoun Majid, pan saethwyd ef. Ar hyn o bryd, nid yw'r Awdurdodau'n barod i ddweud dim wrthym, ond y si yma yn Westminster yw bod yr asasin wedi llwyddo a bod Mr Smythe, yr Ysgrifennydd Amddiffyn, yn wir wedi ei ladd . . .* ' Rhannodd y sgrin yn ddwy ran, ac ymddangosodd gwyneb gohebydd y BBC ochor yn ochor â gwyneb y gwleidydd marw. ' . . . *Dyma'r ail ymgais o fewn mis i geisio llofruddio Mr Smythe, yma ym Mhalas Westminster, ac unwaith eto, felly, fe geir cwestiynu effeithlonrwydd y lluoedd diogelwch. Os na ellir diogelu ein haelodau seneddol, ac yn arbennig y Prif Weinidog ac aelodau'i Gabinet, yn fan hyn o bob man, yna sut ar y ddaear . . .* '

Heb ymddiheuriad o fath yn y byd, rhuthrodd Alex am y drws, ei bys yn prysur ddeialu rhif Vince Edwards, y Golygydd Newyddion, yn Stryd y Fflyd. Oedodd ar y balconi cul tu allan, oedd yn llwybr i bymtheg neu fwy o'r fflatiau ar ail lawr yr adeilad, a chrychu'i thrwyn wrth i ddrewdod y staeniau piso meddw ar y wal o'i blaen godi i'w ffroenau. *Moch!* meddyliodd. *Pob llawr yn gwmws yr un fath, synnen i ddim. Charen i ddim gorffod magu teulu mewn lle fel hyn.* 'Helô, *Chief*? Glywsoch chi?'

'Do, Alex, dwi wedi clywed.'

'Ond so chi am ifi fynd 'na?'

'Chdi? Mynd yno? I be?'

'Ond fi . . . ' Roedd hi isio'i atgoffa mai hi oedd wedi llunio'r erthygl am yr ymgais gynta i ladd Stephen Smythe.

'Mae Walt yno'n barod. A fo, Walter Truman, os cofi di, *ydi*'n prif ohebydd gwleidyddol ni, yndê?'

Ni allai Alex benderfynu pa un ai bod yn ddoniol ynte'n goeglyd oedd o. 'Ond . . . '

Gan y gwyddai'r Golygydd Newyddion be oedd y brotest i ddod, torrodd ar ei thraws. 'Faint o stori ydi'r un wyt ti'n edrych i mewn iddi rŵan, beth bynnag? Oes yna sail i be ddeudodd y fam wrthon ni dros y ffôn? Wyt ti wedi'i chael hi i siarad, eto? Oes yna le i ama bod rhywun o'r heddlu wedi bod ynglŷn â llofruddiaeth Kenny Ewell, ei mab?'

Er ei bod yn teimlo awydd gweiddi arno i gau ei geg, brathu tafod wnaeth hi. 'Wi beutu bennu holi Mrs Ewell, ond sa i'n credu . . . '

'Iawn ta!' Roedd wedi torri ar ei thraws eto. 'Dyna ni'n dallt ein gilydd, felly.' A rhoddodd y Golygydd Newyddion y ffôn i lawr.

'Y bwbach ag e!' meddai Alex wrth y stryd dlawd oddi tani a chamu'n ôl o'r balconi i'r fflat fyglyd i orffen nid yn unig ei sgwrs efo'r fam drallodus, ond hefyd ei phaned allan o'r cwpan a'r crac ynddo. 'Dylsen i fod wedi ffono Tom Allen, y Golygydd Gwleidyddol. Ma fe lot neisach. Ond gawn ni weld! Os o'dd Emlyn John yn gwitho bore 'ma pan . . . ' Erbyn hyn, roedd hi wedi cyrraedd y gegin unwaith eto, a bu'n rhaid anghofio'i chynlluniau ynglŷn â Westminster, dros dro o leia. Gora po gynted rŵan iddi orffen holi'r ddynes 'ma, oherwydd os nad oedd gan hon rywbeth mwy i'w adrodd nag amheuon di-sail ynglŷn â llofruddiaeth ei mab, ddeuddydd yn ôl – os na allai hi gynnig prawf pendant bod un neu ragor o'r heddlu yn Fulham yn llwgwr ac wedi bod yn rhannol gyfrifol am ladd y bachgen – yna doedd dim stori yma o gwbwl. 'Ma'n ddrwg 'da fi am ruthro mas o'r tŷ fel'na, Miss Ewell, ond ro'dd raid ifi ffono'r Golygydd, chi'n diall!' Eisteddodd eto. 'Nawr 'te, ynghylch y busnes 'ma 'da'r heddlu. S'da chi brawf bod un ohonyn nhw wedi cario clecs i'r *dealer* obeutu Kenny?'

'Mi fedra i roi enwa ichi.'

'Wel ie, bydde hynny'n wych, ond so'r *Chronicle* yn mynd i brinto'r enwe heb dystioleth 'yn nhw? Pam ath Kenny at yr heddlu i ddechre, Miss Ewell? O'dd e 'i hunan yn 'mhel â chyffurie?'

Parhâi'r edrychiad trist a llonydd yn llygad y wraig. 'Trio dial oedd o.'

'Dial? Sa i'n diall.'

'Dim ond wyth mis sydd ers i Gary farw.'

'Gary?'

'Brawd Kenny.'

Teimlodd Alex ei hanadl yn cael ei dwyn oddi arni. 'Beth? R'ych chi wedi colli *dou* fab?' Swniai'n anghrediniol.

'Deunaw oed oedd Kenny. Roedd ei frawd ddwy flynedd yn iau.'

'O! Ma'n wir ddrwg 'da fi, Miss Ewell. O'n i ddim yn gwbod.'

Ond aeth y wraig yn ei blaen fel pe bai hi heb glywed. '*Heroin* laddodd o. Gary dwi'n feddwl.'

'O! Cymryd gormod o'r stwff na'th e, ife?'

'Nage. *Heroin* drwg . . . amhur. A phan ddaeth Kenny i wbod hynny, yna roedd o isio dial.'

'Trwy fynd at yr heddlu.' Roedd Alex yn dechra gweld. 'A o'dd e'n gwbod pwy roddodd yr *heroin* i Gary.'

'Wrth gwrs. Kenny ei hun wnaeth hynny. Dyna pam roedd o mor wyllt ynglŷn â'r peth.'

'Beth?' Oedd ei chlustia wedi'i thwyllo hi? 'Kenny, wedsoch chi?'

'Ia. Dyna sut oedd o'n gneud ei bres . . . trwy ddelio.' Daliai i siarad mewn llais distaw, undonog, fel pe bai hi am gael bwrw'i bol unwaith ac am byth. 'Ond roedd Gary ei frawd wedi bod yn gaeth i'r stwff ymhell cyn i Kenny ddechra delio o gwbwl. Er pan oedd o'n dair ar ddeg, a deud y gwir.'

'Iechyd wen!'

'Fe driodd Kenny ei gael o i dorri i lawr yn ara bach, ond doedd ganddo fo fawr o obaith, wchi.'

'A heb iddo fe sylweddoli, fe roiodd Kenny stwff amhur i'w frawd a dyna shwt na'th e farw?' Roedd Alex wedi bywiogi trwyddi. Hyd yn oed os nad oedd prawf i gyhuddo'r heddlu, meddai wrthi'i hun, mi'r oedd hon o leia'n stori a haeddai gael ei deud. Fe allai trasiedi'r Ewells – ond i'r hanes gael ei adrodd gyda gofal a chydymdeimlad – gydio yn nychymyg darllenwyr ym mhob rhan o'r wlad, a bod yn wers hefyd, siawns, i'r ifanc rhyfygus. Fe allai, hyd yn oed, fod yn gychwyn cyfres o erthygla ar y pwnc – yng nghylchgrawn *Chronicle* y Sul, hwyrach, gyda lluniau lliw – ac fe fyddai'n sicr o gychwyn trafodaeth frwd ar y dudalen lythyrau 'Annwyl Olygydd'.

Daeth y llais trist, undonog â hi'n ôl o'i synfyfyrio.

'Y diwrnod cyn iddo fo gael ei ladd fe ddeudodd Kenny'r cwbwl wrtha i. Fe wyddai'r enwau i gyd, medda fo. *Nid jyst un dyn sydd yn y busnas, Mam,* medda fo. *Mae 'na gythral o sindicêt fawr, yn gweithio rhwng fa'ma a . . .'* Crychodd ei thalcen i geisio cofio. *' . . . a Prague* dwi'n meddwl ddeudodd o. *A dwi'n mynd i roi bom odanyn nhw i gyd am be ddigwyddodd i Gary.'* Cododd y wraig ei golygon am eiliad. 'Nid bom go iawn oedd o'n feddwl, wrth gwrs.'

'Na, wi'n diall yn iawn be sy 'da chi, Miss Ewell. Ewch chi mla'n.' Roedd rhwystredigaeth Alex ynglŷn â'r stori fawr yn Westminster yn cilio'n gyflym.

'Roedd o'n mynd i roi enwa llawar o bobol i'r heddlu, medda fo, ac roedd ganddo fo ddigon o brawf.'

'Wedodd e pa brawf o'dd 'da fe?'

'Ar ôl iddo fo ddallt pam bod Gary wedi marw, roedd o'n beio'i hun yn ofnadwy, ond roedd o ar dân tu mewn hefyd, medda fo, i gael dial ar y diawliaid oedd wedi rhoi'r stwff iddo fo yn y lle cynta. Roedd o wedi gneud fideo, medda fo . . . heb i neb wbod.'

Erbyn hyn, roedd Alex ar flaen ei chadair. 'A shwt lwyddodd e i neud 'ny?'

'Mae ganddyn nhw warws fawr ar lan y Dafwys, heb fod ymhell o fa'ma. Busnas mewnforio diodydd o'r Cyfandir. Ond ffrynt yn unig ydi hwnnw i'r busnas cyffuria felltith. Dyna ddeudodd Kenny, beth bynnag. Dyna sut maen nhw'n dod â *heroin* a phetha felly i mewn i'r wlad, medda fo. Ei selio fo mewn bagia bach plastig a'i guddio fo mewn poteli gwin coch a photeli sheri a phetha felly; unrhyw botal-gwydyr-tywyll, mae'n debyg. Job Kenny oedd dreifio *forklift*. Fo oedd yn symud y bocsys gwin o le i le yn y warws a'u stacio nhw'n daclus ar ben ei gilydd, ac fe ddaeth i wbod be oedd yn mynd ymlaen yno. Matar o amsar oedd hi wedyn cyn iddyn nhw fynd dros ei ben o i werthu'r stwff ar y stryd.'

Chwythodd ei thrwyn yn egar i hances bapur, mewn ymgais i gadw'r dagrau draw.

' . . . Doedd Kenny ddim yn angal, Miss Morgan, ond doedd o ddim yn ddi-gydwybod chwaith. Roedd o'n fachgan siarp iawn, er mai fi sy'n deud, ac yn ddigon call i ddallt yn syth be oedd yn mynd ymlaen yno . . . ac yn ddigon clyfar i neud rwbath ynglŷn â'r peth hefyd, unwaith y dôth o i wbod pam bod ei frawd – ei frawd bach – wedi marw. Sut bynnag, yn ôl be ddeudodd o wrtha i, roedd o wedi blino'n ofnadwy un pnawn ac wedi mynd i guddiad yn y warws, i gael hepian. Dach chi'n gweld, gan mai fo oedd yn gweithio'r *forklift* roedd o wedi medru gneud rhyw nyth bach iddo fo'i hun, yn uchel i fyny yng nghanol y bocsys ac allan o olwg pawb, ac yn fan'no'r oedd o pan glywodd o rywrai'n siarad am ddynion pwysig yn dod drosodd o'r Cyfandir i ryw gyfarfod pwysig iawn iawn yn y warws. Fel ro'n i'n deud, Miss Morgan, roedd gan Kenny ddigon rhwng ei ddwy glust i ddallt yn syth pam bod y cwarfod yn cael ei drefnu, ac fe welodd ei gyfla i dalu'n ôl iddyn nhw am be oedd wedi digwydd i Gary.'

Doedd hi ddim i'w gweld yn malio bod Alex yn recordio pob gair a ddywedai.

'Noson y cyfarfod ddôth o ddim adra o'i waith. Roedd o'n gwbod yn iawn ym mha ran o'r warws y byddai'r cyfarfod yn cael ei gynnal ac roedd o wedi gneud nyth arall iddo fo'i hun yng nghanol y bocsys, lle medra fo ffilmio pob dim efo'i gamera digidol. Wedyn fe aeth o i guddiad yn fan'no, a gweitsiad.'

Tra oedd yn aros iddi chwythu'i thrwyn yn ffyrnig unwaith eto, ceisiodd Alex ddychmygu sut y medrodd bachgen deunaw oed fel Kenny fforddio camera digidol drud yn y lle cynta, a daeth i'r casgliad ei fod naill ai wedi ei ddwyn neu wedi ei brynu efo'r arian a gâi am werthu cyffuriau.

' . . . Y diwrnod wedyn fe aeth Kenny i swyddfa'r heddlu, yma yn Fulham, a gofyn am gael gweld rhywun ynglŷn â chyffuria, bod ganddo fo ffordd o brofi pwy oedd yn dod â nhw i mewn i'r wlad, a sut. Fe ddaeth rhywun ato fo'n syth, medda fo – ditectif o ryw fath, mae'n debyg – ond ddaru fo ddim holi Kenny yn y steshon chwaith, ond mynd â fo i ryw barc yn ymyl, i siarad. Y basdad, hefyd!' Am y tro cynta ers cychwyn y sgwrs, fe welodd Alex fflach o ddicter yn ei llygaid a chlywodd fin yn ei llais. 'Mae 'na gymaint o fai ar y diawl hwnnw ag ar neb.'

'Pryd wedodd Kenny hyn wrthoch chi, Miss Ewell?'

'Ar ôl iddo fo siarad efo'r ditectif . . . y diwrnod y cafodd o ei ladd.' Methodd atal y dagrau, rŵan, a cherddodd Alex o gwmpas y bwrdd i roi ei llaw am ei hysgwydd ac aros yno nes ei gweld hi'n estyn am hances bapur arall. Yna aeth yn ôl i'w chadair.

'A 'na pam 'ych chi'n ame'r plismon . . . y ditectif?' Roedd hi'n ysu am wybodaeth ynglŷn â'r tâp fideo, a be oedd wedi digwydd iddo, ond llwyddodd i ffrwyno'i chwilfrydedd. 'Bydd hi'n anodd profi dim yn 'i erbyn e.'

Roedd y fflach ddig wedi cilio o'r llygaid, a'r blinder llonydd wedi dod 'nôl iddyn nhw. Roedd yr undonedd, hefyd, wedi dod yn ôl i'w llais. 'Ro'n i'n gweld bod Kenny wedi dychryn. Roedd o'n ama'r ditectif, medda fo, ac roedd o'n sôn am ddiflannu o'r ardal am sbel . . . ond chafodd o ddim cyfla, naddo?' Disgwyliai Alex iddi chwilio am hances bapur arall ond wnaeth hi ddim. 'Welis i mono fo wedyn, nid yn fyw beth bynnag. Ond y noson honno, pan o'n i allan yn gweithio . . . '

'Ymhle fydde hynny, Miss Ewell?'

'Yn yr Odeon Paramount. Tywys pobol i'w seti ydi 'ngwaith i, chi'n dallt.' Swniai'n ddiamynedd braidd am i Alex dorri ar ei thraws. 'Fe dorrodd rhywun i mewn i'r fflat a throi'r lle â'i ben i lawr.'

'A fe ga's y camera 'i ddwgyd?' Wrth iddi ofyn, roedd arni ofn cael yr ateb.

'Do . . . ond nid y ddisg efo'r ffilm arni. Roedd Kenny wedi cuddiad honno'n rhy dda.'

'A ble ma hi nawr, Miss Ewell?' Methai â chelu ei chyffro ond buan y ciliodd hwnnw eto.

'Fe ddaethon nhw'n ôl wedyn, a bygwth fy lladd i os na fyddwn i'n rhoi'r ddisg iddyn nhw.'

'Bobol bach! A be nethoch chi? O'ch chi'n nabod nhw?'

'Na. Roeddan nhw'n gwisgo petha am eu penna. Dau hen gachgi mawr oeddan nhw, yn cael eu talu i mygwth i.'

'Ond be nethoch chi? Roioch chi'r ddisg iddyn nhw?'

Daeth cysgod gwên i'w gwyneb trist. 'Dach chi'n meddwl y gnawn i hynny, Miss Morgan? Ar ôl pob dim roedd yr hogia wedi'i ddiodda? Mi fyddai Kenny druan wedi troi yn ei fedd. Na, fe ddeudis i wrthyn nhw na wyddwn i ddim byd am na disg na dim ac os oeddan nhw am fy lladd i yna roedd croeso iddyn nhw neud hynny, gan nad oedd gen i ddiddordab mewn byw, beth bynnag, ar ôl colli'r hogia.'

'A'r ddisg?' Roedd y cyffro yn ôl yn llais Alex. 'Odi hi gyda chi?'

'Nacdi, ond mae hi ar ei ffordd i swyddfa'r *Chronicle*. Fe rois i hi mewn amlen a mynd â hi efo fi i 'ngwaith neithiwr a gofyn yn slei i ffrind imi yn fan'no ei tharo hi yn y post. '

'Gwych, w!' Ond trist hefyd, meddyliodd. Hon yn dal i weithio, a chorff ei mab heb brin oeri.

'Ro'n i'n gwbod yn iawn eu bod nhw'n gwatsiad pob dim o'n i'n neud, dach chi'n dallt. A'r tebyg ydi eu bod nhw wedi'ch gweld chi'n dod yma rŵan, felly byddwch yn ofalus, 'ngenath i. Ffoniwch am dacsi i ddod at y drws i'ch nôl chi.'

Bum munud yn ddiweddarach, ar ôl derbyn ei chyngor, cododd Alex i ffarwelio â hi a'i gadael yn eistedd yn ddagreuol iawn wrth ei bwrdd. Ond dagrau cymysg oedden nhw, bellach, oherwydd fe gawsai hi'r sicrwydd y byddai'r *Chronicle* yn troi pob carreg i ddial marwolaeth yr hogia.

Wrth gau'r drws trist o'i hôl a phrysuro i lawr y grisiau concrit at y tacsi oedd ar gyrraedd, doedd dim modd i Alex wybod na châi hi weld Miss Ewell byth eto.

Dridiau'n ddiweddarach, dim ond yn y *Chronicle* y ceid cyfeiriad at wraig ifanc yn Fulham a fethodd fyw efo'i galar.

* * *

Tŷ'r Cyffredin, Palas Westminster

Roedd Big Ben newydd daro tri o'r gloch, ond yn hytrach na bod yn ôl yn ei fflat yn Tower Hamlets, efo'i draed i fyny'n braf, daliai Zen i aros i gael ei groesholi yn stafell y *Sergeant at Arms*. Roedd Gregory Roylance wedi cadw cwmni iddo ers deng munud neu fwy, a'u sgwrs wedi bod yn gyfeillgar ac anffurfiol, ond rŵan roedd y *Sergeant at Arms* a *Black Rod*, Awdurdod y Tŷ, wedi cyrraedd, a Zen yn gorfod sefyll yn unionsyth o'u blaen. Yna, heb drafferthu curo ar y drws na dim, cerddodd dau arall i mewn. Adnabu Zen un ohonynt yn syth – Alex Ferguson yr *MI5*! – yr un a fu'n ei groesholi fis yn ôl, yn dilyn yr ymgais gynta honno – yr un aflwyddiannus – i ladd Stephen Smythe. Ond roedd y llall – y dyn moel efo'r llygaid culion oer tu ôl i'r sbectol – yn ddiarth iddo. Ac eto, roedd rhywbeth yn gyfarwydd ynglŷn â'r dyn!

''Dan ni wedi siarad efo'n gilydd o'r blaen.' Alex Ferguson, yn amlwg, oedd am gychwyn y croesholi. 'Steven Smith, yndê? Ac os ydw i'n cofio'n iawn, Zen i dy ffrindia.'

'Cywir,' meddai Zen, yr un mor ffurfiol yn ôl, 'ond dydw i ddim yn credu imi gael dy enw di. Dwi'n cymryd, serch hynny, mai *MI5* ydi'r ddau ohonoch chi.'

'Holmes. Robert Holmes ydi'r enw.' Ond ni chynigiodd unrhyw wybodaeth am ei bartner. 'Rŵan, does dim rhaid imi ddeud wrthat *ti*, o bawb, swyddog efo'r lluoedd diogelwch yma ym Mhalas Westminster, mor ddifrifol ydi'r hyn sydd wedi digwydd yma heddiw. Y tro diwetha i aelod o'r Tŷ gael ei lofruddio o fewn y muriau yma oedd yn ôl yn 1979, pan laddwyd Airey Neave gan fom yr *IRA*. Ond rŵan, o fewn mis, dyma ddau ymgais i ladd yr Ysgrifennydd Amddiffyn – y cynta ohonyn nhw'n aflwyddiannus, ond un heddiw . . . ' Yn hytrach na gorffen ei frawddeg, gwnaeth wyneb oedd yn awgrymu anocheledd pethau. 'Ond does dim angan d'atgoffa di am y tro cynta hwnnw, wrth gwrs, oherwydd ychydig ddyddia cyn hynny fe driodd rhywun dy saethu ditha yn Hyde Park, meddat ti . . . '

Sylwodd Zen ar y dôn o amheuaeth yn y ddau air olaf.

' . . . Be sy'n rhyfadd ydi nad wyt ti ddim, hyd yma, wedi cynnig unrhyw reswm pam y dylet ti fod yn darged i neb.'

Culhaodd llygaid Zen wrth iddo syllu'n ôl i fyw llygad y llall. 'Fedrwn i ddim bryd hynny a fedra i ddim rŵan, chwaith,' meddai. Yna trodd at ei fòs, Gregory Roylance, Cadlywydd Rhanbarthol y Met: 'Dwi wedi gofyn sawl tro i mi fy hun, syr, pam y dylwn i, o bawb, fod yn darged i unrhyw asasin. Mae'n bosib y gallai rhywun fod yn dal dig tuag ata i ers dyddia'r fyddin. Wedi'r cyfan, does 'na'm un sarjant sy'n boblogaidd efo'i ricriwtiaid ifanc yn ystod y cyfnod o hyfforddiant dwys . . . '

'Y Sarff! Onid dyna oedden nhw'n dy alw di . . . i dy gefn?'

Edrychodd Zen gyda pheth syndod ar Holmes. Sut gythral oedd hwn wedi cael y wybodaeth yna, mor sydyn? 'Ia, ond dydi'r eglurhad am hwnnw ddim mor sinistr ag yr wyt ti'n gneud iddo fo swnio. '

Doedd Holmes, fodd bynnag, ddim isio gwybod. 'Ta waeth am hynny rŵan. Be ti'n ddeud, os dwi'n dy ddallt di'n iawn, ydi hyn: fod rhywun wedi bod â'i gyllall ynot ti er pan oeddat ti'n sarjant yn y fyddin. Sawl blwyddyn sydd ers hynny?' Ni wnâi unrhyw ymgais i gelu ei anghredinedd na'i goegni ac roedd y peth yn tynnu ar nerfau Zen.

'Dwi'n gwbod fod y peth yn swnio'n hurt,' meddai, a'i lygaid yn dechra tanio. 'Ei grybwyll o fel posibilrwydd wnes i, am dy fod ti wedi gofyn. Yr unig reswm arall y galla i ei gynnig ydi bod y ddau a driodd fy saethu i yn Hyde Park wedi fy nghamgymryd i am Mr Stephen Smythe.'

Nodiodd Roylance a'r *Sergeant at Arms* yn araf i awgrymu'r posibilrwydd, ond doedd Holmes ddim am fod mor glên.

'Rwyt ti wedi cael dy hyfforddi i ladd.'

Gosodiad moel, ond un a barodd i Zen chwerthin yn anghrediniol yn ei wddw. 'Wrth gwrs. Milwr o'n i.'

'Wyt ti wedi lladd dyn erioed, Smith?'

Oedodd yn hirach y tro yma, cyn ateb. 'Do.'

'Ymhle, felly?' Er ei fod yn gofyn, hawdd gweld y gwyddai'r ateb yn barod.

'Irac. Rhyfel y Gwlff.'

'Ydi o ddim yn wir iti gael dy ddefnyddio fel saethwr cudd – *sniper* – fwy nag unwaith yno?'

'Pam gofyn, a thitha'n amlwg yn gwbod hynny'n barod?'

At be oedd y cwestiyna yma'n arwain, tybed?

'Ac fe fuest ti hefyd yn hyfforddi eraill yn y gwaith.' Deud yn hytrach na gofyn y tro yma.

Gwylltiodd Zen wrth sylweddoli be oedd ar ddod a throdd i edrych yn ddig ar Gregory Roylance ac yna ar y lleill o un i un. 'Be ddiawl sy'n cael ei awgrymu yn fa'ma?'

Ond anwybyddwyd ei gwestiwn gyda chwestiwn arall: 'Ddoist ti i gysylltiad uniongyrchol ag unrhyw derfysgwyr erioed?'

'Fe ges ddigon o achos i wylio fy nghefn, yng Ngogledd Iwerddon ac yn Irac. Be amdanat ti? Gest ti'r profiad hwnnw erioed?' A heb roi cyfle i Holmes ateb neu beidio, ychwanegodd, fel petai newydd sylweddoli, 'Naddo, siŵr Dduw! Dydach chi yn *MI5* byth yn gorfod mentro allan o'r wlad, nac dach?'

'Paid â thrio bod yn glyfar, Smith. Jyst ateb gwestiyna Mr Holmes.' Os oedd cerydd ysgafn yng ngeiria Gregory Roylance, roedd cysgod gwên hefyd yng nghorneli ei geg.

'Os mai camgymeriad oedd yr ymgais i dy saethu di yn Hyde Park, wyt ti ddim yn meddwl ei fod o'n gyd-ddigwyddiad rhyfedd dy fod ti'n un o'r pedwar oedd yn gwarchod Mr Smythe fore heddiw?'

'Gyda phob dyledus barch, mi fyddai'n well iti ofyn y cwestiwn yna i'r *Sergeant at Arms.*' A throdd i edrych ar hwnnw. 'Cael ein dewis wnaeth y pedwar ohonon ni, nid cynnig ein gwasanaeth.' A gwelodd y *Sergeant* yn nodio'r mymryn lleia i gydnabod y ffaith. Methai weld unrhyw batrwm na phwrpas i'r holi a châi'r argraff bod eraill yn y stafell yn teimlo'r un peth.

'Rwyt ti'n seicig, meddan nhw . . . '

'Seicig? Be ti'n feddwl?'

'Yn ôl be dwi wedi'i glywad, fe wyddet ti ymlaen llaw fod Mr Smythe yn mynd i gael ei saethu?'

'Ymlaen llaw?'

'Ia. Dy gydweithwyr oedd yn deud dy fod ti wedi synhwyro bod y Gweinidog yn mynd i gael ei saethu.'

'Dim o'r fath beth! Ond wna i ddim gwadu imi gael teimlad cry bod 'na rwbath annifyr ar fin digwydd. Ond wyddwn i ddim be.'

'Hm! Od iawn. Ond fe wyddet ti o ble'r oedd y peryg yn dod?'

'Be wyt ti'n feddwl? Dwi'm yn dallt.'

'Ydi o ddim yn wir dy fod ti wedi gweiddi rhybudd ychydig eiliada cyn i Mr Smythe gael ei saethu?'

'Eiliad neu lai, nid *eiliada*.'

'A pham wnest ti hynny?'

Yn ei rwystredigaeth, trodd Zen i edrych o gwmpas y stafell. 'Ylwch, dwn i ddim be mae hwn yn geisio'i brofi ond fe rois i adroddiad llawn i rai ohonoch chi yn syth wedi'r digwyddiad. Wela i ddim pam . . . '

'Ateb y cwestiwn!' Y *Sergeant at Arms* oedd yn gorchymyn rŵan.

'Am fy mod i wedi gweld fflach sydyn ar do Ysbyty Sant Thomas, 'rochor bella i'r afon.'

'Fflach be, felly?' Holmes eto.

'Gwn, ro'n i'n ei ofni.'

'Ond pam gwn? Fe allai fod yn fflach unrhyw beth gloyw yn dal yr haul, wyt ti ddim yn meddwl? Un o ofalwyr y sbyty yn gneud rhyw waith ar y to, falla.'

'Nid dyna'r argraff ges i, yn enwedig ar ôl cael y teimlad

annifyr 'na, funud ynghynt.'

'A! Wrth gwrs! Y rhybudd seicig!'

Y tro yma ni thrafferthodd Zen wadu'r sylw coeglyd, dim ond syllu'n wawdlyd yn ôl.

'Mae'n ymddangos i mi dy fod ti'n *disgwyl* i rywun saethu at y Gweinidog.'

'Arglwydd mawr, ddyn! Ro'n i yno i'w warchod o ac ro'n i'n gneud hynny efo pob owns o'r profiad sydd gen i. Yn wahanol i'r tri swyddog arall oedd efo fi ar y Teras, dwi'n gwbod be ydi chwilio am faril gwn gelyn yn fflachio yn yr haul. Oni bai am hynny, fyddwn i ddim yma heddiw, mwy na thebyg.'

'A gwn welaist ti ar do'r ysbyty? Rwyt ti mor siŵr â hynny?'

'Pa mor siŵr sydd raid imi fod? Biti na fyddwn i wedi ei weld ynghynt, dyna i gyd.'

'Fel y gallet ti fod wedi rhybuddio Mr Smythe mewn da bryd?'

'Wrth gwrs.'

'Pam oeddet ti'n gwylio to'r ysbyty, beth bynnag? Ro'n i'n meddwl mai Pont Westminster oedd dy arolygaeth di.'

Teimlodd Zen ei waed yn berwi eto. 'Do'n i ddim *yn* gwylio to'r ysbyty. Digwydd gweld fflach yn yr haul wnes i.'

'O! Deud ti!' Swniai Holmes fel cyfreithiwr oedd newydd gael y gorau ar ddadl yn y llys ac a oedd rŵan yn gadael i'r rheithgor ddod i'r unig gasgliad posib. 'Od iawn!'

'Od? Does 'na'm byd yn od o gwbwl yn y peth.'

'Wel oes, os nad *oedd* gwn yno o gwbwl.'

'Be wyt ti'n feddwl?'

Ni chymerodd Holmes arno glywed y cwestiwn. 'Nid ti ond rhywun arall ohonoch chi oedd i fod i gadw golwg ar do'r ysbyty, a welodd *o* ddim byd yno, medda fo.'

'Gwaith Bluto oedd cadw golwg ar lan bella'r afon, ac mae hynny'n dipyn mwy na tho un adeilad . . . '

'Bluto?'

'Ia. Fedra i ddim cofio'i enw iawn o, ar y funud. Sut bynnag, doedd dim disgwyl iddo fynta weld pob symudiad bach, mae'n siŵr gen i.'

'Ond mae o'n ama nad o do'r ysbyty y cafodd y gwn ei danio, beth bynnag . . . '

'Ar ba sail? Be dach chi'n drio'i ddeud?' Roedd cyfeiriad y croesholi a'r ensyniadau oedd yn cael eu gneud yn ei boeni o ddifri erbyn rŵan. I Scotland Yard yr oedd o'n atebol, wedi'r cyfan, nid i *MI5*.

Ond aeth Holmes ymlaen fel pe bai heb glywed ei gwestiwn: 'Y ffaith ydi bod gynnon ni dystiolaeth nad o do'r ysbyty y cafodd y fwled ei thanio o gwbwl.'

Syllodd Zen yn gegrwth arno. Doedd bosib ei fod wedi camgymryd, meddai wrtho'i hun. Nid yn unig ei fod o wedi gweld naill ai faril y gwn neu wydyr y sgôp yn fflachio yn yr haul, ond fe wyddai hefyd – trwy reddf profiad yn fwy na dim arall – iddo weld y gwn yn cael ei danio.

'Pa mor deyrngar wyt ti, Smith?'

'Teyrngar? Be ddiawl wyt ti'n feddwl?' Er y gwyddai fod y lleill yn y stafell – gan gynnwys ei fòs Gregory Roylance – yn anghymeradwyo'i ymateb amharchus i Holmes, doedd affliw o bwys ganddo bellach gan fod agwedd hwnnw, erbyn rŵan, yn mynd o dan ei groen go iawn.

'Mae'r cwestiwn yn ddigon syml! Fyddet ti'n deud dy fod ti'n deyrngar yn dy swydd?'

'Yn fy swydd? Dwi'n deyrngar i'r Goron ac i 'ngwlad – dwi wedi profi hynny'n barod, dwi'n meddwl, trwy roi fy mywyd ar y lein. Fedri di ddeud yr un peth?'

'Smith!' Dim ond gair o rybudd distaw oddi wrth Gregory Roylance i Zen gofio'i le.

'Sori, syr . . . ond dwi'n gwrthwynebu ensyniada annheg y dyn 'ma.'

Ond yn ei flaen yr aeth Holmes fel pe na bai dim wedi torri ar ei draws: 'Y busnes 'na yn Hyde Park fis yn ôl, Smith, pan driodd rhywun dy saethu di . . . meddat ti.'

'Be amdano fo?'

'Fe ofynnwyd . . . nage, fe *orchmynnwyd* . . . iti beidio sôn gair am y peth wrth neb. Ydi hynny'n wir?' Edrychodd at y *Sergeant at Arms* am gadarnhad a nodiodd hwnnw'i ben y mymryn lleia i awgrymu mai fo oedd wedi rhoi'r gorchymyn.

Edrychodd Zen arno hefyd, i fyw ei lygaid. 'Ydi, ond ches i mo'r gorchymyn tan ar ôl i rywun drio lladd yr Ysgrifennydd Amddiffyn, wythnos yn ddiweddarach.' Ei dro ef oedd troi at y *Sergeant at Arms* rŵan, i weld hwnnw'n nodio'i ben eto.

Ni chymerodd Holmes arno glywed yr eglurhad. 'Ac eto, mi dorraist ti dy air. Fyddet ti'n galw peth felly'n deyrngarwch?'

'Torri 'ngair? Pwy gythral sy'n deud mod i wedi torri 'ngair?' Dim ond efo Duke yr oedd o wedi trafod y digwyddiad, a hynny ond yn arwynebol iawn, ac o nabod Duke mi fyddai'r cwbwl a glywsai hwnnw yn angof llwyr ganddo o fewn yr awr beth bynnag.

'Ydi o ddim yn wir bod . . . ' Gwnaeth Holmes sioe o droi i'w lyfr bach du am y wybodaeth a geisiai. ' . . . bod A. A. Morgan, gohebydd y *Chronicle,* wedi cyfeirio at y digwyddiad yn rhifyn bore wedyn y papur, y bore ar ôl i ti dderbyn gorchymyn y *Sergeant at Arms* i beidio sôn gair wrth neb, ac yn arbennig ddim wrth y Wasg?'

'Do, fe glywais bod yna gyfeiriad wedi cael ei neud yn y *Chronicle* at be ddigwyddodd imi yn Hyde Park, ond welis i mo'r erthygl fy hun – ac nid fi, yn reit siŵr, soniodd am y peth wrthi.' Pam y gyfrinachedd, beth bynnag? Dyna oedd o isio'i ofyn.

Smaliodd Holmes syndod trwy agor ei lygaid yn fawr a throi at y lleill hefyd efo'r un edrychiad. '*Wrthi,* ddeudist ti Smith? Rwyt ti *yn* gwybod, felly, mai merch ydi'r A. A. Morgan 'ma a sgwennodd yr erthygl?'

Damia! meddyliodd Zen, yn ofni iddo gael caff gwag, er mor ddiniwed oedd hwnnw.

'Ac rwyt ti'n dal at dy stori nad ti ddaru gysylltu efo'r *Chronicle* ac na ddaru ti dorri'r gorchymyn gest ti gan y *Sergeant at Arms*?'

'Wrth gwrs fy mod i.'

'Ac na chest ti unrhyw dâl gan y *Chronicle* am y wybodaeth?'

'Tâl? Arglwydd mawr! Doeddwn i rioed wedi cwarfod yr hogan, beth bynnag, i roi unrhyw wybodaeth iddi hi, ac yn reit siŵr ches i ddim pres, ganddi hi na neb arall.'

'Ond rwyt ti wedi'i chwarfod hi wedyn . . . sawl gwaith, o bosib.'

'Ei chwarfod hi? Be wyt ti'n feddwl *sawl gwaith*?'

'Ydi o ddim yn wir, Smith, iti drefnu i'w chwarfod hi yn yr *Aye Lobby* ddydd Iau dwetha? Ac ydi o ddim yn wir, hefyd, ei bod hi wedi trafod arian efo ti? Ac oni ddaru 'na damaid o bapur gael ei drosglwyddo cyn ichi wahanu?'

'Blydi Bluto!' meddai Zen wrtho'i hun yn ddig. 'Dydi'r diawl yn colli dim!' Yna trodd, yn gynta at y *Sergeant at Arms* ac yna at y Cadlywydd Gregory Roylance. 'Digwydd ei gweld hi yno wnes i, y diwrnod ar ôl yr ymgais aflwyddiannus i saethu Mr Stephen Smythe. Doedd dim llawar o ymwelwyr wedi cael dod i'r Tŷ y diwrnod hwnnw . . . ' Hoeliodd y *Sergeant at Arms* â'i lygaid, nes i hwnnw gadarnhau'r ffaith trwy nodio'i ben y mymryn lleia. Yna trodd at Holmes unwaith eto. ' . . . a doedd hi ddim yn arddangos ei bathodyn swyddogol Y WASG. Wyddwn i ddim pwy oedd hi ar y pryd ac fe ofynnais pam yr oedd hi yno, ac ar ba awdurdod. Roedd o'n rhan o 'ngwaith i, fyddet ti ddim yn cytuno?'

Ond edrych draw yn ddi-hid a wnaeth asiant *MI5*, fel petai eglurhad Zen yn cyfri dim. 'Roeddech chi'n mwynhau'ch sgwrs, beth bynnag, a barnu oddi wrth y chwerthin rhyngoch chi. Ond mi aeth hi'n ffrae hefyd, glywais i. Be oedd achos honno, sgwn i? Yna, mi gynigiodd hi arian iti a rhoi tamaid o bapur yn dy law. Fe glywodd ac fe welodd rhywun hi'n gneud.'

Ac mi wn i pwy welodd a phwy glywodd, hefyd! 'Fe gynigiodd hi arian i *rywun*, do, ond ddim i mi, oherwydd wyddai hi ddim pwy o'n i a ddeudis inna ddim wrthi, chwaith. Ro'n i o dan orchymyn i beidio, os cofi di!' Ni cheisiodd gelu'r coegni o'i eiria. 'Roedd y *Chronicle* yn barod i dalu am stori, dyna ddeudodd hi, ac mi wthiodd ei cherdyn i'm llaw i.'

'O! Deud ti!' meddai Holmes yn wamal anghrediniol cyn troi i wynebu'r lleill yn y stafell. 'Does gen i ddim rhagor o gwestiyna i Smith. Be amdanoch chi?'

'Dim ond un.'

Trodd Zen i wynebu'r Pen-moel-efo'r-sbectol oedd rŵan wedi symud i eistedd ar flaen ei gadair i syllu'n graffach arno.

'Pa mor siŵr wyt ti mai'r diweddar Mr Smythe oedd y targed i fod?'

Roedd yn gwestiwn yr oedd Zen wedi'i ofyn iddo'i hun yn barod. 'Yn hytrach na Majid, dach chi'n feddwl?'

'*Mr* Majid, ia. Wyt ti'n credu y gallai'r asasin fod wedi saethu'r dyn anghywir?'

'Na, go brin.'

'Sut fedri di fod mor siŵr?'

Ystyriodd Zen ei eiria'n ofalus cyn ateb. 'Mae 'na ddau ganllath da rhwng y Teras a tho'r ysbyty . . . ' Taflodd gip sydyn at Holmes i ddangos ei fod yn glynu at ei stori. ' . . . ac eto fe aeth y fwled yn syth trwy galon Mr Smythe. Gwaith saethwr proffesiynol, heb os, a hwnnw'n defnyddio reiffl pwrpasol efo sgôp arno fo.'

'Oes gen ti syniad pa fath o wn? Y gwneuthuriad dwi'n feddwl.'

'Mi allai fod yn un o amryw – *Barrett M95* . . . *Walther WA2000* . . . *AW50*. Mae 'na ddigon o ddewis, pob un ohonyn nhw'n angheuol dros hanner milltir a mwy.'

'Efo gwn mor effeithiol â hynny, mi allai amatur fod wedi saethu Mr Smythe, felly?'

'Go brin hynny, chwaith. Er fod y tywydd yn braf, roedd 'na awel gre yn chwthu i lawr y Dafwys ar y pryd ac mi fyddai honno wedi effeithio rhywfaint ar gwrs y fwled a pheri i'r asasin orfod anelu mymryn i'r chwith o'i darged. Dim ond saethwr proffesiynol fyddai wedi gwbod faint yn union, ac mi oedd yr asasin yma, pwy bynnag oedd o, *yn* gwbod i'r dim, on'd oedd? Felly, yn fy marn fach i, mae'n chwerthinllyd meddwl ei fod o nid yn unig wedi methu'i darged yn gyfan gwbwl, fel mae dy gwestiwn di yn ei awgrymu, ond bod ei fwled wedi ffeindio calon rhywun hollol wahanol, sef Mr Smythe. Ac os ca i ychwanegu, mi ddwedwn i fod y fwled yn un arbennig hefyd.'

'O?'

Os nad oedd sylw pawb arno'n barod, mi'r oedd o rŵan. Gwelodd yr edrychiad cyflym rhwng y Pen Moel a Holmes.

'Gwell iti egluro.'

'Efo gwn mor gry â hwn'na, mi fyddwn i wedi disgwyl i'r fwled fynd yn syth drwy'r corff ac allan drwy'r cefn, ond wnaeth hi ddim.'

'Felly?'

'Dwi'n siŵr y ffeindiwch chi mai *dumdum* gafodd ei defnyddio.' Trodd at y *Sergeant at Arms*. 'Bwled efo blaen meddal,' eglurodd. 'Yn hytrach na phasio'n syth drwy'r corff, mi fyddai honno wedi ffrwydro tu mewn iddo.' Yna, edrychodd ar bob un yn y stafell yn ei dro, a gadael i'w lygaid aros efo Holmes. 'Mae'n chwerthinllyd i neb awgrymu mai amatur oedd yr asasin yma.'

Edrychodd y Pen Moel di-enw yn graff ar Zen am ychydig eiliada, fel pe bai'n chwilio'i wyneb am y gwir, yna meddai, 'Diolch, Smith. Rydan ni'n ddiolchgar iti am dy gydweithrediad.'

Ar hynny, nodiodd Holmes ar ei gydymaith, cododd hwnnw ac aeth y ddau allan efo'i gilydd.

'Be sy'n mynd ymlaen, syr? Dydw i ddim o dan unrhyw amheuaeth, gobeithio?'

'Pwy ŵyr, Smith?' Ac edrychodd Gregory Roylance i gyfeiriad *Black Rod* a'r *Sergeant at Arms*. 'Pwy all ddeud be sy'n mynd trwy feddylia dyrys *MI5* ac *MI6*?'

Gwnaeth y ddau arall wyneb i ddangos eu bod yn cytuno â sylw'r cadlywydd o Scotland Yard.

'*MI6*!' meddai Zen wrtho'i hun. 'Be ddiawl sydd a wnelo nhw â'r peth?'

Aeth adre, ugain munud yn ddiweddarach, efo llawer iawn ar ei feddwl.

Pennod 8

Swyddfa'r Chronicle

Cyn prynu ei chopi o'r *Chronicle,* byseddodd Alex trwy dudalennau sawl papur newydd arall. Tebyg oedd penawdau pob tudalen flaen, fel y gellid disgwyl. Llofruddio'r Ysgrifennydd Amddiffyn oedd stori fawr y dydd – a'r flwyddyn hefyd, mwy na thebyg. Llythrennau mawr duon yn llenwi tudalen gyfan ambell dabloid, efo addewid am ddigon o luniau a'r manylion llawn y tu mewn. Roedd y papurau trymion, fodd bynnag, gan gynnwys y *Chronicle,* yn dangos llun y gwleidydd marw mewn ffrâm drwchus ddu, ynghyd â llun arall yn dangos y dagfa o geir heddlu ar Stryd St Margaret ac o gwmpas Parliament Square. Da iawn Harry, meddyliodd Alex, wrth weld mai'r *Chronicle* yn unig oedd â llun o'r Teras, lle digwyddodd y drasiedi. Rhaid bod y ffotograffydd bach wedi defnyddio lens gref ar ei gamera ac wedi tynnu'r llun allan o ffenest agored ar lawr ucha Ysbyty St Thomas, gyferbyn. Doedd dim sôn am gorff y gwleidydd erbyn hynny, wrth gwrs, ond mi oedd y llun yn dangos y tîm fforensig wrth eu gwaith yn archwilio'r Teras.

Yn ogystal â'r *Chronicle,* prynodd hefyd gopi o'r *Times,* y *Clarion,* y *Telegraph,* y *Guardian* a'r *Independent* a phrysuro trwy'r fynedfa i orsaf y Tiwb yn Bayswater. Ni chafodd drafferth cael sedd ar y trên yn fan'no – nac wrth newid i'r *Central Line* yn Notting Hill Gate wedyn – a'r peth cynta a wnaeth oedd chwilio am ei stori hi ei hun ar drasiedi'r Ewells. Bu'n rhaid iddi fynd trwy'r papur deirgwaith cyn bod yn barod i dderbyn nad oedd ei herthygl hi yno o gwbwl; yna, yn raddol, trodd ei siom yn ddicter. Roedd hi wedi gneud ymdrech arbennig wrth lunio'r erthygl ac wedi teimlo'n fodlon iawn wedyn, wrth ddarllen drosti. Felly, pam . . . ?

Fe ddaeth yr ateb iddi'n fuan. Roedd y Golygydd am gael mwy o brawf, mae'n debyg, cyn mentro cyhoeddi rhai o'r manylion oedd yn yr erthygl. ''Da lwc, fe geith e'r prawf ma fe'i angen yn y post fore heddi,' meddai wrthi'i hun.

Bodlonodd wedyn ar ddarllen adroddiada'r gwahanol bapura am y digwyddiada cythryblus yn San Steffan, ddoe, a synnu braidd wrth sylwi mor denau oedd cyfraniad Walt Truman yn y *Chronicle* o'i gymharu ag adroddiadau'r lleill. Gan Robert Fisk yn yr *Inde* yr oedd yr erthygl fwya difyr, heb os, meddyliodd, ond falla'i bod hi, Alex, yn rhagfarnllyd yn hynny o beth oherwydd ei bod hi'n gymaint edmygydd o'r gŵr hwnnw, yn enwedig ar ôl darllen ei adroddiada diflewyn-ar-dafod o faes y gad yn Irac. Taflodd lygad eto dros erthygl Fisk oedd yn olrhain hanes Stephen Smythe o'i blentyndod. Synnwyd hi gan y wybodaeth nad Sais oedd y diweddar wleidydd o gwbwl, ond un a anwyd ac a fagwyd yn Tallinn yn Estonia – ei dad o dras Almaenig a'i fam yn hanu o deulu Rwsiaidd. Roedd Fisk hyd yn oed wedi gallu cynnwys cyfeiriad y cartref yn Tallinn! Yn ôl ei erthygl, roedd taid y fam – Alexander Zenovich – (a hen daid, felly, i Stephen Smythe; neu Stefan Zenovich Shmit i roi i'r gwleidydd marw ei enw bedydd) wedi bod yn was ifanc i deulu'r Tsar ym mhalas Ekaterininsky (Palas Catherine) yn Tsarskoje Selo ar gyrion St Petersburg, yn y cyfnod cyn gwrthryfel y Bolsheficiaid. Yna, yn 1917, wedi i Nicholas yr Ail orfod ildio'i goron, anfonwyd yr Alexander ifanc yn lanhawr i amgueddfa'r Hermitage ym

Mhalas y Gaeaf ar lan afon Nefa, lle'r oedd llywodraeth-dros-dro Kerensky yn cyfarfod ar y pryd. Cyfnod dyrys iawn iawn oedd hwnnw yn hanes Rwsia, yn ôl yr erthygl, wrth i ysbryd y gwrthryfel gydio yn nychymyg y werin dlawd. Yna, ar y pumed ar hugain o Hydref 1917, pan oedd Alexander Zenovich yn mwynhau mygyn yn nrws y palas ac yn syllu allan dros afon Nefa oer, clywodd wn y llong ryfel *Aurora* yn cael ei danio, yn arwydd i gychwyn gwrthryfel gwaedlyd y Bolsheficiaid. Ac yno y daliai i fod, funudau'n ddiweddarach, pan ruthrodd y miloedd anystywallt drwy'r adeilad, yn daer nid yn unig i ddial ar y cyn-Tsar a'i deulu, ond hefyd ar lywodraeth wan Kerensky oedd wedi methu ers blwyddyn gyfan â datrys problemau economaidd y wlad. Yn ôl Fisk – er nad oedd modd iddo wybod hyn chwaith, meddyliodd Alex gyda gwên, wrth edmygu dawn ddychmygus y gohebydd – roedd yr Alexander Zenovich ifanc, wrth iddo wylio'r anrhaith, wedi diolch yn uchel bod y Tsarîn a'i merched yn ddiogel yn Tsarskoje Selo a'r Tsar ei hun yn fwy diogel fyth, yng ngwersyll y fyddin ym Mogilev. Ond fe wireddwyd ofnau'r llanc, naw mis yn ddiweddarach, meddai'r erthygl, pan lusgwyd y teulu brenhinol cyfan i seler yn Ekaterinsburg, i gael eu saethu'n ddidrugaredd yn fan'no ar orchymyn dynion dieflig fel Trotsky a Lenin.

Wrth i'r trên arafu yn Chancery Lane, plygodd Alex yr *Independent* a'r *Chronicle* yn ofalus a'u taro o dan ei chesail. Fe gâi gweddill y papurau aros lle'r oedden nhw, ar y sedd, ond roedd hi am ddal gafael ar yr *Inde,* i ddarllen yr erthygl honno eto, yn fwy gofalus, pan gâi'r cyfle. Edmygai ddawn Fisk i wau ffeithiau yn ei ddychmyg ac i greu ohonynt ddarlun mor fyw, mor ddifyr ac mor addysgiadol. Roedd taith bore heddiw ar y Tiwb wedi gwibio'n rhy gyflym ganddi.

Wrth gerdded i lawr Fetter Lane, funudau'n ddiweddarach, daliai i gnoi cil ar y wybodaeth a gawsai o'r erthygl, gwybodaeth oedd yn newydd sbon iddi hi, beth bynnag: Stephen Smythe – nid y Sais rhonc a dybid gan lawer, ond

Estoniad o dras cymysg iawn, a gŵr o gryn gyfoeth hefyd, mae'n debyg. Pan gyrhaeddodd Smythe – neu Shmit fel yr oedd o ar y pryd – Brydain yn 1983 doedd ei Saesneg ddim yn rhugl o bell ffordd, ac roedd acen dwyrain Ewrop yn drwm ar ei dafod. Ond trwy ymdrech arbennig fe *ddaeth* y rhugledd ac fe ddiflannodd yr acen. (*'Ceffyl da yw ewyllys . . .'* – geiriau tafod-mewn-boch Robert Fisk! *' . . . yn enwedig os yw'r ewyllys honno mor gref ag un y diweddar wleidydd.'*) Newidiodd Shmit ei enw yn fuan wedi cyrraedd Lloegr a gneud cais yn syth wedyn am ddinasyddiaeth Brydeinig. Caniatawyd y cais hwnnw'n llawer cynt ac yn llawer rhwyddach na'r arferol.

Heb arafu'i cham, trodd Alex unwaith eto at yr erthygl, er mwyn cael darllen yr union eiriau oedd ynddi – *'Hynny ddim yn syndod chwaith . . .'* – Fisk yn bod yr un mor grafog eto – *' . . . o gofio ei fod wedi cyfrannu can mil yr un i goffrau'r ddwy blaid fawr! Symiau go sylweddol yn ôl safonau heddiw, heb sôn am ugain mlynedd a mwy yn ôl. Ond efo'r Blaid Lafur Newydd y bwriodd Smythe ei goelbren yn y diwedd. Bu'n ddigon craff i sylweddoli sut oedd y gwynt gwleidyddol yn dechrau troi, a does dim angen atgoffa'n darllenwyr, bellach, o'r camau breision a gymerodd ef o fewn y blaid honno; o fod, un funud, yn weithiwr dygn dros etholaeth lle'r oedd yr aelod eisoes wedi cyhoeddi ei fwriad i ymddeol, i gael ei ddewis wedyn yn ymgeisydd am y sedd wag honno, yna i gael ei ethol i'r Senedd efo mwyafrif sylweddol oherwydd yr hyn a welid ynddo fel didwylledd amlwg a pharodrwydd i ddatgan barn yn ddi-flewyn-ar-dafod ar amrywiaeth eang o bynciau. Yr un rhinweddau a roddodd iddo ei swydd yn y Cabinet, ymhen amser, ac er na ellir honni ei fod yn boblogaidd yn fan'no, a hynny oherwydd ei styfnigrwydd a'i ddigyfaddawdedd, eto i gyd ei enw ef oedd y cyntaf i gael ei grybwyll bob tro y sonnid am olynydd i'r Prif Weinidog.'*

Pan gyrhaeddodd Alex adeilad y *Chronicle*, un o'r rhai cyntaf iddi ei weld yno oedd Walt Truman, yn eistedd wrth ei ddesg. 'So fe'n arfer bod miwn mor gynnar â hyn,' meddai wrthi'i hun, 'ond ma 'da fe ddwyrnod bishi o'i fla'n, glei. Ceffyl da yw ewyllys, sbo.' A gwenodd wrth gofio o ble y cafodd hi'r ddihareb.

'Llongyfarchiade, Walt!' galwodd yn ffuantus, ac wrth i hwnnw godi'i ben cododd hitha ei chopi o'r *Chronicle* er mwyn iddo ddeall at beth roedd hi'n cyfeirio. Yn anffodus, roedd yr *Independent* yn rhan o'r cyfarchiad, a gwelodd Alex yn syth oddi wrth ei wyneb ei fod yntau hefyd wedi darllen yr erthygl yn hwnnw. *'Shit!'* meddai hi o dan ei gwynt, ac yna'n uwch, 'Da iawn!' Achubwyd hi rhag embaras pellach gan lais Tom Allen yn galw arni o ddrws swyddfa'r Golygydd, ym mhen pella'r stafell: 'Alex! Gawn ni air?'

Ai fo oedd yn mynd i egluro iddi pam nad oedd ei herthygl wedi ymddangos yn y *Chronicle* y bore hwnnw, meddyliodd? Na, go brin mai gwaith y Golygydd Gwleidyddol fyddai hynny, gan nad stori wleidyddol oedd un yr Ewells.

Synnodd, pan gyrhaeddodd y stafell, o weld bod Vince Edwards, y Golygydd Newyddion, hefyd yn aros amdani, ac mewn cadair freichiau, efo'i gefn at y drws a'i gorun moel yn disgleirio yng ngolau halogen oer y stafell, paned o goffi mewn un llaw a chopi o'r *Chronicle* ar ei lin, eisteddai Gus Morrisey – *'y pen bandit ei hun'*, chwedl Harry.

Nid yn amal y câi hi'r fraint o fod yng nghwmni hwnnw, ac yntau'n ŵr mor brysur, ond trodd ei ben i wenu arni rŵan ac arwyddo efo'i law rydd at gadair wag yn ei ymyl. Eisteddodd hithau'n ufudd, yn meddwl beth oedd ar ddod, ac yn ymwybodol yr un pryd o chwilfrydedd ei chyd-weithwyr tu allan, a Walt Truman yn arbennig.

'Coffi, Alex?' Daliai'r Golygydd Gwleidyddol i sefyll yn nrws y stafell, nepell oddi wrth y peiriant diodydd.

'Diolch, Mr Allen. Dim shwgir.'

'Dwi'n cymryd dy fod ti'n dal i fwynhau gweithio i'r *Chronicle*?' Roedd Morrisey wedi rhoi hanner tro yn ei gadair er mwyn cael edrych arni.

'Yn fowr iawn, diolch.'

'Rwyt ti'n gneud gwaith da yma.'

'Diolch yn fowr!' Ond gwyddai Alex mai gneud sgwrs yn unig yr oedd o, i aros i'w ddirprwy ymuno â nhw a chau'r drws o'i ôl.

'Smart iawn, hefyd, os ca i ddeud.'

Gwridodd fymryn wrth ei weld yn taflu llygad gwerthfawrogol drosti. *Fel Tada'n dishgwl ar ferlen yn y mart,* meddyliodd gan guddio'i gwên, a diolch ar yr un pryd mai'r siwt yma – yr un lwydlas efo'r siaced dri-chwarter a'r trowsus godre-llydan – a ddewisodd hi o'r wardrob y bore hwnnw. Fe deimlai'n gyfforddus yn y dillad a gwyddai eu bod yn gweddu iddi.

'O! Diolch yn fowr.' Bu bron iddi ychwanegu 'eto'. *Sa i'n neud dim byd ond diolch iddo fe,* meddyliodd.

'Dyma ti, Alex!'

Derbyniodd y coffi o law y Golygydd Gwleidyddol a diolch i hwnnw wedyn.

'Mae'n siŵr dy fod ti'n methu dallt pam nad ydi dy erthygl di ar yr Ewells wedi ymddangos bora 'ma.'

Tom Allen lefarodd y geiria, ac roedd wedi mynd i eistedd rŵan tu ôl i ddesg Morrisey, yng nghadair swifl hwnnw. Wrth ei wylio'n pendilio'n aflonydd o'r naill ochr i'r llall ynddi, daeth i gof Alex mai *cadair bendro* fyddai ei thad yn galw dodrefnyn o'r fath.

'Na, wi'n ame mod i'n gwbod. Pwyntie cyfreithiol i'w trafod, ife?'

'Ia. Mi geith ein cyfreithiwr ni fynd trwyddi hi efo crib fân, er mwyn styried yr holl oblygiada, ond yn fwy na hynny, mi fydd raid inni dynnu'r heddlu i mewn yn ogystal.'

'Ro'n i wedi ame 'ny 'fyd.'

'Yn enwedig ar ôl gweld be sydd ar y ddisg a ddaeth drwy'r post bora 'ma.'

'A!' Sythodd Alex yn eiddgar yn ei chadair. 'Fe na'th hi gyrredd yn ddiogel, 'te? Wi mor falch! O's rwbeth diddorol arni hi?'

Gwelodd ef yn nodio'n ddwys a gwyddai fod y Golygydd a

Vince Edwards y Golygydd Newyddion yn gneud yr un peth bob ochor iddi. Rhaid bod y tri eisoes wedi gwylio ffilm Franky Ewell.

'Deinameit, ddywedwn i, Alex! Deinameit! Mi fydd Scotland Yard wrth eu bodd yn cael eu dwylo ar hon. Newydd roi'r ffôn i lawr arnyn nhw oedd Gus – ym! Mr Morrisey – pan ddoist ti i mewn gynna a . . . '

Torrodd y Golygydd ar ei draws. 'Dwi wedi gofyn i ffrind imi yn Scotland Yard – Gregory Roylance – ddod draw inni gael trafod y busnes efo fo. Dydi rwbath fel hyn ddim yn rhan o'i ddyletswydda fo fel rheol – Cadlywydd Rhanbarthol yng ngofal diogelwch y teulu brenhinol a gwleidyddion amlwg Westminster a phobol felly ydi o yn bennaf, a mae o yn ei chanol hi go iawn, ar hyn o bryd, fel y medri di ddychmygu . . . '

Nodiodd Alex i ddangos ei bod yn deall.

' . . . ond fo ydi'r cyswllt gora sydd gen i yn Scotland Yard ac roedd yn rhaid imi gael rhywun y gallwn i ei drystio'n llwyr, ti'n dallt. Wedi'r cyfan, mae 'na swyddogion pwdr yn Scotland Yard fel ag ym mhob man arall wyst ti, Alex, a'r peth ola 'dan ni isio ydi i'r criw yma . . .' Cododd ddisg fechan, dim mwy na dwy fodfedd sgwâr, oddi ar wyneb y ddesg a'i dangos hi i Alex. ' . . . ddod i wybod am y dystiolaeth sydd gynnon ni yn eu herbyn nhw. Pe caen nhw wybod, yna fydden nhw fawr o dro yn diflannu fel tyrchod o dan ddaear a fyddai'n stori fawr ni – dy stori di, yn hytrach – yn werth dim byd wedyn. Dwi wedi deud yn fras wrth Gregory be sydd gynnon ni ar hon . . . ' Unwaith eto, cyfeiriodd at y ddisg. ' . . . a'n bod ni'n awyddus i gydweithio efo Scotland Yard orau fedrwn ni, ond y byddwn ni hefyd yn rhwym o edrych ar ôl buddiannau'r *Chronicle.* Roedd o'n derbyn hynny, wrth gwrs, ac mi gytunodd i ddod draw bore 'ma i drafod. Mae o'n gobeithio cyrraedd yma erbyn hanner awr wedi un ar ddeg.'

'O! Da iawn, 'te!' Ni wyddai Alex sut yr oedd disgwyl iddi ymateb, ond mi'r oedd hi serch hynny yn teimlo'n siomedig ynddi ei hun, yn enwedig o sylweddoli bod ei stori-dudalen-flaen hi wedi mynd i'r gwellt.

'Paid â cham-ddallt, Alex.' Rhaid bod Vince Edwards, y Golygydd Newyddion, yn fwy sensitif i'w siomedigaeth hi na Morrisey. 'Pan ddaw'r amsar mi fydd dy erthygl di *yn* ymddangos, ac ar y dudalen flaen hefyd, synnwn i ddim. Mewn un ffordd, mi ddylet ti ddiolch ei bod hi wedi cael ei dal yn ôl, gan mai'r busnes 'ma yn Westminster sy'n mynd â'r sylw i gyd ar hyn o bryd, ac mi elli fentro mai felly y bydd petha am rai dyddia eto. Ond mi ddaw dy stori ditha i lenwi'r tudalennau blaen dwi'n ddigon siŵr, cyn belled â bod Scotland Yard a ninna'n gallu dod i gytundeb. Yn y cyfamser, 'dan ni'n dy longyfarch di am y gwaith rwyt ti wedi'i neud ar y stori, hyd yma.'

O gornel ei llygad, gwelodd fod Morrisey wrth ei hochor yn nodio'i ben unwaith eto. 'Pan ddaw Gregory Roylance aton ni yn nes ymlaen,' meddai hwnnw, 'dwi'n awyddus i titha fod yno hefyd, Alex, yn y cyfarfod . . .'

'Felly paid â gadael dy ddesg bore 'ma,' meddai Tom Allen, fel pe bai'n gorffen brawddeg y Golygydd drosto. 'Coffi arall, Gus? . . . Vince?'

Gan nad oedd cynnig ail baned iddi hi, aeth Alex allan a'u gadael i barhau â'u cynllunio.

'Dwi'n gweld dy fod titha wedi cael yr *Inde*.' Roedd Walt wedi ei gweld yn cau'r drws o'i hôl ac roedd yn anelu amdani rŵan. 'Be ti'n feddwl o erthygl Fisk?'

'Mae'n dda iawn.' Be arall alle hi'i ddeud? 'Duw a ŵyr o ble ma fe'n ca'l yr holl ffeithie . . . ac mor gyflym 'fyd!'

Gwenodd Walt y wên wamal y gwyddai Alex a'i chyd-weithwyr ond yn rhy dda amdani. 'Aha! Dwi'n digwydd gwybod, ti'n gweld, ei fod o wedi bod wrthi, ers tro, yn gneud ymchwil i fywyd Stephen Smythe, gyda'r bwriad o lunio cofiant iddo.'

'O! Diddorol.'

'Felly, diolch bach iddo fo am hon, ddeuda i . . . ' Roedd yr

Independent wedi ei blygu'n agored ganddo, ar erthygl Robert Fisk. ' . . . oherwydd roedd y wybodaeth i gyd ganddo fo ar blât yn barod. Mi allai unrhyw un ohonon ni fod wedi'i sgwennu hi o dan yr amgylchiada yna.'

'O! Dwed ti!' Roedd dynion crintachlyd fel Walt Truman wastad yn mynd o dan ei chroen. 'Ta beth, ma fe'n gallu sgrifennu'n well na neb arall wi'n 'i nabod.'

Rhaid bod yr ergyd wedi mynd adre, oherwydd gwnaeth Walt sŵn hanner cytuno â hi. Yna, cyn troi i'w gadael, meddai, 'Anrhydedd go fawr iti bore 'ma, Alex. Cael coffi efo'r *pen bandit* ei hun!'

Clywodd hitha'r sŵn holi yn y llais a gwyddai mai dyna pam ei fod wedi dod draw ati yn y lle cynta. 'O'dd 'da ni bethe cyfrinachol i'w trafod, Walt. Ma cyfarfod 'to 'da ni cyn cino.' A chan deimlo'n fodlon efo'i diawledigrwydd ei hun, trodd i'w adael.

Yn ôl wrth ei desg, edrychodd Alex ar ei wats. Deng munud wedi naw. Be wnâi hi am ddwyawr neu ragor? Yna, cofiodd yr erthygl am wrthryfel y Bolsheficiaid yn St Petersburgh. Gan fod y cefndir i'r hanes hwnnw yn bur ddiarth iddi, ac am ei bod am wybod mwy, rhoddodd fywyd yn ei chyfrifiadur a chysylltu â'r rhyngrwyd. Yna, dros y ddwyawr nesa, fe'i cyfareddwyd hi gan y wybodaeth ddiddorol oedd i'w chael yno am y ddinas a sefydlwyd gan Peter y Cyntaf yn 1703, ar lannau afon Nêfa. Darllenodd hanes Catherine Fawr yn dod i rym yn 1762 ac yn codi Palas y Gaeaf ar lan ogleddol yr afon, yn gartref gwych iddi ei hun, ac yna'n dod â'r fath gasgliad o drysorau at ei gilydd yno – lluniau a cherfluniau gan artistiaid mwya'r oes – trysorau oedd i'w gweld hyd heddiw yn y Palas, a adwaenid bellach fel Amgueddfa'r Hermitage. Synnodd at y ffaith fod mawrion llên a cherdd megis Dostoievsky, Borodin, Tchaikovsky, Rimsky-Korsakov, Rubinstein ac eraill i gyd wedi eu claddu ysgwydd wrth ysgwydd mewn mynwent fechan yn y ddinas. Darllenodd hefyd am wychder godidog y Palas Haf ac am ddiflaniad cynnwys amhrisiadwy y Stafell Ambr ac fel roedd rhai'n dal i chwilio am y trysor hwnnw.

Roedd yno ormod o wybodaeth iddi allu gneud cyfiawnder ag ef mewn cyn lleied o amser, felly rhoddodd orchymyn i'w hargraffydd neud copi-papur o'r cyfan. Yna, gan fod Fisk yn yr *Inde* wedi hogi ei chwilfrydedd, chwiliodd pa wybodaeth oedd ar gael am y diweddar Stephen Smythe, a chreu copi-papur o hwnnw'n ogystal.

Am ugain munud wedi un ar ddeg, gwelodd ddyn dieithr yn cyrraedd ac yn cael croeso personol gan Gus Morrisey. Casglodd mai ef oedd y Gregory Roylance a ddisgwylid o Scotland Yard, ffaith a gadarnhawyd iddi ddau neu dri munud yn ddiweddarach pan gafodd ei galw atynt i stafell y Golygydd.

Yn dilyn cyflwyniadau byr, ymddiheurodd y gŵr o Scotland Yard na allai aros yn hir – y byddai'n rhaid iddo ddychwelyd ar frys i Balas Westminster, lle'r oedd gwaith mawr yn ei aros, ac un gorchwyl yn arbennig nad oedd yn edrych ymlaen ato o gwbwl. Ni chynigiodd fwy o eglurhad na hynny ac ni ofynnodd neb iddo fanylu chwaith, rhag ymddangos yn fusneslyd.

'Wna i ddim mynd â mwy o dy amsar di nag sydd raid, felly, Greg,' meddai Gus Morrisey. 'Does dim rhaid iti wylio'r ffilm ar ei hyd, hyd yn oed – ddim rŵan, o leia – fe gei neud hynny wrth dy bwysa, ond dwi'n siŵr y gweli di'n syth pa mor bwysig ydi'r dystiolaeth sydd arni . . . ' Tra oedd yn siarad, roedd wedi rhoi'r cerdyn *SD* bychan i mewn yn y cyfrifiadur ac wedi clicio ar y cynnwys.

Ar ôl llai na phum munud o bwyso ymlaen ac o graffu ar y sgrin, eisteddodd Gregory Roylance yn ôl yn ei gadair, gan neud sŵn gwynt rhwng ei ddannedd. Roedd eisoes wedi gweld digon i'w argyhoeddi ynglŷn â phwysigrwydd yr hyn y bu'n ei wylio. Yna, edrychodd yn ddifrifol o'r naill i'r llall ohonyn nhw. 'Rhaid imi fynd â'r ddisg efo fi,' meddai. 'A rhaid imi'ch rhybuddio chi na ellwch chi ddatgelu yn y *Chronicle*, nac yn unlle arall o ran hynny, unrhyw ran o'r wybodaeth sydd arni.'

'Ond . . .'

'Dim *ond* o fath yn y byd, mae gen i ofn!' Swniai Roylance yn gwbwl ddigyfaddawd wrth dorri ar draws y Golygydd Newyddion. 'Dwi'n nabod ambell wyneb yn y ffilm yma, dihirod y mae Interpol wedi bod yn eu gwylio erstalwm iawn ond heb fedru cael dim tystiolaeth gadarn yn eu herbyn nhw, tan rŵan. Nid sôn am gyffuriau yn unig ydan ni yn fa'ma. Rhwng popeth, mae'r giwed mae'r rhain yn perthyn iddi yn ymwneud â phob math o anfadwaith ledled Ewrop, yn ogystal ag yn y Dwyrain Canol – ac rydan ni'n eitha sicir bod ganddyn nhw'r grym i ddylanwadu ar benderfyniadau ambell lywodraeth hyd yn oed. Os oedd rhai ohonyn nhw yn Llundain yn ddiweddar – ac mae'r ffilm yn dystiolaeth eu bod nhw – yna mae'n rhaid eu bod nhw wedi dod i mewn i'r wlad yn anghyfreithlon, ac o dan enwau ffug. Problem fechan iawn erbyn heddiw, gwaetha'r modd, ydi ffugio petha fel pasbort a phapurau swyddogol ac ati. Sut bynnag, mae'r ffilm yma'n mynd i newid petha ac felly mae'n rhaid i bob tystiolaeth sydd gynnoch chi gael ei throsglwyddo, trwy Scotland Yard, i Interpol. Dwi'n gobeithio na fyddwch chi'n dadla ynglŷn â hynny.' Ar Gus Morrisey yr edrychai Roylance.

'Digon teg, Greg. Doeddwn i ddim yn disgwyl iti ddeud dim byd gwahanol, ond fe ddylai'r *Chronicle* gael rhywbeth allan o hyn hefyd, cofia; fe ddylai gwaith da Alex, yn fa'ma, gael ei gydnabod mewn rhyw ffordd neu'i gilydd.'

Edrychodd y cadlywydd o Scotland Yard yn graff ar ei ffrind. 'Be sydd gen ti mewn golwg, Gus?'

'Wel,' meddai hwnnw o'r diwedd, gan bwyso a mesur ei eiria, 'dwi'n tybio y bydd Interpol a chitha yn Scotland Yard yn trefnu cyrch enfawr ledled Ewrop, gyda hyn, i roi'r criw dihirod 'ma i gyd o dan glo.'

'Byddwn, ond fe gymer ddyddia, wythnosa hyd yn oed, i roi pob dim at ei gilydd. Dyna pam na alla i ganiatáu i'r *Chronicle* ddatgelu dim ar hyn o bryd.'

'Digon teg, ond rhaid inni ddod i ddealltwriaeth, Greg.'

'Dealltwriaeth, Gus? Pa fath o ddealltwriaeth sydd gen ti mewn golwg, felly?'

'Bod y *Chronicle* yn derbyn manylion y cyrch o leia awr ymlaen llaw, ac yn sicir yn eu cael o flaen unrhyw bapur newydd arall.'

Nodiodd Gregory Roylance yn araf ac yn ddi-wên, wrth iddo ystyried goblygiadau'r cais.

' . . . Wedi'r cyfan, gan mai Alex sydd wedi dod â'r stori i'n sylw ni i gyd, dydi o mond yn iawn iddi hi gael y sgŵp.'

Ymhen hir a hwyr, 'Iawn,' meddai'r gŵr o Scotland Yard. 'Fe gadwa i hynny mewn cof ac mi wna i be fedra i, ond dwi'n pwysleisio bod y busnes yma tu allan i'm maes i ac na fydd gen i ddim byd i neud â fo unwaith y bydda i wedi trosglwyddo'r ddisg.'

''Dan ni'n dallt hynny hefyd, Greg, ond mae gen i bob ffydd y byddi di'n gneud y peth anrhydeddus.' A gwenodd Gus Morrisey yn gellweirus ar ei gyfaill, o wybod ei fod yn rhoi cyfrifoldeb moesol arno hefyd, rŵan.

Wedi i Gregory Roylance adael, trodd y Golygydd at y lleill. 'Gobeithio'ch bod chi'ch tri yn fodlon?' meddai. 'Doedd dim llawer mwy y gallwn i fod wedi'i neud. Yn anffodus, felly, mi fydd raid inni ddal yn ôl ar y stori nes gweld sut y bydd petha'n datblygu.'

Doedd y siom ddim wedi gadael gwyneb Alex o gwbwl ac roedd Tom Allen, y Golygydd Gwleidyddol, yn fwy ymwybodol o hynny na neb. 'Gwranda, Alex!' meddai. 'Mae gen ti sawl diwrnod o wylia i'w cymryd, a dwi'n gwbod dy fod ti'n awyddus i fynd adra i Gymru i weld dy fam, felly pam nad ei di heddiw?'

Edrychodd hithau arno am ychydig eiliada cyn ymateb. 'Diolch ichi, ond bydde raid ifi fynd 'nôl i'r fflat i ddechre, chi'n diall, i nôl cwpwl o bethe, ac erbyn ifi fynd i Paddington i ddala'r trên . . . wel . . . '

Roedd Gus Morrisey ar ei draed, a'i holl ystum yn awgrymu bod y cyfarfod ar ben. 'Wyt ti'n dreifio?' gofynnodd.

'Odw, wrth gwrs.' Roedd y cwestiwn yn ei synnu hi braidd. 'Ond s'da fi ddim car yn Llunden. Gormod o hasl, w.'

'Twt lol!' A throdd Morrisey at y Golygydd Gwleidyddol. 'Trefna iddi gael car benthyg, Tom. Efo pa gwmni 'dan ni'n arfar delio, dŵad? Avis? ... Hertz?' A chyn disgwyl am ateb, roedd wedi agor y drws a gadael.

Cododd Tom Allen y ffôn o'i grud. 'Marion!' meddai, wrth un o'r staff gweinyddol ar ben arall y lein. 'Trefna i Avis anfon car yma at . . . ' Edrychodd ar Alex a dal y ffôn ymhellach oddi wrth ei geg. 'Ganol pnawn? . . . Tri o'r gloch?'

'Bydde'n well 'da fi aros tan y bore, os nad 'ych chi'n mindo.'

'Bore fory amdani, felly.' Daeth â'r teclyn yn ôl at ei geg. 'Glywist ti hyn'na, Marion? Bora fory! Deud wrthyn nhw am ei anfon o i fflat Alex Morgan yn Bayswater erbyn naw bora fory. Be? Pa fath o gar?' Edrychodd eto ar Alex a gwenu. 'Diawl erioed! Dydi o fawr o bwys, cyn belled â'i fod o'n un diweddar ac yn ddibynadwy.' Yna'n sydyn, cofiodd. 'Na, aros!' a throi eto at Alex: 'Ar ffarm mae dy rieni'n byw yndê?'

Nodiodd hitha'n ddryslyd.

'Marion! Gofyn am rwbath efo gyriant pedair olwyn arno fo. Y Freelander neu rwbath felly.'

'Diolch, Mr Allen,' meddai Alex wrth ei wylio'n rhoi'r teclyn yn ôl yn ei grud. Roedd Gus Morrisey a'i ddau is-olygydd wedi mynd i fyny'n arw yn ei golwg yn ystod y munuda diwetha.

* * *

Tŷ'r Cyffredin – Palas Westminster

'Zen! Mae Roylance ei hun isio gair efo ti.'

'Efo fi, Frank? Be ddiawl sy'n bod rŵan, medda chdi?' Edrychodd ar ei wats. Chwarter i ddau! Doedd ond chwarter awr i fynd cyn y byddai ei shifft yn dod i ben. 'Yn lle mae o, beth bynnag?'

'Yn yr *Ops*, yn ôl Bluto.'

'Bluto? Be uffar sydd a wnelo *fo* â'r peth?'

'Dim, am wn i, mond mai fo gafodd y negas i'w rhoi iti ond ei fod o wedi gofyn i mi neud hynny drosto.'

Yr *Ops* oedd swyddfa *Police Operations* yn Westminster.

Hanner ofnai weld yr un cwmni â ddoe yn disgwyl amdano, i barhau â'r croesholi, ond pan welodd mai'r cadlywydd yn unig oedd yn y stafell, gollyngodd ochenaid ddistaw o ryddhad. Doedd hwnnw, serch hynny, ddim yn edrych fel pe bai mewn hwylia rhy dda a gwelodd Zen ef yn taflu golwg ddiamynedd ar ei wats.

'O'r diwadd, Smith! Lle gythral wyt ti wedi bod? A finna wedi rhuthro i fod yma cyn iti orffan dy shifft. Dwi wedi anfon amdanat ti ers ugain munud.'

'Mae'n ddrwg gen i, syr, ond newydd gael y negas ydw i . . . lai na thri munud yn ôl, a deud y gwir.' *Blydi Bluto!* meddyliodd.

'Sut bynnag, dwi isio gair ynglŷn â'r busnas anffodus 'ma ddoe. Mi fasa'n well iti ista i lawr, dwi'n meddwl.' Ac arwyddodd at gadair, am y ddesg ag ef.

Wrth ufuddhau i'r gwahoddiad, teimlodd Zen ei bryder yn cynyddu.

'Dydw i ddim am amlhau geiria, Smith, a dydw i ddim am smalio chwaith bod yr hyn sydd gen i i'w ddeud yn mynd i roi unrhyw foddhad imi . . . ' Oedodd, fel pe na bai'n siŵr be i ddeud nesa.

Dos yn dy flaen, wir Dduw! meddai Zen wrtho'i hun. *Deud be sydd ar dy feddwl di!*

'Do'n i ddim yn licio'r ffordd y cest ti dy drin yma ddoe – waeth imi fod yn onest, ddim! – fel petait ti o dan amheuaeth, ond wedi deud hynny, fedra i chwaith, wrth gwrs – mwy nag y gall Awdurdod y Tŷ – ddim anwybyddu'r hyn yr oedd Holmes yn ei led-awgrymu . . . ' Gwelodd lygaid Zen yn caledu a'r cwestiwn yn ffurfio ynddyn nhw. ' . . . Y gwir ydi, Smith, bod yn rhaid imi ofyn iti aros adra o dy waith am sbel, o leia nes y bydd y busnes yma wedi cael ei glirio. Mi fyddi ar gyflog llawn, wrth reswm.'

'Dydach chi ddim o ddifri, syr?' Roedd wedi codi i'w draed, ei wyneb yn bictiwr o anghredinedd. 'Dydw i wedi gneud cythral o ddim o'i le.'

'Dwi'n gwybod hynny, ac os ydi o o unrhyw gysur iti, does gen i fy hun ddim amheuaeth o unrhyw fath yn dy gylch di, ond . . . '

'Ond rydach chi'n dal i bwyntio bys!'

Er uched ei swydd a'i awdurdod, roedd y cadlywydd yn edrych yn bur anghysurus. 'Yli! Mae gen ti wythnos o wyliau eto'n ddyledus iti, i'w cymryd cyn diwedd y flwyddyn . . . '

Arglwydd mawr! Mae o wedi gneud ei waith cartra!

' . . . Dwi'n meddwl mai'r peth gora fydda iti gymryd rheini rŵan. Fydd dim lle, wedyn, i neb amau dim, na chael unrhyw gamargraff.' Awgrymai tôn ei lais nad oedd bwrpas dadla efo fo. 'Ond hwyrach wedyn, cofia, y bydd raid imi styried dy symud.'

'Fy symud i allan o Westminster 'ma, dach chi'n feddwl?' Roedd yr anghredinedd yn ôl yn ei lais. 'Fy nhynnu fi allan o *SO11*?'

'Gawn ni weld. Mae'n rhy fuan i benderfynu ar betha felly. Rhaid imi aros i weld sut y bydd y busnas 'ma'n datblygu.'

Geiria olaf Gregory Roylance cyn i Zen droi cefn arno oedd: 'A gofala nad wyt ti'n siarad efo'r Wasg!'

* * *

Swyddfa'r Chronicle

Arhosodd Alex yn Stryd y Fflyd gydol y pnawn, yn pori am ragor o wybodaeth ar y Rhyngrwyd. Erbyn gorffen, roedd ganddi bentwr o ddalennau yn ddeunydd darllen tra byddai hi gartre yn Sir Gâr. Yna, ychydig funudau cyn pedwar o'r gloch, galwodd Vince Edwards heibio iddi, wrth ei desg. Gwyddai

Alex oddi wrth ei wyneb nad oedd ei newyddion yn rhai da.

'Newydd glywed o Fulham,' meddai. 'Mam Kenny Ewell! Maen nhw wedi dod o hyd iddi'n farw yn ei fflat.'

Teimlodd Alex yr egni yn llifo allan ohoni, a'i gadael fel balŵn wag. Ymrithiodd y gwyneb gwelw, trist unwaith eto o'i blaen a chlywodd eto'r llais undonog yn mynnu deud ei stori.

'Shwd?' gofynnodd o'r diwedd, wrth i ddeigryn dreiglo'n hallt i gornel ei cheg. Â chefn ei llaw, sychodd ef i ffwrdd yn ddig.

'Yr unig wybodaeth sydd gynnon ni ydi bod potel wag yn ei hymyl. Felly, mae'n edrych yn debyg mai gneud amdani'i hun wnaeth hi, er bod yr heddlu'n cadw meddwl agored ar hyn o bryd ac yn trin yr achos fel un amheus.'

'Shwd dethon nhw o hyd iddi?'

'Dim syniad.'

Sychodd Alex ragor o ddagra. ''Ych chi moyn i mi fynd draw 'na, 'te?'

'Na. Fiw inni fynd ar ôl y peth. Fe rown ni ddatganiad byr yn y *stop press*, dyna i gyd.'

'Trist, ontefe? Neb i alaru ar ei hôl. Ond 'na fe, falle bod hi'n hapus nawr, yn ca'l cwmni 'i dou fachgen unweth 'to.' Ni sylwodd ar yr edrychiad rhyfedd a gafodd hi gan ei Golygydd Newyddion. 'Wi'n mynd nawr 'te, Mr Edwards. A diolch ichi am bopeth. Ddo i 'nôl dydd Iau.'

'Dydd Iau? Na! Mae Gus wedi deud am iti aros weddill yr wythnos, nes y cei di weld yn iawn sut y bydd dy fam. Fe ddisgwyliwn ni di'n ôl yma ddydd Llun. Pe bai'r fath beth â mod i dy angen di cyn hynny, yna mi fydda i wedi gyrru *SOS* amdanat ti. Yn y cyfamser, cymer ofal.'

* * *

Tower Hamlets

Y peth cynta a wnaeth Zen ar ôl cyrraedd ei fflat oedd mynd o dan gawod oer. Mwya'n y byd y meddyliai am be oedd wedi digwydd iddo, mwya'n y byd y câi ei gorddi. Methai'n lân â gweld sut bod petha wedi troi mor chwithig yn ei erbyn, a methai ddeall, yn reit siŵr, sut bod Roylance wedi rhoi clust a choel i ensyniada gwag y cwdyn Holmes 'na, o *MI5*.

Clywodd gloch y drws yn canu, ond yn hytrach na dringo allan o'r gawod i weld pwy oedd yno, rhoddodd fwy o rym i'r dŵr a'i deimlo fel pinnau bach ar ei groen. Ond dal i swnian a wnâi'r gloch, fel rhyw gacwn gorffwyll.

'Damia chdi, pwy bynnag sy 'na!' Taflodd liain am ei ganol a throedio'n wlyb allan o'r bathrwm bychan ac ar draws lolfa-gegin nad oedd fawr mwy. Daliai'r gloch i ganu.

'Oes 'na blydi tân, ta be?' meddai'n uchel, wrth agor y drws.

Dallwyd ef am eiliad gan fflach y camera, ac yna fflach arall ac un arall wedyn ar ei chwt. Pwy bynnag oedd yno, roedd am neud yn siŵr y byddai ganddo ddigon o ddewis o luniau.

'Pwy ddiawl wyt ti? A be uffar wyt ti'n feddwl wyt ti'n neud?'

Ond erbyn hyn roedd boi y camera wedi camu'n ôl, a dyn arall yn sefyll yn ei le.

'Steven Smith? . . . *SO11* ym Mhalas Westminster? . . . Brian Wyatt o'r *Clarion.* Ydi o'n wir bod eich enw chi'n cael ei gysylltu â be ddigwyddodd yno ddoe? A'ch bod chi'n nabod y rhai sy'n cael eu hamau o gyflawni'r drosedd? Garech chi neud datganiad?'

Cymerodd gymaint â hynny o amser i Zen ddod ato'i hun, ac i ffrwydro. 'Gwranda'r basdad bach!' Gan ddal y lliain yn ddiogel rhag i hwnnw lacio'i afael am ei ganol a'i adael yn gwbwl noeth, camodd allan dros y trothwy ac efo'i law chwith rydd cydiodd yn giaidd yn y gohebydd gerfydd ffrynt ei grys chwyslyd. Prin y sylwodd fod y camera wedi fflachio eto. 'Gwna di gyhuddiad fel'na yn dy bapur, y cwd, a fyddi di ddim gwerth dy godi. Dallt?' Fflachiodd y camera eto fyth, gan beri i Zen droi ei lid ar y ffotograffydd yn ogystal: 'Ac os gwela i lun o hyn yn dy racsyn papur di, yna mi ddo i â fo wedi'i lapio'n galad fel blydi ffon ac mi stwffia i o . . . ' Teimlai nad oedd angen ymhelaethu mwy. 'Wyt ti'n dallt?'

Roedd y ffotograffydd wedi camu'n ôl yn ddigon sydyn ac yn ddigon pell ar hyd y balconi. Hyrddiodd Zen ei gydymaith ar ei ôl. 'Os gwela i unrhyw un ohonoch chi'ch dau yma eto . . . ' A rhoddodd glep i'r drws gan deimlo nad oedd angen gorffen y bygythiad yma chwaith.

Be ddiawl oedd yn mynd ymlaen? Pe bai rheina wedi dod o'r *Chronicle* mi fyddai'n gwybod pwy i'w feio, ond fel hyn doedd ganddo'r un syniad yn y byd pwy oedd wedi rhoi ei enw i'r Wasg. 'Be gythral ddeudith Roylance os bydd fy llun i yn y *Clarion* fory? A finna wedi cael rhybudd i beidio siarad efo neb?'

Aeth ati i neud swper sydyn iddo'i hun, gan ddangos ei lid ar y ddau wy a roddodd iddo, yn y diwedd, rwts o omlet ar blât. Yna agorodd dun o ffrwytha a bwyta'r rheiny i gyd hefyd. Ond drwy'r cyfan roedd goblygiada be oedd wedi digwydd yn nrws y fflat yn gynharach yn destun cryn bryder ac edifarhad iddo. Pan welodd ei bod yn chwarter i wyth, penderfynodd gladdu ei ofidiau mewn peint yn y Bow Bells. Doedd dim byd sicrach nag y byddai Duke yno o'i flaen.

Taflodd siaced dros ei ysgwydd a thynnu'r drws ynghau o'i ôl. Hanner disgwyliai i rywun â chamera neidio allan o'r cysgodion o'i flaen ond ni ddaeth neb. Tybiodd wedyn fod rhywun neu'i gilydd yn ei ddilyn. 'Rwyt ti'n blydi paranoid, Zen!' meddai'n uchel wrtho'i hun gan beri i wraig dal oedd yn mynd heibio iddo ar y pryd daflu cip pryderus yn ôl dros ysgwydd a phrysuro'n fân ac yn fuan wedyn o'r golwg rownd y tro.

Yn ôl fel roedd e'n disgwyl, roedd Duke yn y Bow Bells eisoes, bron gorffen ei drydydd peint a'i bumed gêm o ddartia, medda fo. 'Dos di i nôl rownd tra bydda i'n gorffan y gêm yma, ac wedyn mi ro i gêm i ti. Gora o dair, a'r collwr i brynu'r cwrw. Iawn?' A daeth rhes o ddannedd gwynion i'r golwg trwy'r farf fach ddu.

Gwenodd Zen a mynd at y bar. Gwyddai mai bach iawn o obaith fyddai ganddo yn erbyn Duke, ar ddartia na snwcer fel ei gilydd, ond fe fodlonai ar golli iddo heno. I gael ei gwmni, byddai'n werth talu am gwrw iddo drwy'r min nos, pe bai raid. Sylwodd nad oedd y tri hen ŵr yn eistedd wrth eu bwrdd arferol tu ôl i'r drws. Wedi mynd adra'n gynnar, meddyliodd.

'Chwilio amdanyn nhw oeddet ti?'

'Be?'

Roedd Duke wedi gorffen ei gêm ac wedi anghofio am ei sialens i Zen funud ynghynt.

'Dy weld ti'n sbio at y bwrdd tu ôl i'r drws o'n i ac yn meddwl falla mai chwilio am y tri hen begor oeddat ti. Wel, mae gen i ofn na fyddan nhw ddim yn fan'cw byth eto; o leia fydd un ohonyn nhw ddim. Mae o wedi'i phegio hi pnawn 'ma, jyst tu allan i'r drws yn fan'cw. Roedd o a'i fêts yn troi am adra i nôl eu te ac mi syrthiodd yn glewt ar y pafin, a chododd o ddim. Hartan, yn ôl pob sôn. Uffernol o anlwcus, ti'm yn meddwl?' Chydig o gydymdeimlad, serch hynny, oedd i'w weld ar wyneb Duke nac i'w glywed yn ei lais wrth iddo ymestyn i osod ei wydryn gwag ar gornel y bar.

'Ia, falla, ond ar y llaw arall, falla'i fod o'n well ei le.'

'Y?'

Chwarddodd Zen yn ddi-hiwmor. 'Paid â chymryd sylw ohono' i, Duke. Fel'na dwi'n teimlo ar hyn o bryd.'

'Be? Blydi morbid?'

'Ia, os lici di. Dyma ti!' Estynnodd ei beint llawn iddo – ei bedwerydd. 'Iechyd da!' A chododd yntau ei beint ei hun – ei gynta – at ei geg.

Welodd Zen mo'r camera'n cael ei wthio rhwng dau ben o'i flaen ond bu bron i'r fflach neud iddo ollwng ei wydryn. Erbyn i'w lygaid ddod dros y sioc, dim ond cefn pen oedd i'w weld yn diflannu drwy'r drws.

'Be uffar oedd hyn'na?' Rhythai Duke yn hurt.

'Cydia yn hwn! Reit blydi sydyn!' Ond erbyn iddo drosglwyddo'i wydryn i ofal ei ffrind a rhuthro allan drwy'r drws, roedd y dyn bach a'i gamera wedi hen ddiflannu.

'Be ddiawl sy'n mynd ymlaen, Zen?'

'Cwestiwn da! Ond fedra i mo'i atab o.'

Arhosodd am un peint arall cyn ffarwelio efo Duke.

'Diawl erioed, Zen! Dydi hi ddim yn hannar awr wedi naw eto. Be 'di dy frys di? Dwyt ti rioed yn mynd i dy wely?' Yna'n araf, torrodd gwên lydan drwy'r locsyn bach du. 'Nagwyt, siŵr Dduw! Mynd i wely rhywun arall wyt ti 'ndê? Y ci drain hefyd!'

Ni cheisiodd wadu. Roedd yn haws gadael i Duke feddwl hynny na thrio egluro dim iddo.

Pennod 9

Tower Hamlets

Bu'n noson hir, a di-gwsg hefyd, lawer ohoni. Be fyddai'n ymddangos yn y *Clarion* drannoeth oedd ei boen mwya a dychmygai weld Roylance wrth ei ddesg yn Scotland Yard ben bore a rhywun yn gollwng copi o'r papur o'i flaen i ddangos Stephen Zendon Smith, *SO11* yng ngwarchodlu parchus Palas Westminster, yn ymsythu'n amharchus hanner-noeth yn nrws ei fflat yn Tower Hamlets, i lindagu rhyw ohebydd bach diniwed-yr-olwg mewn sbectol-gwydra-tew. Blydi grêt, Zen! Be nesa?

Cododd am hanner awr wedi saith, wedi cael digon ar droi a throsi. Wedi molchi a gwisgo, aeth allan fel arfer i nôl ei bapur newydd, i'w ddarllen gyda'i frecwast. *Fydd dim brys heddiw, beth bynnag,* meddyliodd yn chwerw. Ofnai be allai fod yn aros amdano. Y *Sun* oedd ei bapur arferol, ond bore 'ma prynodd y *Clarion* a'r *Chronicle* yn ogystal, a chyn gadael y siop taflodd hefyd gip trwy nifer o'r tabloids eraill. Methodd weld unrhyw destun embaras iddo yn y rheini, er mai bach o gysur oedd hynny iddo, am y gwyddai fod y *Clarion* eto'n ei aros.

Wrth iddo gychwyn allan, roedd wedi addo iddo'i hun na fyddai'n edrych ar y papur hwnnw nes cyrraedd yn ôl i'r fflat, rhag gorfod rhannu ei gywilydd yn gyhoeddus efo pob Tom, Dic a Harri. Cadwodd at ei benderfyniad am y rhan fwya o'r daith yn ôl ond yna fe aeth ei chwilfrydedd yn drech na fo.

Lluniau o'r prif weinidog ac arweinydd yr wrthblaid oedd ar y dudalen flaen, y ddau'n edrych fel pe baen nhw o dan gwmwl du a'r pennawd yn datgan cymaint o drasiedi i'r Llywodraeth ac i'r wlad fu marwolaeth annhymig Stephen Smythe. Yn betrus, trodd i'r ail dudalen. Hon eto'n delio â'r llofruddiaeth ac yn edliw aneffeithlonrwydd y lluoedd diogelwch tra hefyd yn galw am ddiswyddo nid yn unig Gregory Roylance, Cadlywydd Rhanbarthol Scotland Yard, ond y *Sergeant at Arms* a *Black Rod* yn ogystal. *Ymlaen i dudalen 4* meddai'r troednodyn ar dudalen tri, a daliodd Zen ei wynt wrth weld yr hyn y bu'n ei ofni. Nid jyst llun, ond llun lliw! Lliain glas fel sgert amdano, a'i noethni cyhyrog yn dal i adlewyrchu haul Groeg ddeufis ynghynt. Ac eryr y tatŵ yn fwy ymosodol nag arfer yn chwydd cyhyr ei fraich chwith, wrth i honno godi Wyatt y gohebydd i flaenau'i draed. Ond y fath olwg hyll oedd ar ei wyneb ei hun! A'r gwyneb hwnnw wedi'i wthio'n fygythiol i wyneb gwydrog y gohebydd bach tila.

'*Shit!*' meddai'n uchel. A '*Shit!*' meddai wedyn hefyd, ond yn uwch, pan welodd bennawd y llun – *Pa ran a chwaraeodd hwn yn yr anfadwaith?* Roedd ei enw, ei gyfeiriad a'i swydd yn yr erthygl, a honiad bod y *Clarion* wedi cael achlust bod Steven Zendon Smith, genedigol o Shoreditch yn yr East End ac aelod o'r gwarchodlu ym Mhalas Westminster, wedi cael ei holi gan y gwasanaethau cudd ynghylch ei gysylltiad â'r ddau a gâi eu hamau o fod wedi llofruddio'r Ysgrifennydd Amddiffyn. Roedd yno gyfeiriad hefyd at Ryfel y Gwlff ac at ran Stephen Zendon Smith yn hyfforddi saethwyr cudd yn fan'no, rhai ohonynt yn Fwslemiaid Shiia oedd yn awyddus i wared eu gwlad rhag y teyrn, Saddam. Ynghlwm wrth y wybodaeth honno, ceid awgrym cynnil y gallai'r gŵr garw yn y llun – y cyn-filwr a adwaenid wrth yr enw sinistr 'Y Sarff' – fod hefyd wedi hyfforddi'r rhai a lofruddiodd Stephen Smythe. *'Os ydyw yn ddieuog, fel yr oedd ef ei hun mor barod i honni wrth ein gohebydd – tra'n bygwth hanner ei ladd yr un pryd – yna pam bod Scotland Yard wedi ei ryddhau o'i swydd?'*

'Diawl erioed! O lle gythral maen nhw'n cael y wybodaeth? Os nad ydi Roylance wedi agor ei geg, yna pwy ddiawl sydd?'

'Mr Smith! Ydach chi'n barod i neud datganiad?'

Cododd ei ben. Roedd wedi dod i olwg y llawr-ar-lawr o goncrid llwyd oedd yn rhyw fath o gartre iddo, pob balconi efo'i lein ddillad wag neu lawn yn hongian yn llonydd yn y diffyg gwynt.

' . . . Faint o wir sydd yn stori'r *Clarion*? Ydach chi'n gwadu?' A fflachiodd sawl camera cyn iddo fedru celu pa bapur oedd yn mynd â'i sylw.

Roedd chwech os nad saith o ddynion a merched y Wasg – yn ohebwyr a ffotograffwyr – yn rhuthro i'w gyfarfod. Rhaid eu bod wedi cyrraedd yn ystod y chwarter awr ddiwetha ac, o fethu cael ateb yn nrws y fflat, wedi aros iddo ddod 'nôl. O gornel llygad, gwelodd gamera teledu hefyd yn gwthio'i drwyn ymlaen.

'Gwrandwch! Does dim gronyn o wirionadd yn y stori. A dyna'r cwbwl dwi'n barod i'w ddeud.'

'Ydach chi'n bwriadu mynd â'r *Clarion* i gyfraith am enllib?'

'Ydi o'n wir eich bod wedi cael eich rhyddhau o'ch swydd yn Westminster?'

'Ydi o'n wir eich bod chi wedi bygwth lladd gohebydd y *Clarion*?'

'Annette Edwards o'r BBC, Mr Smith. Fyddech chi'n barod i roi cyfweliad?'

Anwybyddodd hwy i gyd, orau allai, a gwthio'i ffordd rhyngddynt, yn ôl i'w fflat. Roedd ei ben yn troi. Fe welodd ddigon o'r math yma o beth ar raglenni newyddion cyn hyn – haid y Wasg yn gosod gwarchae – ond feddyliodd o erioed y byddai ef ei hun, ryw ddiwrnod, yng nghanol helynt o'r fath. Gwyddai mai cynyddu a wnâi'r niferoedd tu allan ac y byddai, o fewn dim, yn garcharor yn ei gartre'i hun. 'Dydi'r blydi lle 'ma fawr mwy na chell, ar y gora,' meddyliodd yn chwerw wrth syllu o gwmpas ei fflat gyfyng.

Ei syniad cynta fu pacio chydig betha i'w fag, cael gwared â'r gynffon o ohebwyr a mynd i chwilio am Duke. Yn ei wely y byddai hwnnw o hyd, ac yno y byddai tan ginio hefyd os câi lonydd. 'Ond wneith o byth wrthod lle imi,' meddyliodd, a theimlo peth cysur o wybod hynny. Fyddai dianc oddi wrth y criw tu allan ddim yn broblem o fath yn y byd. Fe gaen nhw redeg ar ei ôl, os licien nhw, ond pa mor hir allen nhw ddal ati? 'Pe bai raid,' meddai wrtho'i hun, 'mi redwn i farathon i gael gwared â nhw. Ond diawl erioed, does dim urddas mewn peth felly chwaith! Yn enwedig os bydd llunia yn y papura bora fory o 'nghefn i'n diflannu mewn cywilydd i lawr y stryd.' Na, meddyliodd. Rhaid bod dewis arall.

Dyna pryd y canodd y ffôn.

'Smith?'

Shit! Llais blin Roylance o bawb! 'Mae'r *Clarion* yn agored o mlaen i rŵan a dydw i ddim yn hoff o gwbwl o be dwi'n weld nac, yn reit siŵr, o be dwi newydd ei ddarllen. Fe gest ti rybudd i beidio gneud dim byd o gwbwl efo'r Wasg, ac eto . . . Mae hyn yn anfaddeuol, Smith, ac yn achos disgyblu pellach.'

'Ond diawl erioed! Dydw i wedi gneud dim . . . ' Cofiodd am y llun ohono'n cydio yn Wyatt. ' . . . hynny ydi, dydw i wedi *deud* dim . . . ddim wedi siarad efo neb.'

Ond protest ofer oedd hi. Roedd y lein yn fud a gwyddai nad oedd ganddo ddewis, bellach.

* * *

O Lundain i Gaerfyrddin

Roedd Alex newydd gyrraedd yr A40 allan o Lundain pan ganodd ei ffôn. 'Damo!' meddai. 'A finne'n dechre ca'l hewl rydd o 'mla'n!'

Roedd y Freelander wedi bod ddeng munud yn hwyr yn

cyrraedd a'r gyrrwr o gwmni Avis wedi gneud ei siâr o gwyno am bwysau'r traffig ar y ffordd. Buan y daethai hithau i gytuno efo fo wrth i olau coch ar ôl golau coch greu tagfa ar ôl tagfa o'i blaen. 'Damo! Fe ddylsen i fod wedi mynd ar y trên. Jawch erio'd, o'dd Paddington yn ddigon cyfleus ifi!' A rŵan, a hitha newydd adael y prysurdeb mwya o'i hôl ac yn croesawu ffordd weddol glir o'i blaen, roedd raid i'r blwmin ffôn ganu. Cododd ef at ei chlust a gobeithio nad oedd plismon o gwmpas i'w gweld hi'n gneud hynny.

'Helô!'

'Miss Morgan? A. A. Morgan y *Chronicle*?'

'Ie, 'na chi. Pwy sy'n siarad?'

'Ydi'r cynnig yn dal yn agorad imi?'

'Cynnig? Pa gynnig, w? Pwy sy'n siarad, plîs?'

'Fe gawson ni sgwrs yn Westminster. Roeddat ti'n awyddus i gael gair efo fi ynglŷn â be ddigwyddodd imi yn Hyde Park, fis yn ôl.'

'Steven Smith?' Ceisiodd guddio'r cynnwrf yn ei llais.

'Ia. Oes gen ti ddiddordab mewn siarad?'

Aeth mil o feddyliau trwy'i phen. 'Shgwlwch! Wi miwn traffig trwm ar y funed. Allech chi ffono fi 'nôl miwn pum muned, i roi cyfle ifi ga'l lle i stopo?' Fe roddai hynny gyfle iddi hefyd ystyried pa fudd allai ddeillio o gyfarfod y dyn yma. A oedd pwrpas i'w gyfarfod e o gwbwl, bellach, yn enwedig o gofio'r datblygiada a fu ers iddi siarad efo fo ddwetha? A sut bynnag, doedd o ddim wedi gadael argraff rhy dda arni bryd hynny. *Ma pethe wedi symud mla'n lot fowr ers 'ny*, meddyliodd. *Felly pam ma fe'n ffono fi nawr? Falle bod 'da fe ryw wybodeth newydd! Fe allen i ei yrru fe at Walt Truman, wrth gwrs. Ond pam ddylen i neud 'ny? Fydde Walt ddim yn neud yn fowr o'r cyfle, ta beth.*

Yn y pellter, ar ochor chwith y ffordd, gwelodd yr hyn y gobeithiai amdano, sef arwydd mawr B&Q. Gwyddai y byddai'n hwylus iddi adael yr A40 a chael lle i barcio'n ddidrafferth yn fan'no. Felly, wrth i'r arwydd ddod yn nes, anelodd y Freelander am y ffordd-ymadael.

Aeth y munudau heibio, ac Alex yn dechrau ofni bod y plismon yn Westminster wedi cael traed oer. O'r diwedd, fe ganodd y ffôn.

'Fedrwn ni gwarfod?'

'Beth, nawr?'

'Gora po gyntad.'

'Ond sa i'n gallu nawr. Wi'n mynd sha thre i dde Cymru.'

Synhwyrodd hi'r siom yn syth ar ben arall y lein.

'O! Dyna ni ta!'

'Ble 'ych chi nawr?'

'Adra, yn Tower Hamlets, ond ddim am yn hir.'

'Beth 'ych chi'n feddwl, *ddim am yn hir*?'

'Wyt ti wedi gweld y *Clarion* bora 'ma?'

'Y *Clarion*? Nagw i. Be sy yndo fe?'

'Hitia befo! Gwastraff amsar oedd dy ffonio di, felly.'

Gwyddai ei fod ar fin terfynu'r sgwrs ac roedd arni ofn colli gafael arno fo a'i stori. 'Na, arhoswch, wir! Allen ni gwrdd ddiwedd yr wthnos, wedi i fi ddod 'nôl?'

'Ddiwadd yr wythnos? Arglwydd mawr! Does wbod be fydd wedi digwydd erbyn hynny. Sut bynnag, dwi ar gychwyn o'ma rŵan. Mae fy mag i wedi'i bacio'n barod.'

Erbyn hyn, roedd Alex yn synhwyro'n gryf bod stori dda yn cael ei chynnig iddi ac roedd ei meddwl yn gweithio'n galed ar sut i ddal gafael arni. Doedd hi ddim yn bell o Ealing, meddai wrthi'i hun, a gorsaf Ealing Broadway yn fan'no oedd terfyn gorllewinol y *Central Line*. Ac os nad oedd hi'n camgymryd yn arw, roedd Tower Hamlets yn ddigon agos at orsaf y Tiwb yn Liverpool Street, honno hefyd ar y *Central Line*.

'Shgwlwch! Sa i 'di gadel Llunden 'to. Allen ni gwrdd yn steshon Ealing Broadway, ymhen awr falle? Fe allen i fod yn fan'ny'n dishgwl amdanoch chi.'

Bron na allai glywed ei feddwl yn troi.

' . . . Fe fydde'r *Chronicle* yn talu'ch coste chi, wrth gwrs, a gallen ni drafod ffî os o's stori 'da chi i'w gweud.'

'Iawn, ta. Ymhen awr.' Ac aeth y ffôn yn fud.

Ar ôl cyrraedd Ealing, a chan fod ganddi dri chwarter awr segur o'i blaen, aeth Alex i chwilio am gopi o'r *Clarion,* yn ogystal â'r *Chronicle,* a daeth o hyd i gaffi mewn marchnad-dan-do, o fewn dau ganllath i Ealing Broadway. Pan welodd hi'r llun ar dudalen pedwar, daeth gwên lydan i'w gwyneb, yn enwedig gan ei bod yn adnabod y gohebydd bach oedd yn cael ei fygwth ynddo. Doedd Wyatt y *Clarion,* mwy na'i gyd-weithiwr Conrad Moore, mo'r gohebydd mwya poblogaidd yn y proffesiwn, a gallai Alex ddychmygu gohebyddion papurau eraill hefyd yn gwenu'n braf wrth edrych ar y llun yma. Ond ciliodd ei gwên yn fuan iawn, serch hynny, pan ddechreuodd hi ddarllen yr erthygl oedd yn cyd-fynd â'r llun, ac erbyn ei bod wedi gorffen honno, a gorffen ei choffi, fe deimlai'n bur anniddig ynglŷn â mynd i gyfarfod y dyn Steven Smith 'ma o gwbwl, yng ngorsaf Ealing Broadway nac yn unlle arall chwaith.

* * *

Unwaith y gwyddai Zen ei fod wedi gadael criw'r Wasg ymhell o'i ôl, anelodd am orsaf Liverpool Street, ac o lech i lwyn yr aeth o wedyn i nôl ei docyn yn fan'no. Safai dau blismon gerllaw'r giatiau-troi oedd yn arwain at y grisiau symudol, a theimlai ryw euogrwydd rhyfedd wrth frysio heibio iddyn nhw. Oedden nhw yn ei lygadu'n amheus? Oedden nhw o dan orchymyn i chwilio amdano? Fyddai un ohonyn nhw rŵan yn mynd ar ei radio? *Uffar dân, Zen! Ti'n blydi paranoid!*

Unwaith y cafodd le ar y trên, y peth cynta a wnaeth oedd edrych pa bapurau oedd yn cael eu darllen gan y teithwyr eraill o'i gwmpas. Hyd y gallai weld, dim ond un copi o'r *Clarion* oedd yno, a'r dudalen chwaraeon oedd yn mynd â holl fryd perchennog hwnnw, diolch am hynny.

Caeodd ei lygaid a cheisio anghofio lle'r oedd. Ceisiodd

daflu o'i feddwl hefyd yr hyn yr oedd ar fin ei neud; y cam yr oedd ar fin ei gymryd. Cam di-droi'n-ôl, meddai wrtho'i hun.

* * *

'Felly, r'ych chi'n bwriadu diflannu?'

Roedd y Freelander wedi'i barcio ganddi y tu allan i dafarn Wyddelig, yn union gyferbyn â gorsaf Ealing Broadway, ac roedd cawod drom yn dadwrdd ar ei do. Braslun yn unig o'i stori roedd o wedi'i gynnig iddi hyd yma, gan awgrymu bod *MI5* ac *MI6* hefyd â'u bysedd rywle yn y brwas a'i fod o, Zen, yn ofni cynllwyn o ryw fath. A derbyn y gallai hi gredu'r dyn, meddyliodd Alex, yna roedd yma addewid am stori go fawr.

'Diflannu? Pa ddewis arall sy gen i, pan wyt ti a dy griw *paparazzi* wedi gosod blydi gwarchae ar fy fflat?'

'Ble ewch chi, 'te?'

'Matar i mi fydd hynny.'

'So chi'n 'y nhrysto i, 'te?'

'Pam ddylwn i? Hyd yma, dydan ni ddim wedi cytuno ar ddim byd.'

Tybiodd Alex mai eisiau trafod arian oedd o. 'Bydde'r *Chronicle* yn folon talu wyth mil o bunne ichi am eich stori.'

Cafodd edrychiad gwawdlyd yn ôl ganddo. 'A sut fedri di addo hyn'na heb ffonio dy fòs yn gynta?'

'Wi wedi ca'l caniatâd cyn heddi i gynnig 'ny ichi, mor belled â bod eich stori'n werth yr arian, wrth gwrs.' Mentrodd Alex ei gwên gynnil gyntaf a gwelodd rywfaint o'r tyndra'n cilio o'i wyneb yntau.

Cymerodd Zen eiliada i styried, cyn deud: 'Dwi am iti wbod nad yr arian ydi'r rheswm fy mod i yma, a bod yna rwbath pwysicach na phres cyn bellad â dw i'n y cwestiwn.'

'O?'

'Stori dda i werthu dy bapur wyt ti isio 'ndê?'

'Wrth gwrs 'ny!'

'Wel mi gei di dy stori, ar un amod.'

'O?'

'Fy mod i'n cael gweithio arni hi efo ti.'

Edrychodd Alex arno gyda pheth syndod. 'Beth? O's 'da chi brofiad?'

'O sgwennu i bapur newydd? Nagoes. Diawl o ddim. Mi gei *di* neud y sgwennu, ond rhaid i mi gael darllan drosti cyn iti ei hanfon hi i mewn.'

'O! 'Ych chi ddim yn 'y nhrysto i, 'te?'

'Nid matar o dryst ydi o, del. Mae gen i syniad go lew sut dach chi, bobol y papura newydd, yn gneud petha.'

'Beth yw'ch problem chi 'te?'

'Jyst iti gael dallt, cariad – yr unig reswm i mi dy ffonio di gynna, a dod yr holl ffordd allan i fa'ma wedyn i dy gwarfod di, oedd i drio clirio fy enw. Felly, os nad wyt ti'n barod i roi fy ochor i o'r stori, yna mi fedrwn ni anghofio'r cwbwl.'

Chwarddodd Alex yn fyr. 'Ond shwd allen i gytuno i rywbeth fel'na? S'dim un gohebydd yn mynd i neud 'ny, w. Bydde raid ifi roi darlun teg.'

'Dwi'n derbyn hynny.'

'A fydden i ddim yn barod i weud unrhyw gelwydd, ichi ga'l diall.'

'Pwy ddiawl sy'n sôn am ddeud clwydda? Be dwi'n chwilio amdano fo ydi'r cyfla i roi fy ochor i o betha, yn enwedig rŵan gan fy mod i'n mynd i golli fy job beth bynnag.'

'Colli'ch jobyn? Do's bosib!'

'Felly mae petha'n edrych, ac unwaith y cân nhw wbod fy mod i wedi siarad efo chdi, wel . . . dyna hi ar ben arna i wedyn, siŵr Dduw. Ond wela i ddim bod gen i unrhyw blydi dewis. Mae 'na rwbath od ar y diawl yn mynd ymlaen a does gen i, fy hun, ddim ffordd o wbod be. Ond rhwng y ddau ohonon ni, falla . . . ' Gadawodd iddi hi ddychmygu *efallai be*.

Rhoddodd Alex gyfle iddi'i hun feddwl. Doedd cydweithio efo'r dyn yma ddim yn apelio rhyw lawer ati hi, ond roedd apêl ei stori yn gorbwyso hynny. Ei chyfyng-gyngor oedd gwybod be i neud.

'Allech chi ddim aros ifi ddod 'nôl diwedd yr wthnos?'

'Allan o'r cwestiwn, del! Does wbod pa glwydda fydd wedi cael eu deud amdana i erbyn hynny. Diawl erioed, fel mae petha'n edrych rŵan, mi alla i ddisgwyl ymweliad oddi wrth *Special Branch* unrhyw funud.'

'A 'na pam 'ych chi'n bwriadu diflannu?'

'Nage, ond mi fydd raid imi fynd i rwla, yn reit blydi siŵr, jyst i ddengyd oddi wrth dy griw di. Ond gwranda! Nid ti ydi'r unig ohebydd sy'n gweithio i'r *Chronicle.* Fedri di ddim cysylltu efo un o'r lleill, i hwnnw drio gneud rwbath efo fi?'

Roedd meddwl Alex yn symud ar ras wyllt. Doedd cynnig y stori i Walt Truman, neu i unrhyw un arall o staff y *Chronicle,* ddim yn opsiwn i'w styried. Fe allai hi ohirio'i hymweliad â Sir Gâr a mynd yn ôl i Lundain efo hwn – mi fyddai ei rhieni'n siomedig iawn pe digwyddai hynny – neu . . . ! Daeth i benderfyniad byrbwyll.

'Shwd fyddech chi'n lico dod 'da fi i dde Cymru am gwpwl o ddyddie?'

Edrychodd Zen arni. 'Be? Rŵan?'

'Ie, nawr.' Duw ag ŵyr beth fydd Tada'n weud, meddyliodd.

Lledodd gwên gynta'r dydd dros ei wyneb. 'Fedra i feddwl am ddim byd gwell, coelia fi.'

Gan na wnâi unrhyw ymdrech i gelu'r awgrym o'i lygaid, meddai Alex yn siarp, 'Wi'n mynd gatre i weld fy rhieni, felly pidwch â dychmygu am eiliad bod dim byd mwy na thrafod eich problem chi yn mynd i ddigwdd rhynton ni. Gobitho bod 'ny'n berffeth glir, Mr Smith.'

'Wrth gwrs,' meddai yntau, gan deimlo'i hen hiwmor yn dod yn ôl.

'Shwd bynnag, ma 'da fi sboner ishws.'

'Dallt yn iawn, cariad! Dallt yn iawn! Ond galwa fi'n Zen, wir Dduw! Mae Mr Smith yn gneud imi swnio fel gweinidog ne rwbath.'

Methodd Alex ag ymatal rhag gwenu'n ôl. 'Iawn 'te, Zen. Nawr, gwell ifi ffono gatre i weud y bydd 'da fi gwmni.' *Pam ddwedes i hyn'na wrtho fe?* gofynnodd iddi'i hun wrth ddringo allan o'r Freelander i ffonio'i thad ac egluro'r sefyllfa iddo. *Pa sboner, yn enw'r nefodd? Dim Douglas do's bosib!*

'Odi'r Zen hyn yn golygu rwbeth iti, 'te?'

'Yffach gols, Tada! Sa i hyd yn o'd yn nabod y dyn, w! Ma 'da fe stori i'w gweud, a dw i ofon 'i cholli hi, 'na i gyd. 'Se'n well 'da chi ifi bido dod ag e gatre i Ben y Tyle 'te? 'Se'n well 'da chi iddo fe aros yn y White Hart yn Llanddarog, ne'r Ivy Bush yn Garfyrddin?'

'S'dim angen 'ny, cariad. Dere di â fe gatre 'da ti. Bydd stafell iddo fe 'ma.'

Ni fu'r teirawr a hanner ar yr M4 cynddrwg ag oedd yr un o'r ddau wedi'i ofni. Yr unig annifyrrwch i Alex oedd y ffrog yr oedd hi wedi dewis ei gwisgo y bore hwnnw. Roedd hollt ynddi i fyny'r ddwy glun, a phob tro y defnyddiai hi'r clyts i newid gêr, deuai clun noeth ei choes chwith i'r golwg, gan beri iddi ffwlbala i godi'r brethyn yn ei ôl dros ei phen-glin. Be oedd yn waeth oedd gwybod ei fod e'n mwynhau'r sioe.

Wedi gwylio'r ddefod hon gryn hanner dwsin o weithiau, 'Pam trafferthu, cariad?' gofynnodd Zen yn chwareus. 'Dwi wedi gweld digon o goesa merched yn fy nydd, ond ddim llawar o rai mor siapus â dy rai di chwaith, mae'n rhaid imi gyfadda.'

Er na throdd ei phen i edrych, gwyddai ei fod yn gwenu'n braf o'i gweld hi'n cochi. 'Cadwch eich llyged ar yr hewl 'te,' meddai'n siarp.

Ond y tro nesa i'w chlun ymddangos, ni thrafferthodd wneud dim ynglŷn â'r peth.

Yn ystod y daith, cafodd ganddo hanes yr hyn a ddigwyddodd iddo yn Hyde Park, ac yna fanylion ei helynt yn Westminster ac efo'r Wasg. Yna, holodd ef am ei blentyndod a daeth i'r casgliad na fu'r aelwyd yn Cheapside yn un arbennig o hapus iddo ac mai dyna pam, o bosib, y dewisodd o fynd i'r fyddin. *Whilo am rwbeth mwy sefydlog, siŵr o fod,* meddyliodd.

Yng nghwrs y daith, adroddodd hithau rywfaint o'i hanes. Dywedodd wrtho am salwch ei mam ac aflwydd y clefyd

Parkinson's oedd wedi dechrau cydio yn ei thad. Eglurodd yr arallgyfeirio y bu'n rhaid iddyn nhw fentro arno, a soniodd hefyd am ei chwaer allan yn Angola. Gwrandawodd yntau, yn hollol dawel, nes iddi orffen.

'Gad imi ofyn hyn iti,' meddai, wedi iddi orffen. Roedden nhw'n croesi Pont Hafren ar y pryd. 'A chditha'n byw mewn lle braf fel'na, allan yn y wlad, ac yn cael reidio ceffyla ar hyd y lle, yna be ddiawl wyt ti'n neud yn Llundan o bob man?'

Roedd clytiau eang o awyr las wedi dechra ymddangos rhwng y cymylau, a'r cawodydd trymion wedi cilio o'u hôl.

'Fan'ny wi'n gwitho, w! Ta beth, wi'n joio Llunden yn iawn.'

'Ond?'

Taflodd Alex gip sydyn i'w gyfeiriad wrth glywed y pwyslais ar y gair. 'Beth 'ych chi'n feddwl?'

'Ond dwyt ti ddim yn hollol fodlon dy fyd yno, wyt ti?'

'Pam 'ych chi'n gweud 'ny?'

'Am nad ydi o'n bosib i neb sy'n byw yn Llundan fod yn fodlon nac yn hapus yn rhy hir.' Chwarddodd yn chwerw cyn ychwanegu, 'Uffar dân, fe ddylwn *i* wbod hynny!'

Yn y tawelwch a ddilynodd, cafodd Alex gyfle i gnoi cil ar ei eiria. *Fe sy'n iawn, wrth gwrs,* meddai wrthi'i hun yn y diwedd. *Wi wrth fy modd yn y jobyn ond sa i'n lico gyda'r nos o gwbwl.* Gallai bywyd fod yn unig iawn i rywun fel hi. Unwaith y cyrhaeddai hi'n ôl i'w fflat yn Bayswater, yna go brin yr âi allan wedyn y noson honno, yn enwedig yn ystod misoedd hir yr hydre a'r gaea. Yn y chwe blynedd a dreuliodd hi yn Llundain hyd yma, dim ond dwy o sioeau'r West End y trafferthodd hi fynd i'w gweld, a fu hi ddim yn y sinema ond ryw hanner dwsin o weithia i gyd. Buan iawn, hefyd, wedi iddi gyrraedd, y collodd siopau Oxford Street eu swyn iddi. Erbyn heddiw, dim ond Covent Garden oedd wedi llwyddo i gadw'i apêl, ac i fan'no yr âi hi ar bnawniau Sul braf, i fwynhau coffi neu bryd o fwyd ac i ddotio at yr amrywiaeth pobol oedd yn mynd a dod yno. Fel arall, fe dreuliai ei hamser hamdden yn y fflat, yn ymddiddori'n bennaf mewn gneud prydau bwyd ecsotig iddi'i hun. Byddai'n arbrofi gyda phob math o berlysiau, ac roedd Soho a China Town, dafliad carreg yn unig o Covent Garden, yn llefydd gwych i brynu pethau felly.

'Wel? Ydw i'n deud y gwir?'

'S'dim unman fel Llunden, w,' meddai hithau, a rhoi terfyn ar y drafodaeth arbennig honno trwy gychwyn un arall: 'Nawr 'te, wi am ichi ddiall un peth cyn inni gyrradd Pen y Tyle, ble wi'n byw. Cwmrâg 'yn ni'n siarad gatre, bob gair, a sa i ishe i chi ddechre ame taw obeutu chi fyddwn ni'n siarad â'n gily.'

'Dim problem. Mae'n siŵr y bydda i'n dallt rhywfaint, beth bynnag.'

Yn ei syndod, cododd ei throed oddi ar y sbardun ac arafodd y Freelander yn lôn gyflym y draffordd gan beri i yrrwr y car o'i hôl orfod brêcio'n sydyn a chanu ei gorn yn flin. '*Shwt* yn y byd 'ych chi'n mynd i ddiall?' Roedd wedi dod dros ei sioc ac yn rhoi sbardun i'r Freelander unwaith yn rhagor. 'So chi'n diall Cwmrâg 'ych chi?'

'Wel, mae'n siŵr y bydd 'na lot o eiria y bydda i yn eu nabod. Rhyw fath o Susnag ydi Cymraeg, ia ddim?'

Bu Alex yn fwy gofalus y tro yma wrth fynegi'i syndod. Chwarddodd yn anghrediniol. 'Yffach gols! S'dim syniad 'da chi Saeson, o's e?'

Prin fu geiriau rhyngddyn nhw wedyn wrth i arwyddion Dwyrain Casnewydd, Canol Casnewydd . . . Caerdydd . . . wibio heibio.

'Ac un peth 'to,' meddai Alex, fel pe na bai ond ychydig eiliada ers eu sgwrs ddiwetha, er eu bod nhw rŵan wedi gadael arwydd Llantrisant hefyd o'u hôl. 'Pan wi gatre, *Angharad* – nid *Alex* – odw i.'

O gornel llygad, gallai hi weld ei ben yn troi tuag ati. 'Be? Dyna'r fersiwn Cymraeg o Alex, ia?'

'Jawch erio'd! Sa i'n siŵr p'un ai wherthin ne llefen i neud 'da chi. So chi wedi gweld 'yn enw i yn y *Chronicle*? A. A. Morgan! Angharad Alexandria Morgan. Angharad odw i pan wi gatre,

Alex pan wi yn Llunden. Alexandria o'dd enw Nain, chi'n diall, a o'dd Tada isie cadw'r enw yn y teulu.'

'Crand iawn, os ca i ddeud.'

'Dim mwy crand na'ch enw chi, sbo – Steven Zendon Smith. O ble cethoch chi'r *Zendon*?'

'Cyfenw bedydd Mam oedd o.'

Syrthiodd tawelwch hir arall rhyngddynt, yna gofynnodd Alex: 'Ddarllenoch chi erthygl Robert Fisk yn yr *Inde* ddo'?'

'*Inde*? Be ddiawl 'di hwnnw?'

'Yr *Independent*, w! Papur newydd yw e!'

'O! Naddo, 'lly. Dydw i ddim yn ddarllenwr mawr, sti. Y *Sun* ydi 'mhapur i. Hwnnw a'r *Times*.'

'Y *Times* ife? Wi'n . . . wi'n impresd.' *Wi'n synnu* oedd hi isio'i ddeud.

'Y *Racing Times* dwi'n feddwl!' meddai ynta, gan chwerthin wrth weld y newid sydyn yn ei gwyneb.

Chwarddodd Alex hefyd. Yn raddol, roedd hi'n dod i adnabod y dyn yma'n well, ac i gael argraff ychydig mwy ffafriol ohono hefyd. Byddai wedi bod yn well ganddi, serch hynny, pe bai ei lygaid crwydrol yn rhoi llai o sylw i'w chlun noeth.

'Ta beth, ma *Inde* ddo' 'da fi ar y sêt gefen. Dylech chi ddarllen yr erthygl sydd yndo fe.'

Addawodd ynta neud hynny pan gâi gyfle.

Roedd yn tynnu am dri o'r gloch arnynt yn cyrraedd Crosshands, ac yn fuan wedyn gadawodd y Freelander y ffordd ddeuol am un fwy gwledig. Lai na deng munud yn ddiweddarach, pwyntiodd Alex at glwstwr o adeiladau gwyngalch a sièd anferth yn y pellter ar y chwith. 'Pen y Tyle,' meddai.

Wrth droi i'r lôn gul rhwng cloddiau eithin, sylwodd Zen ar yr arwyddion 'Merlota' a 'Bistro' ond ni ddywedodd air, nes dod i olwg y tŷ. Yna, 'Uffar dân!' meddai, 'ddeudist ti ddim dy fod ti'n byw mewn palas.'

Chwarddodd Alex. 'Tŷ ffarm yw e, sbo, ond bod Tada wedi

gorffod arall-gyfeirio, a chymoni rhai o'r adeilade mas.'

O'i gymharu â'r croeso gwresog a roddodd Ambrose Morgan i'w ferch, claear ond cwrtais oedd ei groeso i Zen. Hawdd gweld nad oedd yntau, mwy nag Alex ar yr olwg gyntaf, yn or-hoff o agwedd or-hyderus – ddigywilydd ddywedai rhai – y Sais, nac o'i acen gocni drom. 'Ma fe'n OK, Tada,' sibrydodd Alex wrtho. 'Ma fe'n dishgwl yn wa'th nag yw e, wir.'

Funudau'n ddiweddarach, eisteddai Zen ar wely mawr meddal, yn syllu allan trwy ffenest fechan ar gaeau'n ymestyn tua'r gorllewin, efo gwrychoedd o liwiau'r hydref yn eu gwahanu. Ac wrth iddo wylio, daeth yr haul allan o du ôl cwmwl i roi rhyw wawr annaturiol wyrdd i'r ddaear. Gwrandawodd ar y tawelwch. Yna, daeth cyfarthiad ci o'r pellter a gweryriad ceffyl o gyfeiriad nes ato. Rhyfeddodd at drwch muriau hynafol y tŷ, syllodd yn werthfawrogol ar chwaeth y stafell, llanwodd ei ffroenau ag arogl ei chlydwch ac ag arogl fferm. Yna clywodd sŵn chwerthin oddi tano wrth i'r teulu gydrannu'r pleser o fod ynghyd unwaith eto a daeth yntau'n fwy ymwybodol nag erioed o'r unigrwydd yn ei fywyd ei hun.

'Zen! Dewch lawr pan 'ych chi'n barod.' Roedd Alex wedi dod i waelod y grisiau i weiddi arno a daliai i sefyll yno rŵan wrth iddo ddisgyn fesul gris tuag ati. 'Odi'r stafell yn OK ichi?'

'Pwy sy'n cysgu efo fi heno, ta?'

Gwelodd y cymysgedd o ddryswch a gwg yn dod dros ei gwyneb, a'i phen yn troi i weld a oedd ei rhieni o fewn clyw.

'Pardwn?' gofynnodd yn siarp.

Gwenodd ynta. 'Y gwely! Mae 'na le i bymthag gysgu ynddo fo.' Gallai gyfri, ar fysedd un llaw, sawl gwaith y cysgodd mewn gwely dwbwl erioed.

Lledodd ei gwên hitha, i ddangos rhes o ddannedd gwynion disglair. 'Dewch i gael dishgled. So ni'n ishte i swper tan saith.'

Cafodd groeso o'r newydd wrth gerdded i mewn i'r gegin, croeso mwy gwresog na chynt oddi wrth y tad, sylwodd. Ac er mai prin ei geiriau oedd y fam, roedd yna gynhesrwydd yn ei gwên. Rhaid bod Alex wedi bod yn siarad rhywfaint amdano, meddyliodd.

Yn ystod y munuda nesa, er mor dderbyniol y baned o de ac er yr annog cyson arno i ymestyn at y brechdana caws a ham, eto i gyd fe synhwyrai dyndra cynyddol yn yr awyrgylch, a hynny oherwydd ei bresenoldeb ef, yn fwy na thebyg.

'Diolch am y banad,' meddai o'r diwedd. 'Dwi'n gwbod bod gynnoch chi lawar iawn i siarad yn ei gylch, felly fyddech chi'n meindio taswn i'n mynd allan am dro?'

Erbyn iddo chwilio, roedd y merlod i gyd – cyfrifodd ddeunaw ohonyn nhw – mewn cae yn nhalcen pella'r sièd anferth. Roedd drysau dwbwl honno'n agored led y pen a dau lanc wrthi'n taenu gwellt glân dros ei llawr. Cododd y ddau eu pennau i edrych heb lawer o ddiddordeb arno, cyn troi'n ôl at eu gwaith. Treuliodd ynta rai munuda yn mwytho pennau'r ddwy ferlen oedd wedi crwydro draw at y giât lle safai.

Yna, o dow i dow, croesodd y buarth a dilyn ffordd drol i fyny pwt o lechwedd. O boptu iddi, tyfai coed drain, a gweiriach trwchus yn eu cysgod. Brefodd dafad yn ei ymyl a chyfarthodd ci, eto o bell. Rhyngddo ag amlinell y bryniau yn y pellter, codai ambell goedlan fechan i dorri ar wyrddni hwyr y caeau, ac fel yr edrychai i'w cyfeiriad, daeth yr haul allan eto o du ôl cwmwl a thanio lliwiau hydrefol eu dail. Aeth yr olygfa â'i wynt am eiliad, yna trodd eto at y llechwedd gan lenwi ei sgyfaint efo pob anadl. 'Iach!' meddai, gydag arddeliad. Pa air arall oedd i ddisgrifio'r peth? Roedd y profiad yn gwbwl newydd iddo. Dim ond mewn ffilm roedd o wedi gweld pobol yn byw mewn lle fel hyn ac am y tro cynta erioed, sylweddolodd mor gyfyng ac mor fyglyd, ac mor ddiflas hefyd, oedd bywyd Llundain. *Be na rown i am gael byw mewn lle fel hwn,* meddyliodd, gan synnu yr un pryd bod cocni-i'r-carn fel fo yn gallu meddwl y fath beth.

Cyn hir, roedd y ffordd drol yn ymuno â lôn fach wledig, un heb fod yn ddigon llydan i ddau gar basio'i gilydd arni. Roedd y cloddiau efo'u tyfiant trwchus o goed drain a chriafol yn dalach nag ef ac nid oedd dim i'w weld ond y twnnel ffordd o'i flaen.

Rhaid ei fod wedi cerdded hanner milltir neu ragor cyn dod i olwg bwlch yn y clawdd. Mi a' i cyn belled â nacw, meddyliodd, ac wedyn mi a' i'n ôl am y tŷ.

Y peth cynta a'i trawodd oedd y blerwch o gwmpas yr adwy. Doedd dim giât i gau ar y bwlch ac roedd y gwair wedi'i sathru bob sut, a phapurau a photeli plastig yma ac acw, yn boen i'r llygad. Cymerodd gam neu ddau i mewn i'r cae a dod i olwg carafán racslyd a fan wen, flynyddoedd oed, yn swatio yn ymyl y gwrych. Roedd mwy fyth o sbwriel o gwmpas y rheini. 'Pwy ydi'r mochyn sy'n byw yn fa'ma, tybad?' gofynnodd iddo'i hun, gan graffu'n feirniadol i'r cyfeiriad.

Dyna pryd y dechreuodd y ci gyfarth a llamu allan o gysgod y garafán – alseshan hirflew, du bron. Yn reddfol, camodd Zen at yn ôl wrth ei weld yn rhuthro amdano ond yna gwelodd yr anifail yn dod i ben ei dennyn hir ac yn cael ei ddal ar ganol llam nes bod rhaff y goler am ei wddf yn ei dagu am eiliad. Ond ni rwystrodd hynny'r ci rhag ailddechrau tynnu a sgyrnygu a noethi ei ddannedd. Daeth sŵn gweiddi dig o'r garafán – 'Gad dy lap y cythrel swnllyd!' – cyn i ddrws honno gael ei chwipio'n agored ac i berchen y llais – horwth o ddyn di-raen yr olwg – ymddangos yno a thaflu tun gwag at yr anifail lloerig. Dyna pryd y sylwodd ar Zen yn edrych arno. 'Pwy yffach wyt ti, 'te? A be gythrel ti mo'yn?' Roedd wedi sythu i'w lawn daldra ac wrth iddo gymryd cam bygythiol i lawr grisia'r garafán sylwodd Zen ar y ddrwgdybiaeth oedd yn llenwi'i wyneb. 'So ti ishe twmlo dannedd Rebel yn cnoi dy goese, wyt ti?'

Roedd y dyn yn feddw ac ni thrafferthodd Zen ei ateb. Yn hytrach, wedi syllu'n wawdlyd arno am eiliad neu ddwy, trodd draw ac anelu'n ôl am y fferm. Daliai'r ci i goethi, a daliai'r meddwyn i weiddi.

'Dydi'r East End ddim mor ddrwg wedi'r cyfan,' meddai wrth y cloddiau o boptu iddo.

Pennod 10

Fferm Pen-y-Tyle, Sir Gaerfyrddin

Er mor fawr ac er mor gyfforddus y gwely, ac er cyn lleied o gwsg a gawsai neithiwr, bu'n effro lawer iawn o'r noson honno hefyd, wrth i helyntion y dyddia diwetha fynnu dod yn ôl i chwarae ar ei feddwl. Ceisiodd ail-fyw pob profiad yn ei fanylder, gan ddechra efo'r Sul hwnnw yn Hyde Park. Gallai weld gwyneb gwlyb y ferch yn eitha clir a gwelodd eto'r llaw fechan wen yn cynnig y papur a'r feiro iddo. Biti na fyddai wedi sylwi'n fanylach ar y cyfeiriad oedd ar y papur – byddai hynny wedi rhoi llai i'r bastad Holmes 'na refru yn ei gylch. Gwelodd eto hefyd y dyn ifanc – bachgen? – yn siâp tywyll yn y niwl a'r gwn yn pwyntio'n fygythiol. Clywodd eto si y fwled.

Dim ond un eglurhad oedd! Pwy bynnag oedden nhw, roedden nhw wedi'i gamgymryd o am Stephen Smythe. 'Ond diawl erioed,' meddai wrth y nos o'i gwmpas, 'pwy fasa'n gneud camgymeriad mor wirion? Roedd 'na jest i chwartar canrif o wahaniath oed rhwng Smythe a finna.'

Gadawodd i'w gof, wedyn, fynd ag ef yn ôl i Balas Westminster, ac allan ar y Teras yn fan'no. Doedd dim amheuaeth yn ei feddwl nad o do Ysbyty St Thomas y cafodd y fwled a laddodd Stephen Smythe ei thanio. Felly, pam bod

Bluto wedi deud fel arall? 'I achub ei blydi croen, siŵr Dduw! I guddio'r ffaith ei fod o'n hannar cysgu . . . fel arfar!' Ond roedd Holmes hefyd wedi bod yr un mor daer nad ar do'r ysbyty yr oedd yr asasin yn cuddio. Ar ba sail? A chwestiwn pwysig arall i'w atab oedd hwn – Ai'r bachgan efo'r gwn yn Hyde Park oedd yr un a lofruddiodd Stephen Smythe ar y Teras? Digon posib nad amatur mohono fo, wedi'r cyfan. 'Oni bai i mi lithro ar y llwybyr, mi allai'r fwled yn hawdd fod wedi mynd yn syth trwy 'mhen i.' Ond y ferch a daniodd at gar y Gweinidog wrth y Carriage Gates. Amatur oedd hi yn reit siŵr.

Fe gysgodd o'r diwedd, ond cwsg aflonydd ac anesmwyth oedd o, yn llawn hunllefau bychain. Mewn un hunlle gwelai ei hun mewn llys barn yn aros am y ddedfryd, a'r barnwyr – rhes ddiddiwedd ohonyn nhw – yn estyn am eu capiau duon, nad oedd yn gapiau o gwbwl – ac fel un llais yn cyhoeddi'r gosb eitha. Gwelodd y wên wamal ar wyneb pob un. Roedd Holmes yno – *Crocbren!* meddai ei hen geg fain. Roedd Roylance yno hefyd – *Crocbren!* meddai hwnnw hefyd, ond yn llai parod. *Y gadair drydan!* meddai'r Pen Moel. *Rwbath, cyn bellad â'i fod o'n cael ei ladd!* meddai Wyatt y *Clarion*. *Nwy!* meddai Sadoun Majid, heb sychu'i geg. *Taflu'r cythrel i'r cŵn!* gwaeddodd y meddwyn mawr o'r garafán . . . Ac Alex? Chafodd o ddim clywed ei dedfryd hi. Roedd wedi deffro yn chwys oer drosto.

Arhosodd nes clywed pob un o'r teulu'n codi, yna cododd ynta hefyd ac wedi molchi a siafio a thacluso'i wallt gwisgodd yr un dillad â ddoe, gan nad oedd ganddo ddewis arall, ac aeth i lawr y grisia am ei frecwast. Ar y cychwyn, tybiodd fod Alex a'i thad yn ffraeo; roedd sŵn taeru yn eu lleisia ond ni allai ddeall gair o'r hyn oedd yn cael ei ddeud. Synnwyd ef yn fawr gan hynny. *Double Dutch!* meddai wrtho'i hun.

'Wi'n mynd i weud 'tho fe, ta beth. So fe'n mynd i ga'l bod yn boen i chi a Mam. Bydd raid iddo fe symud bant.' Dyna pryd y clywodd hi sŵn ei droed tu ôl iddi. 'A! Zen!' meddai, fel pe na bai'r gwestai wedi torri ar draws dim byd o dragwyddol bwys. 'Gysgoch chi, 'te?' A chyn aros am ateb, 'Dewch at y ford.

R'yn ni'n barod i ga'l brecwast.'

Sodrwyd plataid anferth o gig moch, dau wy, madarch a bara saim o'i flaen.

'So chi'n feji gobitho?' Awgrymai ei gwên ei bod yn gwybod yr ateb eisoes.

Yn ystod y pryd, meddai hi: 'Wi ofon y bydd raid ifi ohirio ein sgwrs tan y prynhawn, Zen. Ma 'da fi rwbeth arall i neud bore 'ma.'

'Na, Angharad! Ma Joni Jipsi a'i gi yn lawer rhy ddanjerus. Ma'n ypseto dy fam i feddwl bod ti'n mynd i weld e.'

'Ma'n ypseto chi'ch dou lawer mwy i ga'l y cythrel yn neud fel ma fe moyn ar y Weirglodd Ucha. Sa i'n mynd i odde fe rhagor.'

'Allech *chi* mo'i darbwyllo hi 'te, Mr Smith?'

Gan nad oedd wedi deall gair o'r sgwrs, edrychodd Zen yn syn wrth i'r cwestiwn Saesneg gael ei anelu ato. 'Wel, pe bawn i'n gwbod be 'di'r broblem . . . '

'Ma 'da ni rywun wedi parco'i garafán ar y Weirglodd Ucha a ma fe'n gwrthod symud bant . . . '

'O! Mi welis i fo bnawn ddoe.'

'Do fe, wir? Fe weloch chi, felly, shwd ddyn yw e, a shwd un mor ffiedd yw 'i gi e. A nawr ma Angharad yn bwriadu mynd i weud wrtho fe bod rhaid iddo fe symud bant. Fe fydd e'n grac. Gwedwch wrthi hi, wir!'

'Fe a' i efo hi, os liciwch chi.'

Aeth y stafell yn dawel am eiliad. Yna, 'Nelech chi 'ny? Wir, Zen?'

Alex oedd yn gofyn, a synnodd ynta at y taerineb yn ei llais.

'Siŵr iawn!' Pe bai'n onest, byddai wedi cyfaddef ei fod yn ysu am gael rhoi llond cetyn i'r mochyn blêr hwnnw, beth bynnag, am y ffordd roedd o wedi bygwth ei gi arno fo. Trodd at Ambrose Morgan: 'Fe sylwis i ar ddau hogyn yn gweithio yn y sièd bnawn ddoe. Roedden nhw'n gwisgo menig gwaith. Fyddai posib cael benthyg un o'r rheini?'

Edrychodd tad Alex yn rhyfedd arno. 'Wrth gwrs 'ny,'

meddai o'r diwedd. 'Af i i nôl pâr ichi nawr.'

'Na, fydd dim angan y pâr! Dim ond y faneg chwith.'

Cafodd edrychiad od wedyn hefyd, oddi wrth y tri ohonyn nhw, ond aeth y tad i nôl y faneg.

Ar eu ffordd i fyny am y Weirglodd Ucha, cafodd Zen dipyn o hanes Joni Jipsi gan Alex ac fel roedd hwnnw wedi bod yn gymaint o niwsans yn yr ardal dros y blynyddoedd.

'Ond sa i'n diall beth 'ych chi'n bwriadu'i neud 'da'r faneg, Zen?'

Roedden nhw'n nesu at y bwlch yn y clawdd, erbyn hyn.

'Fe gei di weld,' meddai. *Gobeithio, beth bynnag!* ychwanegodd yn ei feddwl. Gwyddai y gallai setlo'r dyn, er mor fawr oedd hwnnw, ond roedd y ci yn fwy o ddychryn iddo. Yn ystod ei gyfnod yng Ngogledd Iwerddon, roedd wedi gwylio un o'i filwyr ifanc yn setlo alseshan ffyrnig, tebyg i'r un yr oedd o'n bwriadu'i daclo rŵan. Mab i filfeddyg yn Ardal y Llynnoedd oedd hwnnw, ac roedd wedi dysgu'r tric oddi wrth ei dad, medda fo. *Dim ond gobeithio y bydd y tric yn gweithio i minna, hefyd, dyna i gyd!*

'Rŵan, aros di yn fa'ma, Alex!'

Tynnodd y faneg drwchus am ei law cyn camu drwy'r bwlch i'r cae. Gorweddai'r alseshan yng nghysgod y garafán ond gynted ag yr ymddangosodd Zen drwy'r bwlch, neidiodd i'w draed a dechrau chwyrnu a choethi am yn ail â thynnu'n lloerig wrth ei raff, yn union fel ddoe.'

'Cau dy ben y jawl uffarn!' meddai'r floedd flin o'r garafán.

'Bydd di'n garcus, Zen!' sibrydodd Alex yn bryderus tu ôl iddo, wrth weld gwrychyn y ci yn codi mor barod.

'Ti, 'to?' Roedd y llabwst wedi ymddangos unwaith eto yn nrws ei garafán. 'Fe wedes wrthot *ti* lle i fynd ddo'. So ti'n drwm dy glyw, gobitho?'

Edrychodd Zen arno trwy lygaid culion. 'A!' meddai'n wawdlyd. 'Ac mi'r wyt ti'n sobor heddiw, wyt ti? Da iawn hynny, oherwydd dwi isio iti ddallt yn iawn be dwi'n ddeud wrthat ti rŵan.' Cododd fys bygythiol a'i bwyntio at Joni Jipsi.

'Dwi isio chdi, dy fwngral a dy sgrap o garafán allan o'r cae 'ma yn ystod y chwartar awr nesa, ac allan o'r ardal hefyd cyn nos. Ydi hyn'na'n ddigon clir i dy ben mwd di?'

Gwelodd lygada'r horwth yn agor led y pen, fel pe bai'n methu credu'i glustia. Roedd yr acen gocni, yn ogystal â'r hyfdra, wedi ei synnu. Yna, wedi dod dros y sioc, mewn dau gam roedd Joni Jipsi i lawr grisiau'r garafán ac yn ffwlbala efo cwlwm y rhaff wrth wddw'r ci. 'Y bastad digwily. Gwed ti 'na 'to . . . wrth Rebel y tro 'ma!'

Rywle o'i ôl, clywodd Zen Alex yn cymryd ei gwynt yn swnllyd drwy'i dannedd ac yna'n ei ddal yn ei dychryn, ond ni thynnodd o ei lygad am eiliad oddi ar y ci. Cofiodd gyngor y milwr bach yn Iwerddon – 'Efo'r ên isaf mae alseshan yn brathu, sarj. Cydiwch chi'n ddigon tyn yn honno a fydd o ddim yn medru brathu fawr ddim. Wedyn, cosbwch o'n iawn yn ei drwyn. Tynnwch waed, ac fe gewch lonydd ganddo fo byth wedyn, coeliwch fi.'

Wrth i Joni Jipsi ryddhau Rebel, safodd Zen â'i goesau ar led i gadw'i gydbwysedd, yna daliodd y llaw yn y faneg allan o'i flaen, efo'i chledr at y ddaear. Yn ôl y disgwyl, aeth y ci yn syth amdani. Yna, fel y caeai'r safn drosti, gwasgodd Zen â'i holl nerth am yr ên isaf a brwydro i ddal ei afael ynddi wrth i'r anifail ffyrnigo a strancio i ddod yn rhydd. Teimlodd y dannedd uchaf yn gwasgu am y faneg ond heb y nerth i dorri trwyddi at y croen. Yna, efo dwrn ei law dde fe ddechreuodd bwyo'r anifail yn ei drwyn, a dal ati ac ati nes ei fod yn gwichian fel mochyn mewn lladd-dy. Saith, wyth dyrnod cyn i'r gwaed cynta ddechrau rhedeg, yna un arall i brofi i'r ci pwy oedd y mistar. Yna, yn araf ac yn betrus, gollyngodd ef yn rhydd, gan hanner ofni ymosodiad arall ganddo. Ond ni fu'n rhaid iddo boeni. Gan grio fel babi, sgrialodd Rebel yn ôl heibio'i berchennog a gwthio o'r golwg o dan y garafán, i barhau â'i nadu yn fan'no.

'Diolch i Dduw!' meddai Zen wrtho'i hun. 'Rŵan am y llall.'

Safai Joni Jipsi yn llonydd syfrdan, fel pe bai'n methu credu yr hyn yr oedd newydd ei weld yn digwydd, ond daeth ato'i hun yn sydyn ddigon pan welodd Zen yn brasgamu tuag ato. Fel pob bwli mawr, cachgi oedd ynta yn y bôn a buan y dangosodd hynny rŵan trwy faglu at yn ôl, wysg ei gefn.

'Paid ti mentro twtsh yno' i. Ti'n clywed? Neu fe fydda i'n mynd at y polîs, ti'n clywed.'

Ond roedd Zen o fewn hyd braich iddo erbyn hyn a thaflodd ddwrn yn syth i'w gylla meddal. Cawr neu beidio, plygodd y cradur i'w ddwbwl yn syth, yn nadu llawn cymaint â'i gi. Yna roedd yn chwydu'i berfedd dros y borfa wrth ei draed.

Arhosodd Alex a Zen yn ddigon hir i wylio'r fan rydlyd, a'r garafán i'w chanlyn, yn diflannu heibio'r tro yn y pellter. Yna'n reddfol, trodd hi ato a gwasgu ei fraich yn ddiolchgar. 'Sa i'n gwbod shwt i ddechre talu'n ôl iti, Zen. Wi mor ddiolchgar, wir.'

'Paid â phoeni. Mi feddylia i am rwbath.'

Trodd Alex draw rhag gorfod edrych i'w lygaid chwareus. 'Wi'n bwriadu neud popeth alla i i gliro dy enw di.'

'Wel, mi fydd hynny'n gychwyn, mae'n siŵr,' meddai ynta, a'r direidi'n dal yn ei lais, 'ond mae dy ddylad ti imi yn llawar iawn mwy na hynny, cofia. Ond fel y deudis i, mi feddylia i am rwbath, paid â phoeni.'

* * *

Yn ôl ym Mhen y Tyle, bu Ambrose Morgan gryn amser cyn gallu derbyn bod Joni Jipsi wedi gadael, unwaith ac am byth, ond pan wnaeth, roedd ei ryddhad mor amlwg â'i ddiolch. Yna, ar ôl cinio, anfonwyd y ddau was i fyny i glirio'r llanast a adawyd ar ôl ar y Weirglodd Ucha. Methai Alex â pheidio gwenu, am y gwyddai na fyddai Joni Jipsi, ymhen diwrnod neu ddau, yn ddim mwy nag atgof annymunol i'w rhieni.

'So ti'n credu y dylen ni ddechre trafod dy broblem di, nawr?'

Roedd y bwrdd wedi'i glirio a'r llestri i gyd wedi cael eu golchi.

'Llawn cystal, am wn i,' cytunodd Zen, ac enciliodd y ddau i'r parlwr lle caen nhw lonydd i siarad.

'I ddechre, ti'n credu bod gan yr Iraciad – beth o'dd 'i enw fe? – rwbeth i neud â'r busnes?'

'Majid ti'n feddwl? Sadoun Majid?' Roedd sŵn poeri yn y ffordd y dywedai Zen yr enw. 'Be wyt ti'n ofyn, felly? Fod Majid yn rhan o'r cynllwyn i lofruddio Stephen Smythe?'

'Dim cyment 'ny, falle, ond o'dd digon o bobol yn protesto bod Smythe yn rhoi croeso iddo fe. So ti'n credu y galle rhywun felly dwmlo'n ddigon crac i . . . ? '

'Na.' Ni allai swnio'n fwy pendant. 'Sôn am amaturiaid wyt ti yn fan'na eto ond doedd yr asasin yma ddim yn amatur o bell ffordd, coelia di fi. Roedd o wedi bod yn cynllunio ymhell cyn i neb wbod bod Majid yn dod i'r wlad o gwbwl.'

'A so ti'n credu chwaith taw'r ddou driodd dy saethu di yn Hyde Park na'th 'i lofruddio fe?'

'Nacdw.'

'Dwed 'te, Zen. Shwd ddyn o'dd Stephen Smythe? Be ti'n wbod obeutu fe?'

'Bygyr ôl, a deud y gwir.'

Estynnodd Alex ôl-gopi o'r *Independent* o'i bag a'i daflu ato.

'Wel 'te, so ti'n credu y dylet ti ddechre nawr? Darllen erthygl Fisk i ddechre.'

'Oes raid imi? Ro'n i . . . ym . . . wedi meddwl mynd i redag. Dydw i ddim wedi cael cyfla ers tro. A sut bynnag, Alex, dydw i ddim yn ddarllenwr mawr, sti.'

Gwenodd hitha mewn cydymdeimlad. Roedd y busnes efo Joni Jipsi wedi ei neud yn dipyn anwylach yn ei golwg. 'O! Iawn 'te! Ond cyn iti fynd bant, wi moyn tshèco rhai ffeithie 'da ti, o ran beth ddigwyddodd ar y Teras y dwyrnod 'ny!' Ac estynnodd ei llaw allan, iddo roi'r papur yn ôl iddi. 'Wi jyst moyn tshèco 'da ti a odi beth ma'r Wasg wedi bod yn weud yn gywir.' Yna, dechreuodd ddarllen yn uchel, hanes y saethu ei hun a'r manylion a roddwyd i'r Wasg wedyn.

Ymhen sbel, torrodd Zen yn gynhyrfus ar ei thraws. 'Aros!' meddai. 'Be oedd hyn'na am y fwled yn cael ei thanio o gefn lorri?'

Synnodd Alex braidd at y cwestiwn. 'Ddarllenest ti mo dy *Sun* ddo' 'te?' gofynnodd yn wamal. 'O'dd dou ne dri o'r papure'n cario'r stori, w. Pob un yn gweud taw o gar neu gefen lorri y ca's y fwled 'i sithu.'

Agorodd llygaid Zen yn anghrediniol. Roedd y manylyn gwybodaeth yn newydd hollol iddo. Er iddo daflu cip trwy sawl papur fore ddoe, nid oedd wedi darllen dim un adroddiad yn fanwl, ac eithrio'r un amdano fo'i hun yn y *Clarion*.

'Sut ddiawl fedran nhw ddeud hyn'na? Fedar 'na ddim car na lorri fynd ar hyd yr Albert Embankment, siŵr Dduw, o flaen y sbyty! *Does* 'na ddim ffordd fawr yn fan'no!'

'S'neb 'di gweud dim obeutu'r Albert Embankment. Fe ga's y fwled 'i sithu rwle oddi ar y Westminster Bridge Road.'

Daliai Zen i rythu ond cynhyrfodd hefyd rŵan. 'Ma hyn'na'n blydi nonsens!' meddai. 'Fi oedd yn cadw golwg ar y ffordd dros y bont a dwi'n blydi siŵr na chafodd 'na'r un fwled ei thanio oddi ar honno, ac yn reit siŵr ddim allan o gar, oherwydd fedrai neb mewn car weld dros wal y bont i ddechra cychwyn, heb sôn am fedru anelu'n ddigon hir i yrru bwled trwy galon Stephen Smythe. A hyd yn oed petai'r asasin mewn lorri uchel, sut ddiawl fydda fo wedi gwbod yn union pryd i gyrraedd yno? Châi o ddim parcio'i lorri yn fan'no, siŵr Dduw!' Oedodd eiliad eto i feddwl. 'Ac rwyt ti'n deud bod pob papur yn deud yr un peth?'

'Dou neu dri, odw.'

'Felly, dyna'r datganiad swyddogol aeth allan i'r Wasg?' Gwyliodd hi'n codi'i hysgwydda i awgrymu'r posibilrwydd, yna trodd at y ffenest ac edrych allan trwyddi'n fyfyrgar. 'Wyst ti be, Alex? Mae 'na rwbath yn od uffernol yn fa'ma! Yn drewi hyd yn oed!'

Mygodd Alex ei gwên, yn ogystal â'r blys i dynnu'i goes am

fod yn paranoid. Yn hytrach, aeth ar drywydd arall: 'O'dd Stephen Smythe yn berson go sbesial, wedwn i.'

'Sbesial? Ym mha ffordd, 'lly? Roedd o'n ddiawl swta, mi ddeuda i gymaint â hyn'na wrthat ti. Mi welis i ddigon arno fo o gwmpas Westminster ond fydda fo byth yn deud *Bora da!* na *Phnawn da!* na diawl o ddim; jyst yn dy basio di fel 'tait ti'n lwmp o gachu, hyd yn oed petai ond y fo a chdi ar y coridor neu yn y *Lobby* ar y pryd. A dwi'm yn meddwl imi erioed weld y diawl yn gwenu.'

'Ddylet ti ddim siarad yn amharchus am y meirw, w!' Ond gwên yn hytrach na cherydd a glywai ef yn ei llais. 'Yn ôl Robert Fisk, ro'dd e'n ddyn streit iawn, byth ofon barnu neb – aelode'i blaid e 'i hunan, a hyd yn o'd y Prif Weinidog a'i gyd-aelode yn y Cabinet. Do'dd neb yn saff rhagddo fe, yn ôl Fisk, a ro'dd llawer yn synnu na fydde Tony Blair wedi ca'l 'i wared e ers ache.'

Chwarddodd Zen yn chwerw. 'Wyt ti'n meddwl falla mai un o'r rheini ddaru'i saethu fo? Y Prif Weinidog, o bosib?'

Gwenodd Alex hefyd. 'Dyna fydde stori dda, so ti'n credu? Ond siriys, Zen . . . ro'dd Stephen Smythe yn gallu hala pobol yn grac, ma'n debyg. Ma Fisk yn gweud os o'dd e wedi cymryd rwbeth o dan 'i hat, o'dd e fel terier wedyn; nele fe ddim gollwng gafel nes bod e'n ca'l y gwir, neu nes cele fe'i ffordd 'i hunan. Ro'dd lot yn y Gwasanaeth Suful yn Whitehall yn 'i ofon e o ddifri medde Fisk, ac yn 'i gasáu e â chas perffeth.'

'Hm! Digon o rai i'w hama yn fan'no hefyd, felly! Ond nid profi pwy na'th sy'n bwysig i mi, Alex, ond profi nad oedd gen i fy hun uffar o ddim i'w neud â'r peth.'

'Sa i'n credu y dylet ti boeni gormod obeutu 'ny. Sa i'n credu y daw dim byd o'r peth.'

'Dim byd o'r peth?' Swniai fel petai'n methu credu'r gair o gysur yr oedd hi'n ei gynnig. Cododd eto a mynd draw at y ffenest. 'Dwi wedi colli'm job, mwy na thebyg, ac mae'r papura cystal â 'nghyhuddo fi o fod yn rhan o ryw gynllwyn na wn i ddiawl o ddim byd yn ei gylch. Fi, os medri di'u credu nhw, ydi *public enemy No. 1*, ac eto rwyt ti'n trio deud rŵan na ddaw dim byd mwy o'r peth.'

'Sorri, Zen. Nes i ddim meddwl. Ta beth, fe wedwn i, felly, taw'r unig ffordd i ddangos nad o'dd 'da ti unrhyw beth i neud â'r llofruddieth yw trwy dreial profi pam y ca's Stephen Smythe 'i lofruddio. Bydde hynny'n haws na ffindo'r asasin, so ti'n credu?'

Daeth ynta'n ôl o'r ffenest a gollwng ei hun i'r gadair freichiau gyferbyn â hi, unwaith eto. 'Dyna'r atab amlwg i *ti*, Alex.' Swniai'n chwerw. 'Ond sut gythral ma rhywun fel fi yn mynd i ddechra gneud peth felly? Nid blydi ditectif ydw i, cofia.'

'Wi 'di penderfynu shwt.' Ei thro hi oedd codi rŵan a dechreuodd gerdded o gwmpas y stafell, i feddwl. 'Os ti'n credu bod rwbeth ffishi'n mynd mla'n, ma'n rhaid inni ddechre 'da Stephen Smythe ei hunan, so ti'n credu? Felly, fe nawn ni ymchwil arno fe.'

Unig ymateb Zen oedd crychu'i dalcen ac edrych yn amheus.

'Ti'n gwbod be licen i neud, Zen?' Roedd ei llygaid wedi bywiogi efo pa syniad bynnag oedd newydd groesi ei meddwl. 'Fe licen i ga'l amser bant gan y *Chronicle* i neud 'mbach o waith *freelance*. Wi'n siŵr y bydde'r golygydd yn cytuno i fi neud 'ny, os taw'r *Chronicle* fydde'n ca'l y cynnig cynta wedi 'ny ar f'erthygle. Ne'n well fyth w, fydde ffindo rhyw ongl newy ar y busnes Smythe 'ma – rwbeth so hyd yn o'd Robert Fisk yn gwbod dim obeutu fe 'to – a falle y bydde'r *Chronicle* wedyn yn folon talu ifi ddilyn y stori fel licen *i*.'

'Grêt!' Ond sŵn gwamal – chwerw hyd yn oed – oedd yn y gair.

'Felly,' meddai, gan estyn ffeil o'i bag, 'wi'n mynd i ddechre whilo nawr. Ma 'da fi dipyn o stwff am Smythe fan hyn, wedi'i godi oddi ar y Rhyngrwyd. A wedi i ti ddod 'nôl o jogo, wi moyn i ti ddarllen erthygl yr *Inde* am Stephen Smythe, rhag ofon bod rwbeth yn fan'ny, 'fyd, 'se'n gallu'n helpu ni.' A heb aros iddo gytuno neu beidio, dechreuodd ddarllen, gyda phensel yn ei llaw i farcio yn yr ymyl-ddalen unrhyw wybodaeth o ddiddordeb.

Daeth golwg *Be wna i?* dros wyneb Zen. Fedra fo ddim meddwl, rŵan, am fynd allan i redeg a'i gadael hi efo'r gwaith i gyd. Be fyddai ei rhieni'n feddwl ohono? Yn ddi-ffrwt, estynnodd am yr *Independent* a dechra chwilio am erthygl Fisk, tra smaliai Alex beidio sylwi. Syrthiodd tawelwch llethol dros y parlwr ac aeth y munuda hirion heibio.

'Uffar dân!'

Cododd ei phen wrth glywed y cynnwrf yn ei ebychiad. 'Be sy'n bod, w?'

'Fedra i'm credu! Mae'r blydi peth yn fa'ma, o dan fy nhrwyn i!'

'Beth? . . . Beth sy dan dy drwyn di?'

'Y cyfeiriad! Dwi'n siŵr braidd mai dyma welis i!'

'Yffach gols, Zen! Am beth ti'n sôn, 'achan? Pwy gyfeiriad? A *ble* welest ti fe?'

'Hwn'na!' A chan ddal ei fawd ar y geiria, trosglwyddodd y papur iddi.

Darllenodd hitha'n uchel: *Toom-Kodi, Hilya Raekoya Plats, Tallinn.* Cyfeiriad Stephen Smythe – Stefan Zenovich Shmit – cyn iddo fe ddod i Bryden. Beth obeutu fe, Zen?'

'Diawl erioed! Dyna'r geiria welis i ar y papur roddodd yr hogan na imi yn Hyde Park . . . y papur oedd hi isio i mi'i lofnodi.'

Cynhyrfodd Alex hefyd, rŵan. 'Ti'n siŵr? Ti'n hollol siŵr?'

'Ydw, dwi'n meddwl mod i. A mwya'n y byd dwi'n meddwl am y peth, mwya sicir ydw i ei bod hi wedi'i ddangos o imi'n fwriadol.'

'O'dd hi am weld be fydde d'ymateb di?'

'Ia, digon posib. A dyma iti beth arall, Alex – Be ofynnodd hi imi oedd: *Yoo Steffan Zenoveech Shmeet?* A finna'n meddwl falla mai *Steffan Zendon Smeeth* oedd hi'n feddwl, ond ei bod hi wedi deud *Zendoneech* yn lle *Zendon.*'

Disgleiriai llygaid Alex yn gyffrous. 'A fe feddyliest ti taw *Smith* a nid *Shmit* o'dd hi'n geishio weud!'

'Do. Sut ddiawl o'n i i fod i wbod be oedd enw iawn Stephen Smythe, beth bynnag?'

'Wel, 'na brofi taw camgymeriad o'dd e yn Hyde Park.'

'Ia, diolch i Dduw! Falla y medra i rŵan roi'r gora i boeni am gael bwled annisgwyl yn fy nghefn.'

'Wi'n meddwl y dylsen ni ga'l cwpaned o goffi. So ti'n meddwl?' Roedd golwg hunanfodlon iawn arni, mwya sydyn. 'A wedyn wi'n mynd i ffono Tom Allen yn y *Chronicle* i weld be fydd 'da fe i weud, a wedyn wi'n mynd i weud wrth Mam a Tada bod ni'n gadel am Lunden peth cynta bore fory.' Gwenodd yn llydan wrth anelu am y drws. 'Wi'n credu 'fyd y dylen ni ga'l bishgid siocled 'da'n coffi. Be wyt *ti*'n weud, Zen?'

Pennod 11

Gwesty Olumpia, Tallinn, Estonia

'Gwastraff arian ddeuda i!'

'Beth? Dod 'ma i Estonia?'

'Nage, siŵr Dduw! Cymryd dwy stafall, dyna be. Mi fyddai *un* ddwbwl wedi gneud y tro'n iawn.'

Gwelodd hi'r direidi yn ei lygaid. 'Sawl gwaith ma'n rhaid i fi weud 'thot ti, Zen, taw perthynas blatonig sy'n mynd i fod rhynton ni? Bydd hi'n saffach fel'na. I fi, ta beth! A s'dim angen iti boeni am y bil, gan taw'r *Chronicle* fydd yn 'i dalu fe, ta beth.'

Doedd ond tri chwarter awr ers iddyn nhw gamu oddi ar awyren *Estonian Air* ym maes awyr Tallinn. Oddi yno cawsant dacsi i'r Hotel Olumpia ac eisteddai'r ddau wrth y bar, rŵan, Alex efo'i gwydraid o win coch a Zen efo'i wydraid yntau o lager oer.

Tipyn o sioc i Alex fu clywed Tom Allen yn cyd-fynd mor barod â'i chais iddyn nhw ddod yma ar gostau'r *Chronicle*. Ond nid ffŵl mo'r Golygydd Gwleidyddol chwaith, meddai wrthi'i hun. Roedd yn ŵr digon craff i sylweddoli potensial y stori oedd yn ei chynnig ei hun. Yr unig amod a roddodd oedd mai am ddwy stafell sengl y byddai'r *Chronicle* yn talu, amod y cytunodd Alex yn barod iawn â hi, er iddi wneud hynny dan chwerthin. Doedd Tom, chwarae teg i'w galon o, er yn gallu bod yn ddigon llym ei dafod â hi ar adegau, ddim am weld neb yn cymryd mantais ohoni. Daliai i'w thrin hi fel merch ifanc ddibrofiad ac roedd yr un mor warchodol ohoni heddiw ag ydoedd pan ddechreuodd hi gyntaf yn ei swydd, chwe blynedd yn ôl.

'Be nesa, ta?'

'Cwpla'r ddiod 'ma a mynd i whilo wedyn am y tŷ o'dd Stephen Smythe yn byw yndo fe, flynydde'n ôl. 'Da lwc, ni'n mynd i ddatrys rywfent o'r dirgelwch cyn nos.'

Roedd y pum niwrnod diwetha wedi bod yn llawn prysurdeb iddi, rhwng parhau efo'i hymchwil i gefndir Stephen Smythe a gneud y trefniadau ar gyfer y daith. Y broblem fwya fu cael fîsa i'r ddau ohonyn nhw ar y fath fyr-rybudd ond, yn hynny o beth, bu llysgennad Prydain yn Tallinn – merch o'r enw Sarah Squire – o gymorth mawr iddi. Zen – neu'n hytrach y swydd yr oedd ynddi – oedd wedi peri'r trafferth mwyaf. Y cwestiwn y mynnid cael ateb iddo oedd pam bod aelod o'r *Met* – ac o'r uned *SO11* yn arbennig – yn awyddus i ymweld â'r wlad o gwbwl, a hynny am gyfnod mor fyr? Ond, diolch i ddyfalbarhad Sarah Squire, ac i'r pwysa a roddodd y *Chronicle* ar lysgenhadaeth Estonia yn Llundain, fe ddaeth y ddwy fîsa i law a gallodd hitha wedyn drefnu'r hedfan o Gatwick i Tallinn. Yr hyn na soniodd hi air amdano wrth Zen oedd yr alwad ffôn a gafodd hi gan Tom Allen, y noson cynt, yn dweud am y neges oedd newydd gyrraedd y *Chronicle* – fel pob papur newydd arall, o ran hynny – oddi wrth wasanaeth newyddion Reuters, yn cyhoeddi bod yr heddlu yn awyddus i wybod hynt a helynt Mr Steven Zendon Smith, yr aelod o warchodlu Westminster y credid oedd â gwybodaeth bwysig yn ei feddiant ynglŷn â llofruddiaeth y Gweinidog Gwladol yn San Steffan. Roedd Mr Smith, meddid, wedi diflannu o'i fflat yn Tower Hamlets heb adael unrhyw gyfeiriad i neb allu cysylltu ag ef. Yn fwy damniol yn ei erbyn oedd y ffaith nad oedd Mr Smith wedi ceisio cysylltu â'i bennaeth yn Scotland Yard, chwaith. Er ei fod yn ei ffonio hi efo'r wybodaeth, doedd Tom Allen, serch hynny, ddim wedi rhoi unrhyw bwysa arni i ganslo'r daith ond mi oedd o wedi'i siarsio hi eto i fod yn hynod ofalus. 'A phaid â chael dy synnu os ceith Smith ei arestio yn Gatwick' oedd ei rybudd olaf iddi.

O ran Alex ei hun, roedd hi wedi pendroni llawer a ddylai hi ddeud ai peidio wrth Zen am neges Reuters ond yn y diwedd penderfynodd adael i betha fod, o leia nes iddyn nhw ddychwelyd i Lundain.

Er mawr ryddhad iddi, ni chaed ddim trafferth yn Gatwick a chyn gadael am Tallinn roedd hi wedi ffonio'i chartre o'r maes awyr, i holi ynghylch cyflwr diweddara ei mam ac wedi gorfod gwrando ar bryderon a rhybuddion di-rif ei thad. 'Wi'n falch bod 'da ti gwmni i fynd, cofia, ond wi am iti fod yn garcus, Angharad. Wi'n ddiolchgar iawn i Zen am be na'th e 'da Joni Jipsi ond ma fe'n ddierth iti serch 'ny, cofia. Felly, bydd di'n garcus, cariad.' Gwenodd hitha rŵan. Pam na fydda fo wedi deud yn blaen yr hyn oedd ar ei feddwl, sef: *Paid gadel iddo fe fynd â ti i'r gwely.* A beth oedd un o'r petha olaf roedd o wedi'i ddeud wrthi? – 'O'dd Douglas yn grac ofnadw pan ga's e wbod bod ti wedi bod gatre a ddim wedi cysylltu â fe o gwbwl.' Gwenodd Alex eto, ''Na beth yw rhieni, sbo!' meddai wrthi'i hun.

Roedd Zen, ar y llaw arall, ar ôl dychwelyd o dde Cymru, wedi bod ar bigau'r drain, ddydd ar ôl dydd. Ar y cychwyn, roedd wedi hanner gobeithio cael aros yn fflat Alex yn Bayswater, ar yr esgus i drafod cynlluniau â hi, ond roedd hi wedi bod yn gwbwl ddigyfaddawd ynglŷn â'r awgrym hwnnw ac wedi deud wrtho'n blwmp ac yn blaen nad oedd hynny'n opsiwn o gwbwl; ymateb a barodd iddo amau i ddechra – ofni hyd yn oed – ei bod hi'n hoyw. Ond buan yr ymresymodd na allai hynny fod yn wir, oherwydd ei bod hi, o leiaf unwaith – a'i thad, droeon – wedi cyfeirio at y *sboner* yng Nghaerfyrddin, sef y cyfreithiwr Douglas-rwbath-neu'i-gilydd. Ac eto, tra bu hi gartre, aeth hi ddim unwaith i'w weld o ac i Zen roedd hynny'n golygu bod gobaith o hyd iddo allu'i chael hi i'w wely.

Diolch i Duke, ni fu'n rhaid iddo fynd yn ôl i Tower Hamlets i wynebu pla'r *paparazzi* oedd yn cadw golwg ar ei fflat. Gwir na allodd gysgu rhyw lawer, ddim un noson, yn y gwely bync cul mewn bocs o lofft, ond o leia medrodd gadw'i lun a'i enw allan o'r papura. Yr anhwylustod mwya iddo – ac i Duke yn ogystal – fu gorfod osgoi'r Bow Bells, gan y gwyddent fod un, o leia, o'r *paparazzi* yn gwybod am ei hoffter o'r dafarn honno. Ond roedd digon o dafarna eraill i ddewis ohonyn nhw yn Shoreditch, pob un â'i siop bwci heb fod yn rhy bell. Gwrthododd y demtasiwn i gysylltu efo Gregory Roylance, nac unrhyw un arall yn Westminster, i gael clywed beth – os rhywbeth – oedd yn mynd ymlaen yno. Pe bai rhif ffôn cartre Stan Tipton neu Frank ganddo, yna byddai wedi rhoi galwad i'r naill neu'r llall ond gan nad oedd, yna rhaid fu bodloni ar wybod dim.

Fel yr aethai'r dyddiau heibio, cynyddu wnaeth ei rwystredigaeth a dwysáu wnaeth ei sarugrwydd a phan ddaeth galwad o'r diwedd oddi wrth Alex, i ddweud y bydden nhw'n gadael drannoeth am Tallinn, doedd neb – os nad Duke efallai – yn falchach na Zen.

'Well i ni ei siapo hi, so ti'n meddwl?'

Gwyliodd hi'n drachtio gweddill ei gwin; roedd ei wydryn ef yn wag ers meitin.

'Wi 'di holi'r lodes wrth y ddesg. S'dim syniad 'da hi am *Toom-Kodi* medde hi, ond taw enw stryd fydde raid iddo fe fod, ond ma *Hilya Raekoja Plats* lan yn yr hen ddinas. Sgwâr yw *plats*, siŵr o fod.'

'Pa mor bell, felly?'

'Obeutu cwarter awr.'

'Ar droed?'

'Ie.'

'Wel, ffwrdd â ni ta!'

Roedd yn hwyr brynhawn arnyn nhw'n camu allan o'r gwesty i'r niwl oer oedd wedi dod i dir oddi ar Fôr y Boltig a Gwlff y Ffindir. Tynnodd Alex ei hanorac yn dynnach amdani.

'Ma'n dipyn oerach 'ma na gatre,' meddai.

Yn ôl y cyfarwyddyd a gawsai Alex, dim ond dilyn eu trwynau oedd raid iddyn nhw ac anelu am y bryn y safai hen ddinas ganoloesol Tallinn arno. Blerwch digymeriad ar dir mwy gwastad oedd y Tallinn fodern.

'Wi 'di darllen peth o hanes y ddinas ar y Rhyngrwyd. Ma'n debyg taw o'r geirie *Taani linn,* yn golygu *castell Denmarcaidd,* y da'th yr enw. Ers y ddeuddegfed ganrif ma Estonia 'di ca'l 'i llywodraethu gan Denmarc, Sweden, y Ffindir, gan yr Almaenwyr yn ystod yr Ail Ryfel Byd a gan Rwsia wedi 'ny. Fe ga's hi 'i hannibynieth yn 1991.'

'Diddorol iawn,' meddai Zen, mewn llais oedd yn awgrymu'r gwrthwyneb.

Hyd yma, doedden nhw ddim wedi trafod o gwbwl beth i'w neud pan ddeuent o hyd i gyn-gartre'r diweddar Stephen Smythe ond rŵan, wrth ddringo o'r naill stryd goblog i'r llall, gofynnodd Alex y cwestiwn hwnnw.

'Curo ar y drws, siŵr Dduw! Be arall wnawn ni?' meddai Zen yn ei lais mwyaf ymarferol.

Ar ben yr allt, daethant i sgwâr bychan, hwnnw eto'n goblog ac yn anwastad iawn o dan draed. Roedd yno adeilad trawiadol ar y chwith ac eglwys ar y dde, efo dwy faner liwgar yn gorwedd yn llipa ar eu polion o boptu'i thŵr. Doedd dim tai, na phobol chwaith, i'w gweld yn unlle, felly doedd dim i'w neud ond mentro ymlaen drwy'r niwl, nes cyrraedd sgwâr bychan arall, mwy hynafol o lawer na'r llall, er hyned oedd hwnnw.

'Eglwys 'to!' meddai Alex.

Adeilad llai y tro hwn, llai rhodresgar hefyd, ond un a hawliai ganol y sgwâr, serch hynny. Gydag un ochor i'r eglwys, safai rhes o goed llwyfen, eu gwreiddiau yn bolio trwy wyneb coblog y sgwâr, a'u canghennau a'u brigau noeth yn crafangu yn y niwl oer uwchben. Nesaodd Alex at y drws.

'Eglwys y Crymdo!' darllenodd.

'Mae digon o dai yn fa'ma, beth bynnag.' Yn hytrach na'i

dilyn hi, roedd Zen wedi mynd i gerdded yn araf o gwmpas y sgwâr, i ddarllen yr enwau strydoedd a'r enwau tai oedd i'w gweld ar y waliau llwyd. 'Fa'ma yn rwla mae o iti, Alex! Clyw!' A dechreuodd ddarllen yn uchel: '*Toom-Kooli* ydi'r stryd 'dan ni newydd ddod ar ei hyd hi. Wedyn mae gynnon ni *Kiriku Plats, Toom-Rootli* . . . Mae pob man naill ai'n *Plats* neu'n *Toom* rwbath neu'i gilydd.'

Yn hytrach na'i ateb, fel pe bai hi'n talu'n ôl iddo am beidio gwrando ar ei sylw hi'n gynharach, parhaodd Alex i syllu o'i chwmpas gyda chwilfrydedd, wedi ymgolli'n llwyr yn awyrgylch arallfydol y lle. Gwnâi'r niwl ei orau i lyncu toeau'r tai llwyd a thŵr yr eglwys fechan ac roedd y gwyll cynnar yn bygwth creu drychiolaethau o'r coed.

'Bydd raid i ni 'i ffindo fe'n glou, Zen,' meddai, wrth sylweddoli bod tywyllwch yn ogystal â niwl yn cau amdanynt.

Wrth iddi ynganu'r geiriau, parodd sŵn traed iddi droi ei phen i gyfeiriad hen wraig wrth i honno ymddangos o'r caddug ym mhen pella'r sgwâr gan anelu am ddrws un o'r tai gyferbyn. Roedd düwch ei gwisg a'i throedio simsan yn ychwanegu at y dieithrwch iasol. Brysiodd Alex i groesi ei llwybyr. 'Ma'n flin 'da fi ond allech chi helpu, plîs? Wi'n whilo am *Toom-Kodi.* Ai ffordd hyn ma fe? . . . *Toom-Kodi?*'meddai wedyn.

Yn hytrach na'i hateb, edrychodd yr hen wraig yn amheus arni, os nad yn ofnus hefyd, cyn prysuro ymlaen heb ddeud gair.

'So hi'n diall Saesneg,' meddai Alex wrthi'i hun. 'Falle i fi godi ofon arni 'fyd.'

'Dyma fo! *Toom-Kodi*!'

Daeth llais Zen drwy'r gwyll o gornel ogleddol y sgwâr a brysiodd hitha i ymuno â fo.

Roedd yr arwydd i'w weld ar wal tŷ carreg bychan oedd yn un o res o dri ynghlwm wrth ei gilydd. A barnu oddi wrth gyflwr ei ddrws a fframiau ei ffenestri, doedd y rheini ddim wedi teimlo brws paent ers blynyddoedd lawer. Dim ond yn un o'r tai yr oedd golau i'w weld a thrwy lenni les trwchus yn fan'no gwelent hen wraig yn ei du yn troedio llawr y stafell.

'Falla bod yn rhaid iti fod yn hen fel pechod cyn y cei di fyw i fyny yn fa'ma,' mentrodd Zen yn wamal. 'Gad inni drio hon. Ydi'r llun gen ti?'

Aeth Alex i'w bag a dangos llun Stephen Smythe iddo, yna curodd yn ysgafn ar y drws. Pan na ddaeth ateb, camodd Zen at y ffenest a gweld yr hen wraig yn brysur wrth ryw orchwyl neu'i gilydd. 'Rhaid iti gnocio'n gletach! Ma hi'n drwm ei chlyw ne'n gwbwl fyddar.' Ac arhosodd i wylio tra curai Alex eilwaith. 'A! Ma hi wedi clywad rŵan!' Roedd yr hen wraig wedi codi ei phen mewn syndod neu ddychryn wrth glywed y sŵn curo ar ei drws ac roedd hi'n awr yn llusgo'i thraed allan o'r stafell.

Bu'n rhaid i'r ddau aros yn amyneddgar cyn i shifflan ysgafn y traed ddod i'w clyw, ac aros hydoedd wedyn i follt gael ei dynnu, yna un arall, ond o'r diwedd agorwyd cil y drws i ddangos gwyneb oedd â'i groen yn llwyd a rhychiog. Brith oedd y gwallt, a thrwchus, wedi cael ei gribo'n ôl yn dynn dros y clustiau. Daeth i feddwl Zen mai'r un lliwiau – du a llwyd – oedd yn gyffredin i bawb a phopeth o'i gwmpas.

'Esgusodwch fi,' meddai Alex wrth y gwyneb pryderus oedd hefyd yn llawn gofid a thristwch, 'ond allech chi'n helpu ni, os gwelwch yn dda?' Siaradai yn araf, gan obeithio bod yr hen wraig yn deall rhywfaint o Saesneg. 'R'yn ni'n whilo am wybodeth am rywun o'dd yn arfer byw yma . . . yn y tŷ hwn falle . . . flynydde'n ôl.'

'Mae'n amlwg nad oes ganddi hi syniad am be wyt ti'n sôn.'

' . . . Steffan Zenovich Shmit?'

Goleuodd y gwyneb fymryn a daeth rhywfaint o chwilfrydedd i'r llygaid trist.

'Dangos y llun iddi hi.'

Daliodd Alex lun y diweddar Stephen Smythe yn ddigon agos at gil y drws i'r hen wraig allu ei weld yng ngolau gwan y pasej tu cefn iddi. 'Odych chi'n 'i gofio fe?'

Yr eiliad nesaf, taniodd dicter pur o'r llygaid hen, yna roedd y drws wedi cael ei gau'n glep yn eu gwynebau a chlywent y ddau follt yn cael eu gyrru adre yn dipyn cyflymach nag y cawsant eu hagor.

'Be gythrel o'dd hwnna, 'te?' Roedd syndod a siom yn gymysg yn ei llais.

'Welist ti'r olwg ar ei gwynab hi? Welist ti'i llygada hi'n fflachio?'

'Ond ro'dd 'na ofon 'na 'fyd, so ti'n meddwl? Ond o leia ma hi wedi dangos 'i bod hi'n 'i gofio fe.'

'Gad inni drio eto.'

'Na, Zen. Paid!' Daliodd ei braich rhyngddo a'r drws, i'w rwystro rhag curo eto. 'Mae'n rhy hwyr nawr, w, a mae'n dywyll, a 'yn ni ishws wedi hala ofon arni hi. Well aros tan y bore, a dod â rhywun 'da ni, i gyfieithu.'

* * *

Ar ôl cyrraedd y gwesty, aeth Zen at y bar ac Alex at y dderbynfa i holi lle y gallent gael gwasanaeth cyfieithydd.

'Eich gobaith da chi yw . . . ym . . . tywysydd . . . ym . . . gwyliau,' meddai'r ferch yn fan'no mewn Saesneg clapiog, ac yn hytrach na chrafu am ragor o eiria, plygodd a ffwlbala o dan wyneb ei desg. 'A!' meddai hi'n fuddugoliaethus ymhen ennyd ac estyn cerdyn i Alex. '*Kristi Tarand. Tywysydd Ymwelwyr. (Siaredir Saesneg, Rwsieg, Almaeneg a Ffrangeg.*) Roedd yno rif ffôn hefyd, a gyda chaniatâd y ferch wrth y ddesg i ddefnyddio'r teclyn, medrodd Alex gysylltu â'r tywysydd, gan synnu ar yr un pryd mai merch ac nid dyn oedd Kristi Tarand, a merch glên a siaradus iawn at hynny. Addawodd honno alw amdanynt yn yr Olumpia am ddeg o'r gloch drannoeth.

Noswyliodd y ddau yn fuan wedyn ac wrth ddymuno 'Nos da' gwyrodd Zen ymlaen i roi cusan iddi ar ei boch. Pan welodd hi'n gwenu, cymerodd yr hyfdra i roi ei ddwylo ar ei hysgwyddau ac i'w chusanu hi'n fyr ar ei gwefusau. Yna, roedd y ddau ym mreichiau'i gilydd a'u tafodau'n cyffwrdd mewn cusan rywiol, wleb a honno'n un hir. Llithrodd ei ddwylo i lawr dros ei chefn, i wasgu'n ysgafn am ei phen-ôl a'i thynnu hi'n dynnach ato. Teimlodd hithau ei gynnwrf yn ei herbyn a daeth yn ymwybodol o'i hangen ei hun yn ogystal.

Llithrodd ei wefusau at ei chlust. 'Tyrd!' sibrydodd. 'Gad inni fynd i'r gwely.'

Yn ei pherlewyg, bu bron iddi ag ildio, ond wrth ddod yn fwy ymwybodol o'i daerineb i'w chael hi trwy ddrws ei lofft dechreuodd hithau dynnu'n ôl. Gallai glywed rhybuddion ei thad a Tom Allen yn adleisio yn ei phen.

'Na, Zen! Ddim heno.'

'Pam? Rwyt ti mor barod â finna, ddwedwn i. Tyrd o'na!' Roedd cwpan un llaw iddo'n dal i dynnu'n ysgafn wrth ei phen-ôl.

'Na!' Ysgydwodd ei hun yn rhydd. 'Ma'n flin 'da fi, Zen, ond ddylen i ddim bod wedi gadel i bethe fynd mor bell. Sori!'

Syllodd yn hir arni, yna trodd yn gyflym a heb air pellach ciliodd trwy ddrws ei stafell.

Gwyddai Alex ei bod wedi ei frifo. 'Damo!' meddai. 'Dyna'r peth olaf wi moyn 'i neud. Wi'n lico fe ormod i hynny.'

Pennod 12

Toom-Kodi, Tallinn, Estonia

Bu Kristi Tarand gystal â'i gair. Am bum munud i ddeg drannoeth cyrhaeddodd ei char wrth ddrws yr Olumpia a dringodd Alex a Zen i mewn iddo, Alex ati hi yn y sedd flaen a Zen i'r cefn. Roedd yn fore clir a rhewllyd, diolch i wynt dwyreiniol mis Tachwedd.

'Wi'n lico'ch cot chi, Kristi,' meddai Alex gan redeg ei llaw i lawr llawes feddal y dilledyn lledr melynfrown. 'A'ch hat ffwr 'fyd! Twym, wi'n siŵr?'

Ychydig o sgwrs a fu rhyngddi hi a Zen dros frecwast. Y peth cynta a wnaethai ef oedd ymddiheuro'n swta am y noson cynt ac addo peidio aflonyddu arni byth eto. Gan iddi ddisgwyl iddo fod yn bwdlyd, ac i hynny roi straen ar weddill eu hamser gyda'i gilydd, yna roedd yr ymddiheuriad yn rhywbeth i'w groesawu, meddyliodd, ac fe ddylai hi ei hun deimlo'n llai euog oherwydd neithiwr, ond sŵn edliw a sŵn pellhau a glywsai hi yn ei eiria.

'Fe awn ni yn y car cyn belled â *Lossi Plats* a cherdded oddi yno,' meddai'r tywysydd canol oed. 'A fydd hynny'n iawn gyda chwi?' Roedd ei Saesneg, er yn rhugl, yn boenus o gywir.

'Chi sy'n gwbod, Kristi,' meddai Alex.

Ni ddaeth ymateb o fath yn y byd o'r sedd gefn.

Gan fod Kristi am haeddu ei chyflog ganddynt, cawsant wybod am bob adeilad o bwys ar y ffordd ac am yr enwogion a anwyd neu a fu'n trigo mewn rhai ohonynt. Roedd hanes y ddinas ar flaenau'i bysedd a'i balchder o fod yn un o'i thrigolion i'w glywed yn barhaol yn ei llais. Dim ond Alex, fodd bynnag, a ddangosai unrhyw ddiddordeb.

'Mae'r cyfeiriad cyntaf at Tallinn y gwyddom ni amdano yn mynd yn ôl i'r flwyddyn 1154 pan ysgrifennodd y daearyddwr Arabaidd Idrisi am y lle. Ond fe gafodd y dref ei difa yn 1219 gan Waldemar yr Ail, brenin Denmarc, ac ef wedyn a adeiladodd y gaer sydd wedi rhoi ei henw i'r ddinas . . . '

'Taani linn!'

'A! Fe wyddoch chwi'r hanes, felly.' Roedd ymateb Alex yn amlwg wedi'i phlesio.

O'r sedd gefn daeth i feddwl Zen holi sut bod enw a gafodd ei fathu rywbryd ar ôl 1219 wedi cael ei grybwyll gan ryw Arab neu'i gilydd dros hanner can mlynedd cyn hynny, ond doedd ganddo mo'r amynedd na'r awydd i ofyn. Byddai'n well ganddo pe bai'r iâr yn siarad llai ac yn canolbwyntio mwy ar yrru ei char yn gyflymach.

'Bydd raid ichi fynd i weld Castell Toompea, wyddoch chi . . . ' ac aeth Kristi Tarand ymlaen i ddyfynnu pob math o ystadegau am y lle.

Tywysydd gwyliau yw hi, wedi'r cyfan, meddai Alex wrthi'i hun gyda gwên, *yn ennill 'i bara menyn trwy bentyrru gwybodeth i fwseidie o dwristied sy'n sychedu am fanylion fel hyn. Sa i'n becso obeutu'i pharablu diddiwedd hi,* meddyliodd, *ond* **ma** *gweld Zen mor ddywedwst yn rhoi loes imi.*

'A dyma *Lossi Plats*!'

Daeth sgrytian yr olwynion dros gerrig anwastad i ben wrth iddi barcio'r car yng nghysgod yr adeilad urddasol a welsent neithiwr, a gyferbyn hefyd â'r eglwys efo'i baneri lliwgar.

'Yr adeilad hwn yw . . . '

''Dan ni wedi bod yma neithiwr.'

Ni wnâi Zen unrhyw ymdrech i guddio'i ddiffyg cwrteisi.

Dringodd allan o'r car. 'Ffor'ma mae *Toom-Kodi,*' meddai a chychwyn o'u blaenau ar hyd y stryd gul efo'r enw *Toom-Kooli* arni, stryd a fyddai'n eu harwain, ymhen dim, i sgwâr y gadeirlan hynafol. Wrth ei ddilyn, manteisiodd Alex ar y cyfle i egluro i Kristi pa fath o gwestiynau i'w gofyn i'r hen wraig.

'Wi'n poeni ein bod wedi codi ofon arni nithwr ac y bydd hi'n cau'r drws yn glep arnon ni heddi 'to.'

'Os felly, yna rwyf yn teimlo y byddai'n well i mi gael gair gyda'r hen wraig yn gyntaf, i egluro eich neges iddi. Yna, os bydd hi'n cytuno i'ch gweld chwi, fe alwaf arnoch chwi i ddyfod i'r tŷ atom ni. A fydd hynny'n iawn?'

'Os gallech chi neud 'ny, yna bydden i'n ddiolchgar mas draw ichi, Kristi.'

Wedi cyrraedd y sgwâr bychan hynafol efo'i eglwys lwyd, ganoloesol, galwodd Alex Zen draw ati a gadael i Kristi Tarand fynd i guro wrth y drws yn *Toom-Kodi.* Gwelsant hi'n cael ateb ac yn siarad yn hir â phwy bynnag oedd yno, yna'n mynd i mewn i'r tŷ. Edrychodd Alex ar ei wats. Roedd yn ugain munud wedi deg.

Pan edrychodd wedyn, roedd bron yn hanner awr wedi deg, a phytiog a phoenus fu pob sgwrs rhyngddi hi a Zen yn y cyfamser

'Lle uffar ma hi?' Swniai'n ddiamynedd.

'Gwranda, Zen! Wi'n gwbod bod ti wedi ymddiheuro obeutu be ddigwyddodd nithwr ond wi'n gweld 'fyd bod ti'n dal yn grac 'da fi. 'Sen i'n lico 'sa ti ddim. Wi ishe iti wbod mod i'n lico ti – gormod er 'yn lles 'yn hunan, ma'na i ofon – ond sa i moyn dechre perthynas heb fod yn siŵr.'

Gwelodd ei lygaid yn meddalu mymryn.

'Siŵr o be, 'lly?'

'Sa i moyn bod yn *damed un nosweth,* 'na i gyd.'

Os oedd hi wedi gobeithio'i glywed yn gwadu mai dyna oedd ei fwriad, yna fe gafodd ei siomi oherwydd roedd Kristi Tarand wedi ymddangos yn nrws y tŷ yn *Toom-Kodi* a rŵan yn arwyddo arnyn nhw i ymuno â hi.

'Rwyf wedi egluro iddi pam yr ydych chwi yma ond fe gefais drafferth i'w pherswadio hi i siarad gyda chwi. Yn un peth, fe gafodd hi lawer o ddychryn gennych chwi neithiwr, ac yn ail mae hi'n amau bod a wnelo chwi rywsut â'r ddau ddyn a fu yma yn ei gweld hi fis yn ôl. Nid oedd hi yn hoffi'r rheini o gwbwl, meddai hi.'

'Pwy odd rheini, 'te?'

'Dim syniad, mae gennyf ofn. Fe gewch ofyn iddi, os mynnwch chwi. Ond rwyf am ofyn ichwi fod mor fyr ag sydd bosibl, ac yn ofalus iawn hefyd o beth yr ydych *yn* ei ofyn oherwydd mae hi wedi cael profedigaeth fawr yn ddiweddar.'

Yna, arweiniodd hwynt i mewn i dŷ tlodaidd iawn, i wynebu gwraig betrus a digalon yr olwg. Eisteddai yn yr unig gadair freichiau yn y stafell a honno wedi'i thynnu cyn agosed â phosib at ffagal o dân yn y grât. Roedd dwy gadair gefnsyth galed wrth y bwrdd ac ar hwnnw sgwaryn o oelcloth efo'i batrwm blodeuog wedi hen golli disgleirdeb ei liw. Yr unig beth arall arno oedd pentwr bychan blêr o luniau ag ôl byseddu llawer iawn arnyn nhw.

'Odi hi'n iawn i ni ishte?' A heb aros caniatâd, tynnodd Alex un gadair yn nes at y tân, gyferbyn â'r wraig, a gadael i Zen neud yr un peth efo'r llall. Roedd yn well gan Kristi sefyll, meddai hi.

'Gofynnwch iddi gadarnhau mai dyma'r tŷ yr oedd Steffan Zenovich Shmit yn byw ynddo fe.'

'Rwyf wedi cadarnhau hynny'n barod gyda hi. Hi oedd ei fam ef.'

'Arglwydd mawr!' Roedd Zen wedi methu ymatal. *Be ddiawl ydi'i hoed hi, felly?* roedd o isio'i ofyn.

Poenid Alex gan yr un cwestiwn. Wedi'r cyfan, roedd Stephen Smythe ei hun o fewn blwyddyn i oed derbyn pensiwn gwladol pan laddwyd ef. Er ei musgrellni ac er gwaetha rhychau a lliw afiach ei chroen, doedd hon ddim yn edrych yn ddigon hen, rywsut. ''I fam e, wedsoch chi? 'I *fam* e?'

'Ia.'

Crymodd ysgwydda Alex wrth iddi deimlo'i hafiaith yn llifo ohoni. 'Ma camgymeriad mowr wedi bod, ma'na i ofon. So hi'n ddigon hen i fod yn fam i'r Steffan Shmit r'yn ni'n meddwl amdano fe.'

'Roeddwn i'n amau eich bod chi wedi gwneud camgymeriad, wyddoch chi, oherwydd roeddech chi wedi dweud eich bod yn gwneud ymholiadau am rywun a gafodd ei lofruddio fis yn ôl. Mae mab Mrs Shmit wedi marw ers ugain mlynedd a mwy.'

'O! Wel, dyna ni, 'te!' Methai'n lân â chelu ei siom.

'Oedd gynno fo berthynas o'r un enw, falla?' Zen oedd yn holi rŵan. 'Dewyrth neu rwbath felly? Dangos y llun iddi, Alex.'

Pan welodd yr hen wraig Alex yn tynnu'r llun o'i bag, fe wyddai be oedd ar ddod oherwydd roedd yr un llun wedi cael ei wthio o dan ei thrwyn ganddyn nhw neithiwr. Trodd draw rŵan rhag gorfod edrych arno a chododd calon Alex unwaith yn rhagor wrth sylweddoli bod Stephen Smythe y llun yn gyfarwydd i'r hen wraig wedi'r cyfan. Siawns nad cwbwl ofer fyddai eu siwrnai, felly, meddyliodd.

'Gofynnwch iddi hi pwy yw e.'

Er na allai Zen nac Alex ddeall gair o'r hyn oedd yn cael ei ddeud rhwng y ddwy, daeth yn amlwg yn fuan iawn bod yr hen wraig yn ddig o gael ei hatgoffa am y gŵr yn y llun a bod gorfod edrych arno yn achosi cryn loes iddi.

'Igor Valyukh!' meddai Kristi Tarand a throsglwyddo'r llun yn ôl i Alex.

'Pardwn? Be wedoch chi?'

'Mae hi'n dweud mai Igor Valyukh yw'r dyn yn y ffotograff, a'i bod hi'n gobeithio ei fod yn pydru mewn bedd ar ôl dioddef marwolaeth ci neu fochyn oherwydd dyna ydoedd, meddai hi. *Ci o ddyn! Mochyn o ddyn!* Dyna'i geiriau.'

Edrychodd Alex a Zen ar ei gilydd mewn dryswch. 'Gofynnwch iddi egluro.'

Oedodd y cyfieithydd eiliad cyn ufuddhau, fel pe bai'n

anfodlon peri rhagor o loes i'r hen wraig ond yna gofynnodd y cwestiwn a gwrando ar yr atebiad maith i ddilyn; atebiad, sylwodd Alex, oedd â'i oslef yn llawn poer a bustul.

'Nid oedd Igor Valyukh yn perthyn dim dafn o waed iddi hi ond mi oedd ef yn dad gwyn i Maidu a Hilja, ei hwyrion hi.' Oedodd Kristi eto, cyn ychwanegu: 'Nid wyf yn siŵr a ddylwn i ailadrodd hyn, ond mae Mrs Shmit yn honni bod Igor Valyukh wedi llofruddio ei mab hi.'

'Ewch mla'n!' Roedd Zen a hitha'n glustiau i gyd erbyn rŵan.

'Roedd Steffan Zenovich, ei mab, yn filwr yn y Fyddin Goch – cyn i'n gwlad ni gael ei hannibyniaeth yn 1991 fyddai hynny, wrth gwrs – ac roedd Igor Valyukh yn swyddog arno ef, a blynyddoedd lawer yn hŷn nag ef hefyd. Dyn drwg, meddai Mrs Shmit. Ychydig fisoedd cyn i Steffan gael ei ladd fe ddaeth ag Igor Valyukh adref gydag ef, i'r tŷ hwn, i gyfarfod ei wraig a'i deulu. Hilja oedd enw ei wraig a Hilja hefyd oedd enw ei ferch. Mae'n arferiad yn Estonia, rydych yn deall, i beth felly ddigwydd, er mwyn cadw'r enw yn y teulu o genhedlaeth i genhedlaeth. Enw ei hen daid, sef tad Mrs Shmit, a roddwyd ar Maidu . . .'

'A . . . ?' Nid oedd gan Alex yr amynedd i egluro iddi bod yr un arferiad i'w gael yng Nghymru ac y gallai Zen dystio bod yr un peth yn digwydd yn Lloegr hefyd.

'Ond fe fu Steffan yn annoeth, meddai hi. Un noson, pan oedd y ddau wedi cael gormod o vodka, fe ddywedodd Steffan gyfrinach y teulu wrth Igor Valyukh ac mae Mrs Shmit yn bendant erbyn hyn, meddai hi, bod Igor Valyukh wedyn wedi lladd Steffan er mwyn gallu cymryd ei le.'

'Ma'n ddrwg 'da fi, Kristi, ond sa i'n diall. Shwd na'th Igor Valyukh gymryd lle ei mab hi?'

'Yn ôl yr hyn a ddywedodd hi wrthyf fi yn awr, fe gafodd Steffan ei ladd yn Chechnya oherwydd bod Igor Valyukh wedi ei anfon ef ar gyrch rhy beryglus o lawer, i dir y gelyn, ac fe gafodd ei saethu a'i ladd yno.'

'Pa bryd o'dd 'ny? A pham nele fe shwd beth?'

Trodd Kristi unwaith eto at yr hen wraig. Cwestiwn ac atebiad byr y tro hwn.

'Hydref, un naw saith wyth. Yn fuan wedyn fe ddaeth Igor Valyukh yma, i'r tŷ hwn, i gydymdeimlo gyda'r teulu a chyn hir roedd ef yn priodi Hilja, gweddw Steffan.'

'Obeutu Stephen Smythe r'yn ni'n sôn nawr, cofia.' Ond atgoffa'i hun yn fwy nag atgoffa Zen yr oedd Alex, oherwydd roedd hi'n gynnwrf i gyd erbyn hyn wrth feddwl am y datgeliada a gâi eu gwneud ganddi yn y *Chronicle* ar ôl dychwelyd i Lundain.

'A ble ma Hilja nawr?'

'Fe fu hi farw yn fuan ar ôl Steffan, ei gŵr, ac yn fuan iawn ar ôl priodi Valyukh, pan oedd Maidu a Hilja yn fychain. Mae Mrs Shmit yn honni bod Igor Valyukh wedi ei lladd hithau hefyd, ond nid yw hi yn gallu dweud sut.' Tynnodd Kristi wên gam fel pe bai'n awgrymu y byddai'n anodd i neb fedru profi'r stori honno, bellach.

'Yffach gols!' Trodd Alex eto at Zen. 'O'dd 'yn Stephen Smythe ni yn anifel a hanner, weden i.'

'Be *oedd* cyfrinach y teulu, ta? Ddeudodd hi hynny?'

Pan gyfieithwyd cwestiwn Zen i'r weddw, cawsant yr argraff fod yr hen wraig yn gyndyn i'w ateb. Roedd hi mewn cyfyng-gyngor amlwg ac yn ei dwys-holi ei hun. Yna, bywiogodd ei llygaid am eiliad wrth iddi daflu ei chwestiwn ei hun at Kristi Tarand.

'Mae hi eisiau gwybod beth yw eich diddordeb chwi yn hyn i gyd?'

'Gwedwch wrthi taw treial adfer enw da Zen, fan hyn, 'yn ni. Ma fe'n ca'l 'i ame o gynllwynio i lofruddio Stephen Sm . . . ym . . . Igor Valyukh.'

Cyfieithiwyd ymateb Alex a daeth ateb swta'n ôl oddi wrth y weddw Shmit, ateb a dynnodd wên fechan i wyneb Kristi wrth iddi edrych tuag at Zen.

'Fe fyddai hi'n dweud pob dim wrthych chwi, meddai hi –

pob cyfrinach sydd ganddi – pe bai hi'n gwybod i sicrwydd mai chwi a laddodd y mochyn Valyukh.'

'Deudwch wrthi y byddwn i wedi gneud hynny â chroeso pe bawn i'n gwbod sut un oedd o. Ond deudwch wrthi hefyd mai ffrindia Valyukh sydd rŵan yn trio rhoi'r bai arna i.'

Rhyfeddodd Alex at ba mor rhwydd y llithrodd y celwydd hwnnw dros wefus Zen.

Caed rhagor o drafod rhwng y ddwy.

'Mae hi am wybod a oes unrhyw gysylltiad rhyngoch chwi a'r dynion a fu yma yn ei gweld hi, fis yn ôl.'

'Dim cysylltiad o gwbwl deudwch wrthi, ond gofynnwch iddi eu disgrifio nhw.'

Gwnaeth Kristi Tarand fel y gofynnodd Zen iddi ac ymhen sbel, dywedodd: 'Mae hi'n meddwl mai Sais oedd un ohonynt; Rwsiad, yn sicr, oedd y llall, a fo oedd yn cyfieithu i'r Sais. Mae Mrs Shmit, fel llawer iawn o bobl Estonia, yn gallu siarad Rwsieg, chi'n deall.' Oedodd eiliad ofer i roi cyfle iddyn nhw ymateb i'r sylw, yna aeth ymlaen. 'Sut bynnag, roedd y Sais yn ddyn tal – talach na chi – yn foel ac yn gwisgo sbectol, a'r llall, y Rwsiad, yn nes at fy nhaldra i – tua phum troedfedd a hanner, felly – ac yn gwisgo siwt dywyll o wneuthuriad da. Roedd ganddo farf ddu a chraith ar draws ei wefus uchaf ac roedd ganddo hefyd ddant aur oedd yn dod i'r golwg bob tro y byddai'n crechwenu. Yn ôl Mrs Shmit, roedd ef yn crechwenu'n aml.'

Ysgydwodd Zen ei ben. Sawl dyn tal a moel yn gwisgo sbectol oedd yn crwydro strydoedd Llundain? A sawl Rwsiad mewn siwt Saville Row roedd o'n nabod?

'Mae hi'n dweud mai Sergei oedd enw'r Rwsiad ond na chlywodd hi enw'r llall yn cael ei grybwyll o gwbl.'

Mwmblodd yr hen wraig ragor o eiriau ac edrych draw at y bwrdd, fel pe bai hwnnw wedi dod ag atgof arall iddi.

'Mae hi newydd gofio hefyd bod rhywbeth yn bod ar fraich neu ar law dde y dyn pen moel, bod honno'n ddiffrwyth neu rywbeth. Nid oedd yn gallu ei defnyddio i gydio mewn dim byd. Gyda'i law chwith yr aeth ef trwy bob un o'r lluniau ar y bwrdd.'

Gan ei fod yn amlwg iddo nad oedd yr hen wraig wedi cymryd at yr un o'r ddau ddyn, penderfynodd Zen fanteisio ar y ffaith honno. 'Ha!' meddai, fel pe bai'r manylyn diweddara wedi cadarnhau ei adnabyddiaeth o'r ddau. 'Dyna'r diawliaid sy'n trio rhoi'r bai arna i. Ffrindia Igor Valyukh ydyn nhw.' Yna gwyliodd effaith ei gelwydd ar yr hen wraig.

Roedd ei dystiolaeth yn gadarnhad iddi o'r amheuon oedd wedi bod yn ei phoeni. Clywodd hi'n mwmblan yn ddig o dan ei gwynt, yna'n dechra siarad fel lli'r afon a Kristi Tarand yn ymddiddori mwy a mwy yn yr hyn a glywai ganddi, nes bod llygaid a cheg honno, erbyn y diwedd, yn llydan agored mewn syndod llwyr.

'Whiw!' meddai hi wedi i'r hen wraig dawelu. 'Tipyn o stori! Tipyn o gyfrinach! Nid wyf yn gwybod ymhle i ddechrau ei hailadrodd wrthych.'

'Be am ddechra yn y dechra?' cynigiodd Zen, yn goeglyd o ddiamynedd.

'Er bod Steffan wedi cael ei eni yn Estonia nid oedd yn Estoniad o waed. Almaenwr oedd ei dad, tra bod Mrs Shmit ei hun o dras Rwsiaidd. Mae hi'n dweud bod ei thaid hi yn gweini ym mhalas y Tsar yn St Peterburg pan dorrodd gwrthryfel y Bolsheficiaid . . . '

Nodiodd Alex ei phen yn frwd, rŵan, wrth glywed manylion oedd yn gyfarwydd iddi. Dyma'n union yr oedd hi wedi'i ddarllen yn erthygl Robert Fisk yn yr *Independent*, chydig dros wythnos yn ôl.

' . . . A gaf i ofyn ichi,' meddai Kristi Tarand, yn crwydro ennyd oddi wrth y stori, 'a fuoch chi erioed yn St Petersburg? Ac yn amgueddfa'r Hermitage? Na? Wel, mae rheswm da pam rwyf yn gofyn ichwi. Mae'r Hermitage yn amgueddfa anferth sydd wedi cael ei lleoli ym mhalas Pedr y Cyntaf, ymherodr cyntaf Rwsia, sef Palas y Gaeaf, ar lan afon Nêfa yn St Petersburg. Fe gafodd yr Hermitage ei sefydlu yn 1764 gan yr ymerodres Catherine yr Ail – Catherine Fawr – ac anrhegion a dderbyniodd hi oddi wrth deuluoedd brenhinol Ewrop ac arweinwyr gwleidyddol o bob rhan o'r byd, yw llawer iawn o'r arddangosion sydd i'w gweld yno hyd heddiw . . . '

Gwelodd Alex y syrffed yn tyfu ar wyneb Zen a gwnaeth bâr o lygaid arno, iddo fod yn fwy amyneddgar.

' . . . Mae yno enghreifftiau o waith arlunwyr enwog megis Leonardo da Vinci, Raphael, Titian, Caravaggio, El Greco, Velazquez, Murillo . . . ' Llifai'r enwau dros ei thafod. Roedd Kristi Tarand yn adnabod ei harlunwyr os nad dim arall, ac roedd yn amlwg hefyd ei bod wedi ymweld â'r Hermitage ei hun. ' . . . Goya, Rubens, Van Dyck, Frans Hals, Rembrandt, Monet, Renoir, Paul Cezanne, Vincent Van Gogh, Paul Gauguin . . . Maen nhw i gyd yno, yn ogystal â cherfluniau gwych gan Michelangelo, Auguste Rodin, Pigalle ac eraill. Ond nid dyna'n unig sydd yno; ddim o bell ffordd, chwaith. Mae'n gwestiwn gennyf i a oes digon o gyfoeth ar y Ddaear gyfan a allai brynu holl drysorau prin yr Hermitage. Maen nhw'n dweud, pe baech chi'n crwydro o gwmpas yr amgueddfa am bedair awr ar hugain o bob dydd a rhoi dim ond un funud – un funud, cofiwch! – o sylw i bob arddangosyn sydd yno, y cymerai yn agos i saith mlynedd ichi allu gweld pob dim. Saith mlynedd! A ellwch chwi gredu'r peth?' Roedd wedi agor ei llygaid yn fawr er mwyn awgrymu'r syndod y dylent ei deimlo. 'Mae yno dros dair miliwn a hanner o wahanol arddangosion!' Dyna pryd y gwelodd hi eto'r diflastod ar wyneb Zen. 'Ond rwyf yn crwydro,' meddai'n ymddiheurol. 'Yr hyn sydd bwysig yw bod y rhan fwyaf o'r trysorau hynny yno, ym Mhalas y Gaeaf, yn 1917 pan ruthrodd ciwed y Bolsheficiaid drwy'r lle ar gychwyn Chwyldro'r Hydref yn Rwsia. Yn St Petersburg y *cychwynnodd* y Chwyldro. Wyddech chi hynny?'

'Ni'n gwbod yr hanes,' meddai Alex yn siort.

'Wrth gwrs! Wrth gwrs! Mae'n ddrwg gennyf. Sut bynnag, yn ôl yr hyn a ddywedodd Mrs Shmit wrthyf fi'n awr, roedd ei thaid – Alexander Zenovich – yn un o staff y Tsar pan gychwynnodd y Chwyldro ac fe welodd ef giwed Lenin a Trotsky yn rhuthro drwy'r Palas ac yn amharchu'r cyfoeth oedd yno. Er eu bod nhw o dan orchymyn i beidio cyffwrdd mewn dim, fe gafodd rhai pethau eu dwyn, siŵr o fod. Nid yw Mrs Shmit yn cofio'i thaid, meddai hi, ond fe glywodd ei thad yn dweud yr hanes droeon fel roedd ei dad ef, Alexander Zenovich – gŵr ifanc ar y pryd – wedi ceisio achub rhai o'r trysorau oedd wedi cael eu cuddio yn selerydd eang y Palas, selerydd nad oedd y Bolsheficiaid yn gwybod dim oll amdanynt ar y cychwyn. Mae'n debyg iddo fentro'i fywyd i'w cludo nhw allan o'r Palas ac yn ôl i'w gartref, er mwyn eu cadw'n ddiogel . . . meddai Mrs Shmit.' Gwnaeth bâr o lygaid i awgrymu y dylid cymryd y dystiolaeth honno hefyd efo pinsiad go lew o halen. 'Un o'r trysorau a ddygodd oedd cerflun bychan o Catherine Fawr wedi ei gerfio gan Pigalle. Roedd y Ffrancwr hwnnw'n bur gyfeillgar efo'r ymerodres. Wyddech chi hynny? Sut bynnag, roedd yr arbenigwyr wedi tybio ar hyd y blynyddoedd bod y cerflun wedi'i golli yn ystod y Chwyldro ac na cheid ei weld byth mwy, ond rai blynyddoedd yn ôl, yn gwbl annisgwyl, fe ymddangosodd mewn ocsiwn yn Efrog Newydd a chael ei werthu am filiwn a chwarter o ddoleri, oedd yn arian mawr iawn ar y pryd . . . ' – chwarddodd yn ysgafn – ' . . . fel heddiw hefyd, wrth gwrs! Sut bynnag, yn ôl a ddywed Mrs Shmit, roedd ei thaid hi hefyd wedi . . . ' – gwenodd a rhoi pwyslais awgrymog ar y gair nesaf – ' . . . *achub* nifer o gerfluniau bychain cain eraill, rhai wedi eu gwneud o aur pur – aur Scythia. Anrheg oddi wrth frenin Persia i Catherine Fawr oedd y rheini, mae'n debyg. Ac roedd yno hefyd amryw o drysorau bychain eraill, meddai hi . . . bychan o ran maint ond nid o ran gwerth yn reit siŵr.'

'Welodd hi'r holl drysora 'ma erioed, efo'i llygid ei hun?' Roedd sŵn amau'r stori yn llais Zen.

'O, do! Yn ôl Mrs Shmit, maen nhw wedi cael eu cadw'n ddiogel mewn cuddfan yn y tŷ hwn ers i'r teulu ddod yma i fyw. Roeddynt yma, meddai hi, pan oedd yr Almaenwyr yn anrheithio ein gwlad. Diolch na ddaeth y rheini i wybod am eu bodolaeth neu does wybod ymhle y bydden nhw erbyn heddiw.'

Does wbod lle maen nhw beth bynnag, meddyliodd Zen. 'A pha mor hir y mae'r teulu wedi byw yma, felly?'

'Mae hi'n dweud mai yn y tŷ hwn y mae hi yn eu cofio nhw erioed, a chan iddi hithau, fel Steffan ei mab, gael ei geni yma, mae hynny'n golygu bod y trysorau wedi cael eu cadw yma am o leiaf saith deg a phump o flynyddoedd. Nid yw yn gwybod ymhle y caent eu cadw cyn hynny gan ei thaid ond fe ddaeth hwnnw yma i Estonia yn fuan ar ôl clywed bod y Bolsheficiaid wedi dienyddio'r Tsar a'i deulu. Gyda llaw, wyddech chi eu bod nhw'n dweud bod eich brenin chi yn Lloegr ar y pryd – George y Pumed, ia? – wedi cael cyfle i achub bywyd ei gefnder, y Tsar, a bywydau'r Tsarîn a'r plant i gyd, ond ei fod wedi dewis peidio gwneud hynny. Fe drodd eich brenin glust fyddar i'w hapêl am help ac fe'u lladdwyd hwy i gyd, fel anifeiliaid mewn lladd-dy. Pam fyddai ef yn gwneud peth felly, meddech chwi?'

'Ac roedd y teulu wedi bwriadu eu trosglwyddo nhw'n ôl i'r amgueddfa, ryw ddiwrnod, mae'n debyg? Y trysora dwi'n feddwl!' Roedd yn amlwg nad oedd Zen eisiau ystyried y darn olaf o wybodaeth ganddi, na'r ateb chwaith i'w chwestiwn.

Clywodd Kristi y coegni yn ei eiriau a gwenodd. 'Yn ôl Mrs Shmit, ni ddaeth cyfle i'w dychwelyd. Rhaid ichwi gofio bod Rwsia, erbyn hynny, yn nwylo'r Comiwnyddion a'i bod hi wedi aros felly am weddill y ganrif bron. Byddai dychwelyd y trysorau wedi bod yn gyfystyr â chydnabod y lladrad, a dim ond un gosb allai fod am beth felly. Sut bynnag, wrth i rym y Sofiet edwino ac yna ddiflannu bron yn llwyr yn ystod wythdegau'r ganrif ddiwethaf, fe ddechreuodd y frwydyr am annibyniaeth, yma yn Estonia ac, yn naturiol, doedd y teulu ddim yn awyddus i drosglwyddo trysorau gwerthfawr i ddwylo cenedl a ystyrient yn elynion inni. Sut bynnag, yn ôl Mrs Shmit, roedd y trysorau wedi bod ganddynt mor hir erbyn hynny fel ei bod hi a'r teulu wedi anghofio eu bod nhw yma o gwbwl.

'A ble ma nhw nawr, 'te?'

Trodd y cyfieithydd unwaith eto at yr hen wraig ac aros am ateb.

'Fe aeth Igor Valyukh â nhw. Mae Mrs Shmit yn amau ei fod wedi dechrau cynllwynio yn syth ar ôl clywed amdanynt gan Steffan. Mae hi'n bendant bod Valyukh wedi anfon Steffan allan ar gyrch peryglus yn Chechnya gan wybod y byddai'n cael ei ladd. Fel swyddog, roedd ganddo awdurdod dros y bachgen, chi'n deall. Sut bynnag, yn fuan wedi i Steffan gael ei ladd, fe adawodd Valyukh y Fyddin Goch a dod yma i wthio'i hun ar Hilja, y weddw, ond ei unig ddiddordeb, yn ôl Mrs Shmit, oedd cael ei ddwylo ar y trysorau. Ac wedi marw Hilja, yn fuan iawn wedyn – ac o dan amodau amheus iawn, mae'n debyg – fe ddiflannodd Igor Valyukh gyda'r trysorau i gyd, a wyddai neb i ble'r oedd ef wedi mynd.'

'A phryd oedd hynny?' Er ei fod yn gofyn, fe dybiai ei fod yn gwybod yr ateb. 'Un naw wyth dim?' A chafodd weld Mrs Shmit yn nodio'i phen i gadarnhau'r wybodaeth honno hefyd i'r cyfieithydd, cyn mynd ymlaen i ddeud rhywbeth arall.

'Dwy oed oedd Hilja fach ar y pryd, a'i brawd Maidu flwyddyn yn hŷn.'

Yna, fel roedd Kristi Tarand yn trosglwyddo'r wybodaeth ddiweddara hon, fe synnwyd y tri ohonynt wrth i argae tristwch yr hen wraig chwalu. Un funud roedd hi'n mwmblan ei hateb i gwestiwn y cyfieithydd, yr eiliad nesaf roedd ei chorff bregus yn cael ei sgrytian gan ei galar, a'i hoernadau yn torri fel bidog trwy awyrgylch lethol y stafell. Brysiodd Alex a Kristi Tarand i gynnig braich o gysur, un am bob ysgwydd, a rhoi amser iddi esgor ar ei thrallod, beth bynnag oedd natur hwnnw.

Ymhen munud neu ddau fe drodd yr igian crio yn wylo tawelach ac yna peidiodd y dagrau.

'Gofyn iddi be oedd yn bod.'

Taflodd y cyfieithydd gip beirniadol ar Zen, cystal â'i gyhuddo o fod yn galongaled, ond gofynnodd y cwestiwn, serch hynny. Ac fe gafodd ei hateb hefyd, ond nid heb ragor o ddagrau.

'Fe gafodd glywed echdoe fod Maidu a Hilja, ei hwyrion, wedi cael eu lladd mewn damwain ffordd, dair wythnos yn ôl; Maidu heb fod eto'n wyth ar hugain oed a Hilja ond newydd gael ei chwech ar hugain.'

'O! Ma'n wir ddrwg 'da fi, Mrs Shmit. Fe ddylsech fod wedi gweud wrthon ni cyn hyn, w. Fydden ni ddim wedi'ch poeni chi gyment 'sen ni'n gwbod. Ond sa i'n diall shwd na chethoch chi glywed tan echdo am y ddamwen.' Roedd Alex wedi plygu i dynnu pen yr hen wraig yn dyner i'w chesail a chymerai yn ganiataol fod honno'n deall y sentiment os nad y geiria.

'Lle?' Zen oedd yn mynnu holi. 'Gofyn iddi ymhle y cawson nhw'u lladd.'

'Yn enw'r nefoedd!' protestiodd Kristi Tarand, ond fe ofynnodd y cwestiwn hwn hefyd, serch hynny.

Rhywsut, roedd Zen wedi synhwyro'r ateb cyn gofyn y cwestiwn ac wedi mynd draw at y bwrdd i fyseddu drwy'r lluniau oedd yno.

'Ym Mhrydain.'

'Ro'n i'n ama!' Erbyn rŵan, roedd wedi dod o hyd i'r hyn y chwiliai amdano ac wedi adnabod y ferch ifanc yn un o'r lluniau. Ac er bod gwyneb ei brawd yn fwy diarth iddo, eto i gyd fe wyddai, bellach, pwy oedd y ddau a ymddangosodd mor sydyn allan o'r niwl yn Hyde Park ar y bore Sul hwnnw, bum wythnos neu ragor yn ôl. 'Gofyn ydi hi'n gwbod pam yr aethon nhw i Brydain. Oedd o rwbath i'w neud ag Igor Valyukh?'

Gwelodd ben yr hen wraig unwaith eto'n cadarnhau ei amheuon, yna roedd hi'n parablu o'r newydd yng nghlust y cyfieithydd.

'Nid oedd Maidu na'i chwaer yn cofio'u tad, gan eu bod mor ifanc pan y bu ef farw. Ond nid oeddynt yn cofio Igor

Valyukh chwaith, o ran hynny, ond eu bod wedi gwrando ar yr hanes i gyd gan eu nain. Ac yn awr mae hi'n beio'i hun am eu gwneud hwy mor chwerw, ac am eu marwolaeth. Euogrwydd yw'r rheswm mwyaf dros ei dagrau yn awr, rwy'n credu. Mae hi'n dweud mai dim ond un peth oedd ar feddwl y ddau ers sawl blwyddyn, bellach, sef cael dial ar Valyukh am yr hyn a wnaeth ef i'w rhieni. Roeddynt wedi tyngu llw y byddent yn dod o hyd iddo, hyd yn oed pe bai raid iddynt grwydro'r byd yn grwn, a gwneud iddo dalu am ei bechodau. Ar y cychwyn, roeddynt yn credu mai wedi dychwelyd i Rwsia yr oedd, ond yna fe gafodd Maidu waith gyda'r llywodraeth – yma yn Neuadd y Ddinas yn Tallinn – ac fe ddechreuodd ef a ffrind iddo yn y fan honno wneud ymholiadau ynglŷn ag Igor Valyukh. Rhyw dri mis yn ôl cawsant wybod, rhywsut neu'i gilydd, mai i Brydain ac nid i Rwsia yr oedd Valyukh wedi mynd a'i fod ef, erbyn heddiw, yn ddyn pwysig iawn yn y Llywodraeth yn Llundain, ac yn cael ei ystyried yn ŵr cyfoethog. Cafodd Maidu wybod hefyd ei fod wedi defnyddio enw a phapurau Steffan, ei dad, i gael ei dderbyn ym Mhrydain. Fe wyddai Maidu o'r gorau, wrth gwrs, o ble yr oedd Valyukh wedi cael ei gyfoeth.'

'Un cwestiwn 'to. Newch chi ofyn iddi a o's gyda hi lunie o Steffan ac Igor Valyukh y gallen i'u mentyg? Wi'n addo y bydden i'n 'u hala nhw'n ôl yn saff ati hi.'

Clywyd y cwestiwn yn cael ei gyfieithu a chlywyd rhagor o fustul yn dod dros wefusa'r hen wraig.

'Mae hi'n dweud bod y dynion a fu yma wedi mynd â phob llun o Steffan oddi yma – wedi eu dwyn, meddai hi. Roedd Maidu a Hilja wedi mynd â'r unig lun o Valyukh efo nhw i Brydain. Roedden nhw wedi'i gadw'n ofalus dros y blynyddoedd er mwyn adnabod y dyn, a chael dial arno . . . '

A barnu oddi wrth be ddigwyddodd i mi yn Hyde Park, meddyliodd Zen, *yna llun sâl ar y diawl oedd o ma' raid, iddyn nhw gymysgu rhyngon ni, yn enwedig o gofio bod chwartar canrif o wahaniaeth oed rhwng Smythe a finna. Ond dyna fo! Amaturiaid oedden nhw, wedi'r cyfan!*

' . . . Ond llun o Valyukh yn swyddog gweddol ifanc yn y Fyddin Goch ydoedd ac roedden nhw'n ofni y byddai'n anodd ei adnabod oddi wrth hwnnw.'

'Hm!' ebychodd Zen, i ddangos ei fod yn cytuno efo'r sylw.

Methai Alex â chelu ei siom ynglŷn â'r lluniau a rhaid bod y weddw Shmit wedi sylwi ar hynny oherwydd fe gododd rŵan a llusgo'i thraed i gyfeiriad ystafell gefn y tŷ. Clywyd hi'n llusgo cadair, yna sŵn ymbalfu, yna'r gadair yn cael ei llusgo'n ôl. 'Mae hi wedi estyn rwbath o ben dodrefnyn,' meddai Zen wrtho'i hun.

Cyn hir, dychwelodd yr hen wraig. Yn ei llaw daliai lun mewn ffrâm drwchus ddu. Cynigiodd ef i Alex. 'Steffan,' meddai'n dyner, gan sychu'r llwch oedd wedi crynhoi ar y gwydyr a phwyntio at un o'r ddau filwr yn y llun. 'Igor Valyukh!' poerodd, ac amneidio'n ddiamynedd at y milwr arall a safai wrth ochor ei mab, hwnnw'n swyddog, a barnu oddi wrth ei lifrai a'i fedalau. Roedd y llun wedi melynu ac yn fân graciau drosto, fel pe bai wedi gweld gormod o'r haul. Yn ei ddwy gornel uchaf, sylwodd Alex ar ddau dwll bychan drwy'r papur a chasglodd fod y llun, ar un adeg – cyn iddo gael ei roi mewn ffrâm – wedi bod i fyny ar ryw wal neu hysbysfwrdd neu'i gilydd.

'Gofynnwch iddi plîs plîs a gaf i fentyg hwn 'da hi.'

Rhyfeddodd Kristi Tarand at y taerineb yn llais Alex a cheisiodd gyfleu yr un difrifwch yn ei chyfieithiad i'r hen wraig, ond ysgwyd ei phen yn bendant iawn a wnâi honno.

'Dyma'r unig lun o Steffan sydd ganddi ar ôl ac nid yw am ei ollwng o'i dwylo am bris yn y byd.'

'Gwedwch wrthi mod i'n gwitho i'r *Chronicle,* sef un o bapure newyddion mwyaf Pryden. Gwedwch wrthi 'fyd bo fi ishe datgelu i bawb shwd ddyn o'dd Igor Valyukh. A gofynnwch iddi a fyse hi'n lico i adran ffotograffe'r *Chronicle* neud llun mowr a mwy clir ohono fe, a thynnu Stephen Smy. . .

ym . . . Igor Valyukh allan ohono fe'n llwyr? Gallen ni neud hynny'n hawdd, gwedwch wrthi. A roia i dderbynneb iddi i ddangos bo fi wedi ca'l mentyg y llun.'

Croesodd Alex ei bysedd a syllu'n graff i wyneb y weddw Shmit wrth i'r cynnig gael ei roi iddi. Cododd ei gobeithion pan welodd bendantrwydd yr hen wraig yn gwegian ac yna'n troi'n gyfyng-gyngor a'r cyfyng-gyngor hwnnw wedyn yn magu mwy fyth o ansicrwydd. O'r diwedd, gwelodd hi'n nodio'i phen yn araf, fel rhywun yn ymollwng i'w ffawd. Rhag iddi newid ei meddwl, lluniodd Alex dderbynneb ar ddalen o bapur a gofyn i Kristi ei gyfieithu i Estoneg, yna arwyddodd hi'r papur gan nodi'r dyddiad yn ogystal, cyn ei drosglwyddo i ddwylo Mrs Shmit, a gwasgu ei llaw yn ysgafn ac yn ddiolchgar wrth neud hynny. 'Diolch,' meddai a doedd dim amau'r diffuantrwydd yn ei llais. Yna, wedi gneud syms cyflym yn ei phen, aeth i'w phwrs a thynnu dau bapur pum can Krooni allan ohono a'u gosod ar lin y weddw. Doedd rhyw hanner canpunt, meddai wrthi'i hun, ond pris bach iawn i'w dalu am y wybodaeth yr oedd hi newydd ei chael.

Heb air, gwasgodd yr hen wraig yr arian yn ei dwrn a chodi i fynd draw at gwpwrdd cornel. Tynnodd dri gwydryn bychan a photel allan ohono a thywallt joch i bob un. Yna, daeth â'r gwydrau i'w rhannu fesul un iddynt.

'*Vana Tallinn!*' eglurodd Kristi. 'Un o'n diodydd traddodiadol ni, yma yn Estonia.' Yna cododd y gyfieithwraig ei gwydryn a dymuno 'Iechyd da' i bawb, yn gynta mewn Saesneg ac yna, gyda thipyn mwy o falchder, mewn Estoneg. Safai'r hen wraig yn eu gwylio ac am y tro cyntaf ers iddyn nhw ei chyfarfod gwelwyd cysgod gwên ar ei gwyneb. Yna galwodd hi y gyfieithwraig draw ati a sibrwd cwestiwn yn swil yn ei chlust.

'Mae Mrs Shmit yn gofyn a allech chwi wneud ffafr â hi?'

'Wrth gwrs. Unrhyw beth.' Teimlai Alex yn fwy na hael.

'Nid yw yn gwybod sut y cafodd Maidu a Hilja eu lladd, na phryd na sut y caiff eu cyrff eu hanfon adref. Mae hi'n gofyn plîs a fedrech chwi wneud ymholiadau ar ei rhan.'

'Gwedwch wrthi y bydd y *Chronicle* yn neud pob peth posib drosti.'

Gwelsant yr hen wraig yn nodio'n araf a thawelwch meddwl yn dod i'w llygaid llonydd.

'Duw a ŵyr sut wyt ti'n mynd i gofio pob dim wyt ti wedi'i glywad bora 'ma,' meddai Zen, cystal ag awgrymu y dylai Alex fod wedi codi rhywfaint o nodiada.

Yn ateb, rhoddodd hithau gip iddo o'r peiriant recordio bychan, nad oedd yn fwy na chledr ei llaw. Roedd popeth a ddywedwyd yn ystod yr hanner awr ddiwethaf wedi ei gofnodi'n ddiogel ar dâp ganddi.

Geiriau olaf Alex cyn ffarwelio oedd: 'Bendith Duw arnoch! Anfona i lun Steffan yn ôl yn glou ichi a cewch wybodeth obeutu'ch wyrion 'fyd, wi'n addo.'

Yna, roeddent yn sefyll unwaith eto ar gerrig anwastad y sgwâr yn gwylio'r drws di-baent ar stryd *Toom-Kodi* yn cael ei gau yn araf.

'Trist ontefe?' meddai Alex, wrth i ddarlun o wraig drallodus arall ddod yn ôl i'w chof. 'Dw i ond yn gobitho,' ychwanegodd wrthi'i hun, 'y bydd Mrs Shmit yn gallu wynebu'i galar yn well na Mrs Ewells druan bach, yn Fulham.'

Yn fyfyrgar, cychwynnodd y tri yn ôl am y *Lossi Plats* a'r car.

* * *

Hotel Olumpia

Ar ôl dychwelyd i'r Olumpia a thalu i Kristi Tarand ei ffî, a childwrn hael ar ben hynny, eglurodd Alex i Zen ei bod yn awyddus i ddychwelyd i Lundain gynted ag oedd modd a'i bod hi, felly, am ffonio Estonian Air, i drefnu.

Ni thrafferthodd Zen gytuno nac anghytuno â hi. Yn hytrach, aeth i eistedd yn dawedog wrth y bar. Be allai fod yn aros amdano fo, pan âi'n ôl i Lundain, oedd fwyaf ar ei feddwl o, bellach.

''Yn ni i fod yn y maes awyr ddim hwyrach na hanner awr wedi pedwar, Zen. Ma'r awyren yn gadel am ugen muned wedi pump. Glanio yn Gatwick tam'bach wedi whech, amser Pryden.' A thynnodd ei wats, i'w throi hi ddwyawr yn ôl. 'A dw i 'fyd wedi ffono Tom Allen, i weud wrtho fe be sy 'da fi iddo fe. O'dd e'n egseited, ddweden i, oherwdd na'th e alw ar Gus Morrisey, y Golygydd, ac o'dd raid ifi weud yr hanes wrtho fe 'fyd. A gesha beth, Zen! Ma nhw'n folon dala'n ôl ar y dudalen fla'n nes bo fi'n cyrradd gyda'r stori lawn. Felly, bydd raid ifi witho fel y cythrel ar yr awyren yn ystod y shwrne'n ôl. A gyda llaw! Wi wedi gofyn i Tom neud ymholiade obeutu'r brawd a'r whâr, i weld a all y *Chronicle* neud rwbeth 'da llysgenhadeth Estonia yn Llunden i ga'l cyrff y ddou gatre'n ôl. Mrs Shmit, druan!'

Pennod 13

Y Swyddfa Gartref, Parc St James, Llundain

Tua'r un adeg ag yr oedd Zen ac Alex yn gadael yr Olumpia am faes awyr Tallinn, roedd cyfarfod ar fin cychwyn yn y Swyddfa Gartref yn St James' Park. Yn ogystal â'r Ysgrifennydd Cartref David Blunkett, yno'n bresennol hefyd roedd Jack Straw, yr Ysgrifennydd Tramor; *K*, sef Eliza Manningham-Buller, Cyfarwyddwr Cyffredinol *MI5* yn Thames House; C, sef Syr Richard Billing Dearlove KCMG, OBE, *Director of Operations* yr *SIS* (neu *MI6)* yn Vauxhall Cross a Gregory Roylance, y Cadlywydd Rhanbarthol o Scotland Yard. Roylance oedd wedi gofyn i'r Ysgrifennydd Cartref am gyfarfod ar y lefel ucha bosibl i drafod y pryderon oedd ganddo ynglŷn â llofruddiaeth yr Ysgrifennydd Amddiffyn a'r anghysonderau yr oedd ef ei hun yn ymwybodol ohonyn nhw erbyn hyn.

Wedi estyn y croeso arferol, ac ar ôl rhoi rhybudd i'w staff nad oedd neb i dorri ar draws y cyfarfod unwaith y câi'r coffi ei weini, trodd yr Ysgrifennydd Cartref at y cadlywydd: 'Rwy'n dweud eto, Gregory, mor anarferol ydi gofyn am gyfarfod fel hwn. Mae gan bob un ohonom ni sydd yma, fel y gwyddost ti, lond ei ddwylo o waith fel ag y mae hi, felly does ond gobeithio bod y drafodaeth a gawn ni rŵan yn mynd i fod o fudd ac y bydd hi'n cyfiawnhau galw pawb at ei gilydd.' Teimlodd wyneb ei wats. 'O'm rhan fy hun – a dwi'n siŵr y bydd Jack hefyd yn deud rhywbeth tebyg – fedra i ddim fforddio rhoi mwy na deugain munud o f'amser i'r cyfarfod. A chan mai ti sydd wedi gofyn amdano fo, Gregory, yna mi fyddai'n well i ti gymryd yr awenau, dwi'n credu.'

'Diolch, Ysgrifennydd Cartref.' Yn ddwys, edrychodd Roylance arnynt o un i un ar draws y bwrdd derw eang: 'A diolch i bob un ohonoch chi am neud yr ymdrech i fod yma, o ganol eich prysurdeb.' Trodd eto at y Gweinidog yn y gadair agosaf ato: 'Ydw, syr, dwi *yn* sylweddoli mor anarferol ydi gofyn am y fath flaenoriaeth ond fel dwi wedi'i egluro ichi'n barod dros y ffôn, dwi'n credu bod cyfiawnhad digonol dros neud y cais.'

Daeth curo ysgafn ar y drws ac yn reddfol trodd Syr Richard Dearlove ei wyneb draw. Hyd yn oed yma, yn y Swyddfa Gartref, lle'r oedd pob gweithiwr wedi cael ei sgrinio'n ofalus â chrib fân, roedd yn well ganddo beidio tynnu sylw ato'i hun, rhag cael ei weld a'i adnabod fel *C*, Cyfarwyddwr Ymgyrchoedd Cudd *MI6*.

Cerddodd dau o staff y Swyddfa i mewn yn cario hambwrdd yr un, efo poteidiau o goffi a llefrith poeth ar y naill, a siwgwr a chwpanau ac ati ar y llall. Roedd yno hefyd ddau blataid o fisgedi siocled. Byddai Zen, pe bai yno, wedi cofio golygfa debyg, ac wedi gweld eironi'r sefyllfa hefyd.

'Diolch. Cewch fynd rŵan,' meddai'r Ysgrifennydd Cartref, wedi clywed y ddau hambwrdd yn cael eu gosod ar y bwrdd o'i flaen. 'Fe wnawn ni arllwys y coffi.'

Arhosodd Gregory Roylance i'r drws gau yn dawel o'u hôl, yna aeth yn ei flaen. 'Y prif reswm imi ofyn am y cyfarfod oedd i gael trafod efo chi i gyd fy mhryderon ynglŷn ag achos llofruddio'r Ysgrifennydd Amddiffyn, ddeng niwrnod yn ôl, a'r datblygiadau sydd wedi bod oddi ar hynny.'

'Onid *diffyg* datblygiadau wyt ti'n feddwl, Gregory?' Yr Ysgrifennydd Cartref oedd yn gofyn, ac roedd elfen o feirniadaeth yn nhôn ei lais.

'Falla, wir, Mr Blunkett! Falla wir! Ond gobeithio y gallwn ddod i ryw ddealltwriaeth . . . i ryw gytundeb . . . cyn diwedd y cyfarfod, fydd yn sicrhau gwell cydweithio rhwng Thames House a Vauxhall Cross ar y naill law a ninnau yn Scotland Yard ar y llaw arall.' Ceisiai beidio edrych yn rhy benodol ar Gyfarwyddwr Cyffredinol *MI5* nac ar y gŵr oedd â'r cyfrifoldeb am holl weithrediadau *MI6*.

Caed chydig eiliada o dawelwch tra oedd Jack Straw, yr Ysgrifennydd Tramor, yn tywallt coffi i bawb, yna meddai'r Ysgrifennydd Cartref, 'Oes problem, ta? Os felly, ymhle?'

'Dwi'n credu *bod* problem, Mr Blunkett. Rydan ni i gyd yn gweithio ar wahân a dydw i ddim yn teimlo'n bod ni'n rhannu gwybodaeth fel y dylen ni. Oherwydd hynny, dydan ni fawr nes i'r lan heddiw nag oedden ni wythnos yn ôl.'

'Hm! A be ydi'ch barn chi, Eliza? Ydi Thames House yn celu gwybodaeth ar y mater yma?'

'Gyda phob parch, Mr Blunkett,' meddai Roylance yn gyflym, 'nid dyna roeddwn i'n ei awgrymu. Deud oeddwn i y dylen ni fod yn barotach i rannu gwybodaeth ac i hysbysu'r naill a'r llall am bob datblygiad, waeth pa mor fach.'

'Eliza?' Roedd yr Ysgrifennydd Cartref yn benderfynol o gael ei ateb, serch hynny.

Gosododd Cyfarwyddwraig y gwasanaeth cudd ei chwpan yn ôl yn dawel ar ei soser a phwyso a mesur ei geiria'n ofalus cyn ateb. 'Rwy'n cydymdeimlo efo'r hyn y mae Gregory yn ei ddeud, Mr Blunkett, ond wela i ddim sut y gellir cael cydweithrediad llawn heb ein bod ni'n creu adran arbennig i ganoli pob gwybodaeth, ac yn bersonol, rwy'n gweld mwy o beryglon nag o fanteision mewn peth felly.'

A barnu oddi wrth y ffordd y siglai ei ben yn araf i fyny ac i lawr, roedd pennaeth Vauxhall Cross yn cytuno'n llwyr â hi. 'Rydan ni'n delio yn fa'ma efo llofruddiaeth aelod o'r Cabinet,' meddai hwnnw mewn llais digynnwrf, 'sy'n golygu ein bod ni'n gorfod tyrchu am wybodaeth mewn meysydd sensitif iawn iawn. Rhaid inni, felly, fod yn hynod ofalus rhag datgelu pethau a allai fod o embaras mawr i'r Llywodraeth. Dyna fyddai fy ofn i pe câi adran arbennig – debyg i'r un y cyfeiriodd K ati, rŵan – ei chreu. Pwy fyddai'n monitro'r casglu a'r didoli gwybodaeth? A fyddai hynny yng ngofal Scotland Yard, ta pwy? Sut fydden ni'n sicrhau cyfrinachedd lwyr?' Ysgydwodd ei ben i awgrymu na ellid gneud hynny'n hir. 'Rwy'n deall dadl Gregory yn iawn, wrth gwrs, ond fel Scotland Yard, rydan ninnau yn Vauxhall Cross, fel hefyd *MI5* yn Thames House, yn eich hysbysu chi, yma, Ysgrifennydd Cartref, a chitha hefyd yn y Swyddfa Dramor, Mr Straw, am bob datblygiad o bwys. Chi sy'n gneud y monitro ac yn didoli'r wybodaeth a does dim cwestiwn yn fy meddwl i nad dyna'r ffordd saffaf o weithredu.'

'Gregory?' Trodd yr Ysgrifennydd Cartref ei wyneb rŵan i gyfeiriad y cadlywydd unwaith eto, i gael ei adwaith ef i sylw penaethiaid y gwasanaethau cudd.

'Dwi'n cydnabod y gwrth-ddadleuon, Mr Blunkett, ond nid rhyddhau cyfrinachau trwy flerwch ydi fy mhryder mwyaf i. Mae gen i ddigon o ffydd yn fy staff i fod â meddwl tawel ynglŷn â hynny. Na, yr hyn sy'n fy mhoeni i fwyaf ynglŷn â'r achos yma ydi'r camarwain bwriadol sy'n dod o ryw gyfeiriad neu'i gilydd.'

'Gwell iti egluro, Gregory.' Roedd David Blunkett yn synhwyro bod y ddau arall wedi cymryd atynt braidd oherwydd yr ensyniad.

Roedd Roylance wedi sylwi hefyd. 'Peidiwch â 'nghamddallt i, gyfeillion. Dydw i ddim yn pwyntio bys at yr un ohonoch chi, ond mae rhywun neu rywrai yn fwriadol wedi taflu mwd i mewn i'r dŵr fel na allwn ni weld gwaelod y pwll yn glir.'

'Er enghraifft?'

Doedd y cadlywydd, hyd yma, ddim wedi cyffwrdd â'i baned. Defnyddiodd lwy, rŵan, i symud y croen oedd wedi hel ar wyneb ei goffi, gweithred a roddodd eiliad neu ddwy iddo benderfynu sut i ymateb i'r cwestiwn. 'Gawn ni ddechra efo'r lled-gyhuddiadau sydd wedi ymddangos yn y Wasg yn erbyn un o fy nynion i. Fu gen i ddim dewis, o dan yr amgylchiadau, ond ei anfon adre ar gyflog llawn, ond ro'n i'n bell o fod yn hapus o orfod gneud hynny.'

'Twt! Ddown ni byth i ben yn poeni be mae'r Wasg yn ei neud, Gregory. Does neb wedi diodda mwy yn y *tabloids* na ni yn Vauxhall Cross. Fe ddylet ti wybod hynny cystal â finna. Dyna natur y Wasg Brydeinig, wedi'r cyfan – ei chryfder a'i gwendid hi yr un pryd – a does gennym ninna ddim dewis ond byw efo hi, gwaetha'r modd.'

'Dydw i ddim yn meddwl, rywsut, mai'r Wasg ydi'r ddraenen fwya yn ystlys Gregory yn fan hyn. Ydw i'n iawn?' Prin bod yr Ysgrifennydd Tramor wedi agor ei geg, hyd yma, ond roedd ganddo ddiddordeb amlwg ym mhryderon y cadlywydd.

'Na, rydach chi'n iawn, Mr Straw. Pwy sy'n bwydo'r Wasg? A pham? Dyna'r cwestiynau sy'n fy mhoeni i. Er enghraifft, pwy roddodd y wybodaeth iddyn nhw fod un o'm swyddogion i – aelod o *SO11* – yn cael ei amau o fod â bys yn y brwas?'

'O! Tyrd o'na, Gregory!' Roedd sŵn chwerthin gwamal yng ngeiria'r gŵr o Vauxhall Cross. 'Dwyt ti rioed yn disgwyl i un ohonom ni yn fa'ma allu ateb y cwestiwn yna, wyt ti? Fe wyddost ti, cystal â finna, fel mae'r Wasg yn gweithredu.'

Anwybyddodd y cadlywydd yr ymyrraeth. 'Dim ond o un lle y gallai'r wybodaeth yna fod wedi dod, sef allan o gyfarfod yn yr *Ops Room* yn Westminster, y diwrnod y saethwyd Mr Smythe; cyfarfod oedd i fod yn un hollol gyfrinachol. Ar wahân i mi fy hun a'r swyddog oedd yn cael ei groesholi, yr unig rai eraill yn y stafell oedd y *Sergeant at Arms* a *Black Rod*, un o'ch pobol chi o Thames House, Eliza – dyn o'r enw Holmes – a dyn arall, na chawsom ni mo'i enw fo. Vauxhall Cross oedd hwnnw dwi'n credu, Syr Richard.'

Sythodd *C* – Rheolwr *MI6* – yn ei gadair. 'Felly, yr awgrym ydi mai un o'n pobol ni yn Thames House neu Vauxhall Cross sydd wedi gollwng y gath o'r cwd.'

'Gyda phob parch, Syr Richard, mae'n anodd gweld pwy arall allai fod wedi gneud.'

'Be am y swyddog ei hun, Gregory? Wyt ti wedi holi hwnnw? Smith, os cofia i'n iawn, ydi'i enw fo 'ndê? Wyt ti ddim yn meddwl mai fo'i hun sydd fwya tebygol o fod wedi agor ei geg?'

Gadawodd Roylance i'r sylw fynd heibio. 'A dyna fusnas y fwled, wedyn! Fe garwn i wbod pwy ddatgelodd i rai o'r *tabloids* – a hynny cyn i unrhyw ddatganiad swyddogol gael ei neud – y nonsens mai allan o lorri neu gar y cafodd honno'i thanio? Mae *hwn'na*'n gwestiwn na wyddom ni mo'r ateb iddo fo chwaith, er inni holi gohebyddion pob un o'r papurau hynny – y *Sun,* y *Mail,* y *Mirror* a'r *Clarion.* Yr un ateb gawsom ni ganddyn nhw i gyd, sef eu bod nhw wedi cael y manylion gan rywun oedd yn honni siarad ar ran Scotland Yard. Fel y byddech chi'n disgwyl, gyfeillion, ro'n i wedi fy nghythruddo pan glywais i hynny ac fe es i ati'n syth i gynnal ymchwiliad manwl ymysg fy mhobol i fy hun i geisio dod o hyd i'r sawl oedd yn gyfrifol. Erbyn rŵan, fodd bynnag, dwi'n berffaith dawel fy meddwl nad o Scotland Yard y deilliodd y stori gelwyddog a chamarweiniol honno. Felly pwy? Ac o ble? Ac yn bwysicach fyth, pam? A pham na chafodd gair Smith ei dderbyn gan bawb ar y pryd mai ar do ysbyty St Thomas yr oedd yr asasin yn cuddio? Fo oedd yn iawn, wedi'r cyfan – fel sydd wedi cael ei brofi erbyn hyn – ond fe wastraffwyd amser prin ar y pryd ac fe gafodd yr asasin gyfle i ddianc. A'r cwestiwn pwysica, rŵan, ydi hwn: Sut ar y Ddaear, meddech chi, oedd yr asasin yn gwybod y byddai Mr Smythe yn ymddangos ar y Teras o gwbwl y diwrnod hwnnw? Rhaid bod rhywun wedi rhoi'r wybodaeth honno iddo, ac mewn da bryd.'

'Dy ddyn di ydi'r candidet mwya tebygol o hyd, Gregory. Yn ôl y *Sergeant at Arms,* roedd Smith yn gwybod – a hynny gymaint â hanner awr ymlaen llaw – bod y Gweinidog yn bwriadu mynd â'i westai allan ar y Teras am goffi. Fe gafodd ddigon o gyfle i ffonio rhywun neu'i gilydd.'

'Doedd o mo'r unig un i gael y cyfle, Syr Richard . . . Doedd o mo'r unig un. A hyd yma, does neb – *Special Branch, MI5 . . .*

neb! – wedi medru profi dim yn ei erbyn o.'

'Ond lle mae o rŵan? Does neb wedi'i weld o ers dyddia. Yr euog a ffy, falla.' Doedd *K* o Thames House, mwy na *C* o Vauxhall Cross, ddim yn hoffi'r awgrym mai un o'i phobol hi oedd wedi cawlio petha.

'Ah! Ond dyna mae'r Wasg – neu o leia un carfan ohoni – hefyd am i bobol ei gredu, Eliza, ond dwi'n ama mai dianc oddi wrthyn *nhw*, yn fwy nag oddi wrth y gyfraith, mae o. Dydi o ddim wedi mynd yn bell, dwi'n ffyddiog o hynny. Dwi eisoes wedi gadael neges iddo fo gysylltu efo fi. Na, gyfeillion, mae gen i ofn bod y dyn yn cael cam. Ond nid dyna ydi fy mhryder mwya fi chwaith, wrth gwrs, ac yn sicir nid dyna pam y gofynnais i i'r Ysgrifennydd Cartref alw'r cyfarfod hwn. Be sy'n fy mhoeni i fwya ydi bod yna gamarwain bwriadol wedi bod a bod hynny wedi gneud petha'n llawer iawn anoddach, erbyn heddiw, i gael at y gwir.'

'Dwi'n gobeithio nad wyt ti'n pwyntio bys at unrhyw un o 'mhobol i, Gregory?'

'Nac at Thames House chwaith, siawns!'

Ochneidiodd yr Ysgrifennydd Cartref yn ysgafn wrth sipian ei goffi llugoer ac estynnodd yr Ysgrifennydd Tramor at y ddau debot i dywallt paned arall iddo'i hun. Gwyddai'r ddau y byddai'r drafodaeth yn mynd ymlaen am beth amser eto.

* * *

Gadael Tallin

Pe bai'r fwled wedi ffeindio'i tharged yn Hyde Park, fel y gwnaeth un Stephen Smythe ar y Teras, fydda 'na rywun o gwbwl wedi gweld dy golli di?

Ers y bore Sul hwnnw, bum neu chwe wythnos yn ôl bellach, bu Zen yn pendroni mwy a mwy ynghylch ei sefyllfa a'i ddyfodol, a deuai'r cwestiwn i'w bigo dro ar ôl tro, fel eto rŵan. Roedden nhw newydd gychwyn am y maes awyr yn y tacsi.

Nid estron o dad, yn reit siŵr! Na chwiorydd di-hid, chwaith. Duke, falla, am ddiwrnod neu ddau! Ond unwaith y ceith hwnnw'i geffyl nesa i ennill pres cwrw iddo fo, yna buan yr eith hen ffrind yn angof iddo ynta hefyd. Ymhen dwy flynadd, mi fyddi di'n ddeugain oed, boi. Be wedyn? Be fydd dy hanas di yn y cyfamsar, beth bynnag? Ar y dôl? Yng ngharchar, hyd yn oed! Carchar am oes os ceith blydi MI5 eu ffordd! Dyfodol Alex yn bur wahanol – rhieni i bryderu amdani hi, job o waith y mae hi wrth ei bodd yn ei gneud, ac yn ei gneud hi'n dda, a sicrwydd na fydd hi byth yn brin o geiniog neu ddwy. Ti efo dim a hitha wedi'i geni efo llwy aur yn ei cheg! Wyt ti'n synnu ei bod hi wedi dy wrthod di neithiwr?

Torrodd Alex ar ei hunandosturi. 'Eglura ifi, Zen, pwy yw'r gwahanol adranne diogelwch yn Westminster. Wi'n gwbod am yr *SO11* a'r *SO17* ond sa i'n siŵr am neb arall. Faint ohonoch chi sy'n gwitho 'ma?'

Ni throdd ei ben i gydnabod ei chwestiwn, dim ond dal i syllu allan ar adeiladau Tallinn yn gwibio heibio. Doedd ei hwyliau yn ddim gwell rŵan nag oedden nhw deirawr yn ôl ac roedd Alex yn ymwybodol iawn o hynny. Rhoddodd ei llaw ar ei ben-glin a'i gwasgu.

'So ti am siarad â fi, 'te? So ti'n dal yn grac 'da fi obeutu nithwr, gobitho?'

Trodd i edrych arni a gwenu'n wan. 'Na. Fy meddwl i oedd yn bell, dyna i gyd.'

Ond unigrwydd, yn fwy na dim arall, a welai Alex yn ei lygad. 'A beth yw'r meddwl pell 'te, sy'n gneud iti guchio shwd gyment?'

Gwenodd eto'i wên gam. 'Be oedd dy gwestiwn di?'

'Moyn iti egluro ifi'r gwahanol adranne diogelwch sy'n gweithredu tu fiwn i Westminster, 'na i gyd. Wi ddim mor gyfarwdd â hynny â'r lle.'

'Weeel!' Oedodd i feddwl. 'Ma petha wedi newid yn gythreulig yno ers *nine eleven* yn America. Un o'r petha cynta wnaethon nhw, yn dilyn y busnas hwnnw, oedd gosod baricêd concrid o gwmpas Palas Westminster – ti wedi sylwi arno fo, siawns – rhag i rywun gwallgo yrru lorri'n llawn o ffrwydron yn syth drwy'r drws a chwythu'r lle'n jibadêrs.' Chwarddodd yn fyr ac yn chwerw. 'Fawr o gollad a deud y gwir!' Yna aeth ymlaen: 'Cynyddu'r gwarchodlu'n sylweddol hefyd, wrth gwrs. Roeddat ti'n gofyn faint ohonon ni sy'n gweithio yno; wel, rhwng yr *SO11* a'r *SO17*, mae 'na tua dau gant a hannar i gyd, yn gweithio tair shifft wyth awr, saith diwrnod yr wythnos. Erbyn heddiw mae Palas Westminster yn cael ei warchod rownd y rîl, bob dydd o'r flwyddyn, hyd yn oed ar ddiwrnod Dolig pan mae'r lle ar gau.'

Rhaid bod e wedi clywed fy nghwestiwn i yn y lle cyntaf, felly, meddyliodd Alex, *er bod e'n gweud bod 'i feddwl e'n bell.* 'Cer mla'n!'

'Be sy 'na i'w ddeud, ond mai Awdurdod y Tŷ – y *Sergeant at Arms* a *Black Rod* – sy'n gyfrifol am ddiogelwch Palas Westminster . . . '

'Ac iddyn nhw r'ych chi'n atebol, ife?'

'Fe allet ti ddeud hynny, ond aelodau'r *Met* ydan ni, wrth gwrs, a Scotland Yard sy'n ein rheoli ni. Y Cadlywydd Gregory Roylance ydi'r Dyn Mawr cyn bellad ag yr ydan ni yn y cwestiwn.'

'A! Wi wedi cwrdd ag e!'

'O! Deud ti!'

'A 'na'r cyfan, ife? O's rhywun arall yn gwarchod y lle?'

'Mae yno uned *plain clothes* fechan sy'n gweithredu yn erbyn tor-cyfraith a mân droseddau eraill o fewn yr adeilad. Boi o'r enw Bill Ramsey sydd yng ngofal honno. Rhaid iti gofio bod tua phedair mil i gyd yn gweithio yn Westminster – heb gyfri'r aelodau seneddol a'r arglwyddi – felly mae 'na rywfaint o ddwyn ac ati yn mynd ymlaen yno, o bryd i'w gilydd. Ond mae'r uned *plain clothes* hefyd yn cadw golwg ar yr Oriel Gyhoeddus – ac ar Oriel y Wasg yn ogystal, iti gael gwbod! Mae'r ddwy oriel yn gallu bod yn llawn iawn ar adega . . . fel ti'n gwbod, wrth gwrs . . . yn enwedig pan mae 'na drafodaeth go bwysig ar lawr y Tŷ neu pan fydd y Prif Weinidog yn atab cwestiyna'r aeloda. A deud y gwir wrthat ti, ers *nine eleven* yn America, ac ambell stỳnt gan brotestwyr i dynnu sylw atyn eu hunain, mae pawb wedi mynd yn uffernol o paranoid yno. Ma nhw'n gweld terfysgwyr ym mhob twll a chornel dywyll. A s'dim rhaid imi ddeud wrthat ti faint o gorneli felly sydd yno.'

'A 'na i gyd, ife?'

'Ddim o bell ffordd! Mae'r Adran Ddiogelwch – *Security Control* – mewn cyswllt cyson efo *Special Branch,* yn ogystal ag efo'r Swyddfa Gartra a'r Swyddfa Dramor, yr Heddlu Trafnidiaeth Prydeinig a Heddlu Tafwys, heb sôn am y Ffyrm yn Spook House.'

'Sa i'n diall! Pwy yw'r Ffyrm, 'te? A sa i rio'd wedi clywed am Spook House.'

'Y Ffyrm! Dyna'r enw neis mae *MI5* yn roi arnyn nhw eu hunain. Spook House ydi'u cartra nhw – Thames House mewn geiria erill!'

'O! Gwed ti!'

'Maen nhw wrth eu bodda efo'r ddelwedd gyfrinachlyd, ti'n dallt. Dyna pam na fyddan nhw byth yn cyfeirio at eu Cyfarwyddwr Cyffredinol wrth ei enw iawn – wrth ei *henw,* yn hytrach, gan mai merch ydi'r *Director General* presennol. *'K'* mae o neu hi yn cael ei alw bob amser.'

'A beth am *MI6,* 'te?'

'Rwbath tebyg ydyn nhwtha. *Cloak and dagger* go iawn! C maen *nhw*'n galw'u pen dyn a does neb byth bron yn cael gweld ei wynab o!' Magodd ei lais sŵn gwamal, 'Ond wedi deud hynny, ma pawb yn gwbod pwy ydi o. Hynny ydi, 'i enw fo. Maen nhw'n deud i mi bod y wybodaeth i gyd i'w chael ar wefan yr *SIS* ar y Rhyngrwyd. Fedri di gredu'r peth? Blydi chwara plant ydi'r cwbwl.'

Anwybyddodd Alex y nodyn chwerw yn ei lais. '*SIS?* Pwy yw rheini, 'te?'

'*Secret Intelligence Service.* Dim ond enw crandiach ar *MI6,* dyna i gyd. Ond does gan Vauxhall Cross ddim byd i'w neud â Phalas Westminster, cofia. Busnesu dramor maen nhw . . . fel rheol' – roedd newydd gofio am yr un oedd wedi dod efo Holmes i'w groesholi yn stafell y *Sergeant at Arms* – 'ac *MI5* yn busnesu'n nes adra. *Counter-intelligence* a *counter-espionage* ydi geiria mawr y ddau ohonyn nhw, a'r geiria hynny ond yn golygu un peth, sef gwarchod buddiannau Prydain Fawr . . . a'u buddiannau'u hunain wrth gwrs . . . doed a ddêl, yma ac ar hyd a lled y byd, waeth befo sut!' Roedd dogn go lew o chwerwedd wedi magu yn ei lais erbyn hyn. 'Ond paid â disgwyl i'r diawliaid ddeud dim wrthat ti am y tricia dan-din maen nhw'n eu defnyddio i hel eu gwybodaeth. Dydyn nhw ddim yn cael eu galw'n *wasanaethau cudd* heb reswm!' Oedodd eiliad, i roi ffrwyn ar ei fustledd ac i ganolbwyntio ar ei chwestiwn gwreiddiol. 'Sut bynnag, ar ben hynny wedyn mae gen ti'r ugeinia o gamerâu CCTV o gwmpas y lle. Dwi'n deud wrthat ti Alex, fedar llygodan ddim dangos ei thrwyn yn Westminster y dyddia yma heb fod rhywun neu'i gilydd yn rwla neu'i gilydd yn ei gweld hi ac yn riportio'r symudiad.'

'Ond ca'l 'i sithu ga's ein cyfaill, serch 'ny.' Roedd Alex wedi tynnu'r llun a gafodd hi gan y weddw Shmit allan o'i bag er mwyn cael craffu ar wyneb penderfynol yr un a fu, tan yn ddiweddar, yn aelod dylanwadol o Gabinet y Llywodraeth Lafur Newydd yn San Steffan.

'Ia, ond trwy'i flerwch ei hun yn fwy na bai neb arall.'

* * *

Y Swyddfa Gartref, Parc St James, Llundain SW1

Daeth y drafodaeth yn y Swyddfa Gartref i ben heb i unrhyw benderfyniad o bwys gael ei wneud. O bawb oedd yno, Gregory Roylance oedd leiaf bodlon ar sut roedd pethau wedi mynd. 'Fy mai i oedd disgwyl gormod,' meddai wrtho'i hun, gan wthio'i gadair yn ôl er mwyn codi oddi wrth y bwrdd. 'Fe ddylwn fod wedi gwybod yn amgenach na disgwyl i Spook House a Vauxhall Cross gytuno i unrhyw gynllun i rannu gwybodaeth.' Pawb drosto'i hun oedd hi, wedi'r cyfan, ac roedd yr Ysgrifennydd Cartref a'r Ysgrifennydd Tramor yn barod i dderbyn hynny, rhag i unrhyw gyfrinachau mawr ddod i'r wyneb a chreu embaras i lywodraeth y dydd.

Cododd Cyfarwyddwr Cyffredinol *MI5* hefyd, hithau yn awyddus i fynd yn ôl at ei gwaith yn Thames House. Ond arhosodd Syr Richard Dearlove yn ei gadair.

'Cyn i mi fynd, fedra i gael gair sydyn efo chi'ch dau?' At y ddau Weinidog y cyfeiriodd *C* ei gwestiwn ond gwelodd hefyd y chwilfrydedd yn llygad y ddau arall oedd rŵan ar fin gadael y stafell. 'Ar fater arall yn llwyr,' ychwanegodd, er mwyn chwalu amheuon y rheini, ac aros wedyn nes i'r drws gau o'u hôl. Yna, edrychodd o'r naill i'r llall gyferbyn ag ef dros y bwrdd. 'Yr awgrym a wnaed gynna bod Smith wedi cymryd y goes.'

David Blunkett oedd y cynta i ymateb. 'Ia? Be amdano fo?'

'Dydi o ddim! Ddim wedi cymryd y goes dwi'n feddwl. Fe wyddom ni o'r gora lle mae o.'

'O?'

'Fe gawsom ni wybod rai dyddiau'n ôl ei fod o, neu rywun arall ar ei ran, wedi gneud cais am fîsa.'

'O? A fîsa i ble, felly?' Yr Ysgrifennydd Tramor oedd rŵan yn holi.

'Estonia.'

Syrthiodd tawelwch syfrdan am eiliad.

'Lwyddodd o i gael un?'

'Do.'

'A phryd mae o'n bwriadu mynd?'

'Mae o yno rŵan, Ysgrifennydd Cartref.'

'O? Ac oes gynnon ni syniad pam ei fod o wedi mynd yno?'

'Oes, syniad go lew, rwy'n credu.'

'Wel pam na ddeudi di wrthom ni ta, Syr Richard?' Roedd sŵn colli amynedd yn llais Jack Straw.

'Mae o yno yng nghwmni A. A. Morgan, gohebydd y *Chronicle.* Hi, os cofiwch chi, oedd y gynta i ddatgelu bod rhywun wedi ceisio lladd Smith yn Hyde Park. Erbyn rŵan, does fawr o amheuaeth nad camgymeriad oedd yr ymgais honno; fod pwy bynnag ddaru drio lladd Smith wedi cymysgu rhwng Steven Zendon Smith, sef yr *SO11* yn Westminster, a Stephen Smythe, neu'n hytrach Steffan Zenovich Shmit, yr Ysgrifennydd Amddiffyn, yntau hefyd yn *gweithio* yn Westminster. Does dim rhaid imi'ch atgoffa mai'r un rhai hefyd, mwy na thebyg, a geisiodd saethu'r Gweinidog wrth y Carriage Gates, ychydig ddyddia'n ddiweddarach.'

'A llwyddo, wythnos yn ôl.'

'Mae gynnon ni'n amheuon am hynny, bellach, Ysgrifennydd Cartref. Amheuon mawr a deud y gwir. Amaturiaid llwyr oedd y ddau yr ydan ni'n sôn amdanyn nhw tra bod y sawl a lwyddodd i lofruddio'r Ysgrifennydd Amddiffyn yn llofrudd proffesiynol oedd yn arbenigwr yn ei faes. Dim amheuaeth am hynny. Roedd Gregory Roylance yn llygad ei le pan ddeudodd o fod camarwain bwriadol wedi bod ar ran rhywun neu'i gilydd a gallaf eich sicrhau bod *MI6*, y funud yma, yn cynnal ymchwiliad i geisio dod o hyd i'r rhai euog. Dydi pobol Thames House ddim yn gwybod ein bod ni'n gneud hynny, cofiwch, neu fydden nhw fawr o dro yn edliw inni am fusnesu yn eu milltir sgwâr nhw. Mae'r Ffyrm yn gallu bod yn blwyfol iawn ar adega . . . '

Llwyddodd y ddau Weinidog fel ei gilydd i guddio'u gwên. Roedd gan bob un ei ddiffiniad ei hun o *blwyfoldeb*, siŵr o fod!

' . . . Sut bynnag, fe wyddom fod Smith a'r gohebydd wedi mynd i Tallinn yn Estonia, yn unswydd i holi ynglŷn â chefndir Stephen Smythe. A dyna fy mhryder, Ysgrifennydd Cartref . . . Ysgrifennydd Tramor.'

'O?'

'Ia, y peryg iddyn nhw ddatgelu gormod a chreu embaras i'r Llywodraeth.'

'Embaras? Pa fath embaras?'

Roedd y ddau Weinidog yn glustiau i gyd erbyn hyn.

'Faint wyddoch chi am gefndir Stephen Smythe? A sut y daeth o i Brydain yn y lle cynta?'

'Syr Richard!' meddai Jack Straw, a thôn ei lais yn awgrymu cerydd ysgafn. 'Os mai cyfeirio'r wyt ti at y ffaith mai Estoniad oedd ein diweddar Ysgrifennydd Amddiffyn, yna does dim rhaid iti fod ofn deud hynny. Fe ŵyr pob aelod o'r Cabinet, am wn i, mai Estoniad o dras Almaenig-Rwsiaidd oedd Stephen Smythe. Fe ges olwg ar ei ffeil gynted ag y penodwyd fi i swydd Ysgrifennydd Tramor. Rwy'n siŵr bod David, hefyd, yn gyfarwydd â'i chynnwys hi.'

Gwyliodd Syr Richard Dearlove yr Ysgrifennydd Cartref yn cadarnhau'r geiriau olaf, yna magodd ei lais dôn fwy cyfrinachol. 'Ond pa mor fanwl neu berthnasol oedd y ffeil a gawsoch chi i'w darllen sy'n fater arall, Jack. Rwy'n ofni bod rhywun yn Vauxhall Cross yn y gorffennol wedi bod braidd yn gynnil gyda'r gwir.'

'Un o dy ragflaenwyr di wyt ti'n feddwl? Ym mha ffordd, felly?' Roedd nodyn bychan o bryder, yn gymysg â pheth syndod ac anghredinedd, i'w glywed yn llais yr Ysgrifennydd Tramor.

'Mae'n ymddangos bod y wybodaeth am wir gefndir Stephen Smythe wedi cael ei chelu rhagoch. Mi fyddwch yn deall pam, mewn munud, gobeithio.'

Cododd Jack Straw gwpan gwag at ei geg a chrychodd David Blunkett ei dalcen mewn dryswch.

'Pan ddaeth Stephen Smythe i Brydain gynta, yn 1980, fe dwyllodd bawb i gredu mai Estoniad o'r enw Steffan Zenovich Shmit oedd o; cyn-filwr yn y Fyddin Goch oedd yn awyddus i neud bywyd newydd iddo'i hun yn y Gorllewin rhydd. Ac ymhen amser, fe lwyddodd yn ei gais am ddinasyddiaeth Brydeinig. Fe wyddoch, mae'n siŵr, am yr haelioni a ddangosodd tuag at eich plaid chi a'r Blaid Geidwadol ar y pryd.' Arhosodd i'r ddau Weinidog nodio'u pennau cyn penderfynu nad oedd angen manylu mwy ar y pwynt hwnnw.

'Ond fe allaf ddatgelu nawr, oherwydd y sefyllfa sy'n bygwth, mai *cynllun* yr *SIS* oedd y cyfan ac nad Stefan Zenovich Shmit oedd ei enw iawn o gwbwl ond Igor Valyukh, Rwsiad o waed ac uwch-swyddog yn y Fyddin Goch.' Oedodd i wylio'r syndod yn ymledu dros wynebau'r ddau oedd yn gwrando. 'Mae'n ymddangos mai dim ond criw bychan dethol – *C* a dau neu dri arall yn Vauxhall Cross . . . neu'n hytrach yn Century House, yr hen bencadlys – oedd yn gwybod hynny ar y pryd ond bod y Prif Weinidog Margaret Thatcher wedi rhoi sêl ei bendith bersonol ar y cyfan.'

Jack Straw oedd gynta i ymateb: 'Mae hyn yn anghredadwy! Ac yn anfaddeuol hefyd! Pa awdurdod oedd gan *MI6* i neud y fath beth? A pha hawl oedd gan Margaret Thatcher i gytuno i'r fath dwyll ac i gelu'r gwirionedd oddi wrth aelodau ei Llywodraeth ei hun?'

'Alla i ddim ateb dros fy rhagflaenwyr, Ysgrifennydd Tramor, ond fe garwn i egluro rŵan y rhesymau pam y cafodd y wybodaeth ei chelu yn y lle cynta. Er mai Igor Valyukh ac nid Steffan Zenovich Shmit oedd gwir enw Stephen Smythe, eto i gyd roedd cysylltiad rhwng y ddau. Roedd Valyukh, yn ogystal â bod yn swyddog ar Shmit yn y Fyddin Goch, yn ffrind mynwesol hefyd i'r teulu, a phan laddwyd Shmit yn Chechnya – a derbyn clod uchel a medalau am ei wrhydri, gyda llaw – fe briododd Valyukh ei weddw. Yn bwysicach o lawer o'n safbwynt ni, fodd bynnag, oedd y ffaith ei fod o nid yn unig yn swyddog ym myddin Rwsia ac yn asiant rhan-amser i'r Stasi, neu'r KGB, ond ei fod o, rywbryd yn ystod y saith degau, wedi cytuno i fod yn asiant i ninnau hefyd. Hynny ydi, roedd Igor Valyukh yn asiant dwbwl.'

'PARDWN?' Bron nad oedd yr Ysgrifennydd Tramor yn gweiddi i fynegi'i syndod.

'Fe wyddai'r *SIS* ers rhai blynyddoedd, am ei rôl fel ysbïwr-rhan-amser i'r Stasi ond dyn barus, a diegwyddor hefyd mae'n ddrwg gen i ddweud, oedd eich diweddar gyfaill oherwydd ymhell cyn iddo briodi'r weddw Shmit a dod i gyfoeth anesboniadwy, roedd Valyukh wedi cael ei *droi* gan un o'n dynion ni yn *MI6;* hynny ydi, fe gytunodd, am lwgrwobr sylweddol iawn, i weithredu fel asiant UKN – asiant rhan-amser – i Brydain hefyd. Fe drodd ei gefn ar egwyddorion Comiwnyddiaeth a throsglwyddo inni wybodaeth ddefnyddiol am y KGB, yn y cyfnod pan oedd trefn pethau yn Rwsia yn dechra dadfeilio a phan oedd Estonia, fel gweddill gwledydd y Boltig yn anniddigo ac yn galw am hunanreolaeth. Pan dderbyniwyd ef yma i Brydain yn 1980 o dan ei enw newydd Stephen Smythe, ni freuddwydiodd Margaret Thatcher na neb arall ar y pryd y byddai'n creu'r fath yrfa wleidyddol ddisglair iddo'i hun. Sut bynnag, os ydach chi am fwy o wybodaeth ynglŷn â'r cyfnod hwnnw – ac mae'n siŵr eich bod chi – yna yr asiant a lwyddodd i *droi* Valyukh ydi'r un y dylech chi ei holi. Mae o'n dal efo ni yn *MI6* ond ei fod o bellach tu ôl i ddesg yn Vauxhall Cross yn hytrach nag allan yn y maes. Andrew Lorrimer ydi'i enw fo a mae o'n barod i gael ei holi gennych chi, os mai dyna'ch dymuniad.'

'Pam datgelu hyn rŵan?' Doedd yr Ysgrifennydd Tramor ddim eto wedi dod dros y sioc o glywed gwir gefndir ei gyn-gyd-weithiwr.

'Oherwydd be all ddod allan o Tallinn yn ystod yr oriau nesaf, Jack. Fe ges alwad yn gynharach heddiw i ddeud bod yr *SO11* Smith, ac A. A. Morgan y *Chronicle,* wedi ymweld bore 'ma â'r weddw Shmit yn ei chartref yn Tallin a bod ganddyn nhw gyfieithydd efo nhw. Os daw'r gwir am Smythe allan o Stryd y Fflyd bore fory, yna dyna agor cythral o dun cynrhon mawr, ddwedwn i! Dychmygwch y sgandal gwleidyddol. Fe fydd yn fêl ar fysedd y *tabloids* ac – os maddeuwch chi imi am gymysgu fy nhrosiadau – mi fyddan nhw'n godro'r stori i'w heithaf. Mi wyddoch chi amdanyn nhw! Mi fyddan yn cyhuddo pawb yn ddiwahân, o'r Prif Weinidog i lawr. Dyna be o'n i'n olygu gynna pan soniais i am embaras i'r Llywodraeth.'

Roedd yr Ysgrifennydd Cartref wedi gosod ei law ar fraich Jack Straw a'i gwasgu, wrth iddo sylweddoli'r goblygiada.

Ffrwydro wnaeth yr Ysgrifennydd Tramor. 'Diawl erioed, Syr Richard! Eich llanast chi yn Vauxhall Cross ydi hyn i gyd, a chi a neb arall ddylai wynebu'r fflàc. Chi a Thatcher!' Roedd yn ddigon profiadol, fodd bynnag, i wybod nad felly y byddai'r cyfryngau yn gweld y peth, ac mai eu llywodraeth nhw – llywodraeth Tony Blair – fyddai'r bwch dihangol. 'Un cysur sydd,' meddai wrth dawelu unwaith eto. 'Fedar y Toriaid ddim codi llawer o stŵr, na phwyntio bys, gan mai nhw a gytunodd i'r fath dwyll yn y lle cynta, pan oedden nhw mewn grym. Ond cysur bach iawn, serch hynny, ydi hwnnw i ni rŵan. Be wyt ti am ei awgrymu felly, Syr Richard? Rhaid bod gen ti ryw awgrym i'w neud neu fyddet ti ddim wedi codi'r pwnc.'

Canodd y ffôn ym mhoced y gŵr o Vauxhall Cross a chododd ef at ei glust. 'Hm! Wela i! Diolch.' Deng eiliad ar y mwya y parhaodd yr alwad. 'Cadarnhad oedd hyn'na bod y ddau y cyfeiriais i atyn nhw gynna newydd adael maes awyr Tallinn ar awyren *Estonian Air*. Mi fyddan yn glanio yn Gatwick mewn llai na theirawr ac mi ellwch fentro bod A. A. Morgan yn gweithio, y funud yma, ar ei herthygl i rifyn bore fory o'r *Chronicle.*' Crychodd ei dalcen mewn edrychiad dwys. 'Does dim rhaid bod yn broffwyd, gyfeillion, i ddarogan ar ba dudalen y bydd ei stori hi'n ymddangos, na chwaith faint o ddaeargryn gwleidyddol fydd y stori honno'n ei achosi.'

'Rhaid gneud rwbath o ddifri, felly. Allwn ni rwystro'r *Chronicle* rhag cyhoeddi? Rhaid bod gen ti ryw awgrym, Syr Richard, neu fyddet ti byth wedi codi'r peth.'

'Hyd y gwela i, Ysgrifennydd Cartref,' meddai Dearlove, wrth glywed yr un cwestiwn yn cael ei daflu ato'r eilwaith, 'un o ddau ddewis sydd gynnoch chi. Mi fedrwch ddilyn eich cyngor eich hun, eiliad yn ôl, a rhwystro'r *Chronicle* rhag cyhoeddi – dwn i ddim pa hen ddeddfau y byddai'n rhaid ichi droi atyn nhw i fedru gneud peth felly – neu mi fedrech chi . . . a dyma fyddwn i fy hun yn ei argymell . . . mi fedrech chi dynnu'r colyn allan o'i stori hi.'

'Tynnu'r colyn? A sut fyddai rhywun yn gneud peth felly,

yn enw pob rheswm?'

Daeth cyfrwystra i lygaid y gŵr o Vauxhall Cross, cystal ag awgrymu: *Sut dach chi'n meddwl y ces i'r swydd 'ma dwi ynddi hi?* 'Be fyddwn i yn ei awgrymu ydi eich bod chi'n gneud datganiad swyddogol i'r Wasg, mor fuan ag sy'n bosib rŵan, ac yn datgelu rhyw gymaint o'r hyn dwi newydd ei ddeud wrthoch chi am Stephen Smythe. Datgelwch ei enw iawn o, a rhowch eglurhad cynnil pam y cyfrinachedd mawr yn ei gylch. Cyfeiriwch at y ffaith iddo fod yn asiant cudd i Brydain yn ystod y Rhyfel Oer ac i'r wybodaeth a gaed ganddo fod yn werthfawr iawn i Brydain ar y pryd. Hynny ydi, gwnewch arwr o'r dyn. Fe synnech gymaint o apêl sydd mewn stori felly – i'r cyhoedd ac i'r Wasg fel ei gilydd. Dychmygwch y damcaniaethu a fydd wedyn, ynglŷn â pham y cafodd Stephen Smythe ei ladd, a chan bwy! Wneith hynny ddim drwg o gwbwl i'ch achos chi oherwydd mi fydd yn tynnu'r sylw oddi wrth y Llywodraeth.'

'*Smokescreen!*'

'Yn hollol, David. Y peth pwysig ydi bod y Wasg i gyd yn cael clywed eich stori chi efo'i gilydd ac ar yr un pryd. Gnewch chi hynny ac mi fyddwch chi wedi dwyn clod A. A. Morgan a'r *Chronicle,* a'r gobaith ydi y bydd newydd-deb y wybodaeth wedi troi'n stêl o fewn chydig ddyddia, yn hytrach na'i bod hi'n rhygnu mlaen am wythnosa, efo pob gohebydd trwy'r wlad yn ffansïo'i hun yn dipyn o dditectif ac yn holi ac yn stilio lle bynnag y byddwch chi'n troi . . . heb sôn am neud pob math o ensyniadau di-sail ynglŷn â rôl y Llywodraeth a rôl *MI5* ac *MI6* yn hyn i gyd.'

Syrthiodd tawelwch dros y stafell.

'Falla bod Syr Richard yn iawn, David,' meddai Jack Straw o'r diwedd. 'Mi fydd raid inni neud rwbath, a hynny'n sydyn.'

Roedd yr Ysgrifennydd Cartref hefyd wedi bod yn ddwfn yn ei feddyliau. 'Y peth cynta fydd raid ei neud, Jack,' meddai rŵan, 'fydd galw Tony i mewn, ond cyn hynny gad inni gydweithio ar ddatganiad fydd yn debygol o dderbyn sêl ei fendith.'

* * *

Rywle uwchben Môr y Boltig

Eisteddai Zen wrth ffenest y Boeing 737 yn syllu'n freuddwydiol i lawr rhwng y cymylau ar fôr llwyd y Boltig ymhell oddi tano. Roedd ei wisgi a sunsur wedi hen gynhesu yn y gwydryn a ddaliai yng nghwpan ei ddwylo. Wrth ei ochor, roedd Alex wedi ymgolli yn ei herthygl, ei photelaid fechan o win coch a'i gwydryn glân heb eu cyffwrdd, hyd yma. Bob hyn a hyn, codai ei pheiriant recordio at ei chlust i gael ei hatgoffa o'r sgwrs yn y tŷ yn *Toom-Kodi* ychydig oriau ynghynt.

O'r diwedd, daeth Zen allan o'i freuddwyd, cymerodd joch o'r whisgi a chodi, oddi ar ei lin, y pentwr papurau a roesai Alex iddo i'w darllen. Dyma'r wybodaeth yr oedd hi wedi'i chael am Stephen Smythe oddi ar y Rhyngrwyd. Manylion am ei yrfa wleidyddol oedd y rhan fwyaf ohoni a'r manylion hynny yn gyfraniad mwy nag un awdur, y gohebydd Robert Fisk yn eu plith.

Yn ddigon di-gynnig y dechreuodd ddarllen trwyddyn nhw ond buan y cynhesodd i'r gwaith wrth sylweddoli bod Smythe y gwleidydd bron mor amhoblogaidd ymysg ei gyd-weithwyr yn Llundain ag oedd Igor Valyukh ar aelwyd y weddw Shmit yn Tallinn. Roedd honno wedi ei alw'n gi o ddyn. 'Yn wleidyddol, mi fyddai *daeargi* yn well diffiniad ohono,' meddai Zen wrtho'i hun. 'O leia, dyna'r darlun sy'n dod allan o'r wybodaeth dwi'n ei gweld rŵan, beth bynnag.' Honnai un awdur fod gan Smythe broblem seicolegol go fawr; ei fod yn arddangos holl arwyddion megalomenia.

'Be 'di megalomeniac?'

Heb brin godi'i llygaid oddi ar ei gwaith, 'Rhywun sy 'di gadel i'w bŵer fynd i'w ben e,' atebodd Alex. 'Rhywun sy'n credu 'i fod e'n bwysicach nag yw e mewn gwirionedd ac sy'n twlu'i bwyse obeutu.'

'Hm! Dyna un ffordd o neud gelynion.'

'Ia, glei!'

Gan ei bod hi, yn amlwg, eisiau llonydd wrth ei gwaith, aeth Zen yn ôl at ei ddarllen. Os gellid credu'r wybodaeth o'i flaen, yna Stephen Smythe oedd y dyn mwya amhoblogaidd yn Whitehall. Am ei fod yn ymddwyn fel teyrn ac yn trin ei staff fel baw, caseid ef â chas perffaith, nid yn unig o fewn y Weinyddiaeth Amddiffyn ei hun ond gan weithwyr sifil yn gyffredinol yn Whitehall. Honnid nad oedd ganddo ffrind agos yn y Cabinet hyd yn oed, ac âi'r erthygl ymlaen i restru enghreifftiau oedd yn dangos pam. Y mwya dadlennol ymysg y rheini oedd hoffter y diweddar Ysgrifennydd o gario straeon am ei gyd-aelodau i glust y Prif Weinidog. Dyma, meddid, sut y llwyddai i ddal gafael ar ei swydd, er gwaethaf pob cwyn i'w erbyn. Âi'r awdur cyn belled hyd yn oed ag awgrymu bod gan Stephen Smythe ddigon o uchelgais a phenderfyniad, a digon o feddwl ohono'i hun hefyd, i fod yn brif weinidog ei hun ryw ddiwrnod. *'Duw a'n gwaredo ni rhag hynny!'* oedd geiriau olaf yr erthygl.

Cyfraniad Robert Fisk i'r wefan oedd yr un mwyaf cyhwysfawr o ddigon, fel y gellid disgwyl oddi wrth un oedd yn y broses o baratoi bywgraffiad ar y diweddar wleidydd. Roedd erthygl Fisk yn canolbwyntio mwy ar gysylltiad Smythe efo'r gwasanaethau cudd a'r drwgdeimlad mawr oedd wedi tyfu rhyngddyn nhw. Wedi dod i'w swydd yn y Cabinet, meddai'r erthygl, roedd yr Ysgrifennydd Amddiffyn wedi mynd ati i godi sawl cramen ac i neud sawl cyhuddiad yn erbyn *MI5* ac *MI6*, fel pe bai'n benderfynol o dynnu o dan draed y sefydliadau hynny. Roedd wedi gneud môr a mynydd, yn ôl Fisk eto, o'r achos *Tomlinson* v. *MI6,* gan godi cwestiynau'n gyson ar lawr y Tŷ ac yng nghyfarfodydd y Cabinet. Roedd hyd yn oed wedi diystyrru apêl oddi wrth y Prif Weinidog ei hun i adael i bethau fod ac wedi bod yn galw'n ddiweddar am ymchwiliad swyddogol i gyhuddiadau Richard Tomlinson yn erbyn yr *SIS*.

'Richard Tomlinson! Pwy 'di *o*? . . . *Tomlinson versus MI6!*'

Chododd Alex mo'i golygon oddi ar ei gwaith y tro yma chwaith. 'Ma fe yn y papura 'na . . . yr hanes i gyd. Wi wedi neud copi ohono fe oddi ar y Rhyngrwyd.'

Byseddodd Zen drwy'r pentwr nes dod at dudalen efo pennawd mewn coch arni – *INJUNCTED!! – MI6 obtain another injunction – read below!* – ac oddi tano, y geiriau: *Am fwy o wybodaeth cysylltwch â:* Richard Tomlinson (ebost: spectre@worldcom.ch). Yn dilyn hwnnw ceid tair tudalen a hanner o dan y pennawd: *MI6 and the Princess of Wales.* Dechreuodd ddarllen –

> *I, Richard John Charles Tomlinson, former MI6 officer, of Geneva, Switzerland hereby declare:*
>
> 1. *I firmly believe that there exist documents held by the British Secret Intelligence Service (MI6) that would yield important new evidence into the cause and circumstances leading to the deaths of the Princess of Wales, Mr Dodi Al Fayed, and M. Henri Paul in Paris in August 1997.*
> 2. *I was employed by MI6 between September 1991 and April 1995. During that time I saw various documents . . .*
> 3. *In 1992, I was working in the Eastern European Controllerate of MI6 and I was peripherally involved in a large and complicated operation to smuggle advanced Soviet weaponry out of the then disintegrating and disorganised remnants of the Soviet Union . . .*

Darllenodd Zen ymlaen gydag awch. O dan bwynt 5, gwelodd fod Tomlinson yn honni bod y Ffrancwr Henri Paul, gyrrwr y Mercedes y lladdwyd y Dywysoges a Dodi Al Fayed ynddo, yn asiant rhan-amser i *MI6*, a hynny heb yn wybod i'r *Directorat de Surveillance Territoire* ym Mharis. Roedd hefyd yn manylu ar y tebygrwydd rhwng y modd y lladdwyd y Dywysoges Diana a chynllun *MI6* – y gwelsai ef gopi ohono flynyddoedd ynghynt, meddai – i ddienyddio Slobodan

Milosevic, Arlywydd Serbia.

> *This plan contained a political justification for the assassination of Milosevic, followed by three outline proposals on how to achieve this objective . . . The third scenario suggested that Milosevic could be assassinated by causing his personal limousine to crash. Dr Wainwright proposed to arrange the crash in a tunnel, because the proximity of concrete close to the road would ensure that the crash would be sufficiently violent to cause death or serious injury, and would also reduce the possibility that there might be independent, casual witnesses. Dr Wainwright suggested that one way to cause the crash might be to disorientate the chauffeur using a strobe flash gun, a device which is occasionally deployed by special forces to, for example, disorientate helicopter pilots or terrorists, and about which MI6 officers are briefed during their training. In short, this scenario bore remarkable similarities to the circumstances and witness accounts of the crash that killed the Princess of Wales, Dodi Al Fayed, and Henri Paul. I firmly believe that this document should be yielded by MI6 to the Judge investigating these deaths, and would provide further leads that he could follow.*

'Uffar dân!' meddai Zen o dan ei wynt. 'Mae'r stwff yma'n ffrwydrol!' Yna aeth i chwilio pwy oedd y Dr Wainwright a gâi ei grybwyll a gweld bod Tomlinson yn rhoi'r wybodaeth honno hefyd yn llawn: *Dr Patrick WAINWRIGHT, born 1958, the MI6 officer who at the time was in charge of planning Balkan operations.* Darllenodd eto:

> 6. *During my service in MI6, I also learnt unofficially and second-hand something of the links between MI6 and the Royal Household . . . I firmly believe that MI6 documents would yield substantial leads on the nature of their links with the Royal Household, and would yield vital information about MI6 surveillance on the Princess of Wales in the days leading to her death.*

7. *I also learnt while in MI6 that one of the 'paparazzi' photographers who routinely followed the Princess of Wales was a member of 'UKN', a small corps of part-time MI6 agents who provide miscellaneous services to MI6.*

O dan bwynt 8, gwelodd y frawddeg hon:

The lengths which MI6, the CIA and the DST – 'DST? Ah! Y *Directorat de Surveillance Territoire* ym Mharis, mwy na thebyg!' – *have taken to deter me giving this evidence and subsequently to stop me talking about it, suggests that they have something to hide.*

'Wyt ti wedi darllan y stwff 'ma, Alex, am *MI6* a marwolaeth y Dywysoges Diana?'

'Mm? Do! Ond so busnes marwoleth Diana yn ddirgelwch dim mwy, odi e?'

'Arglwydd mawr! Ond y busnas Milosevic 'na! Os oedd Stephen Smythe yn benderfynol o agor ymchwiliad i'r busnas yma, yna pa well rheswm dros roi bwled ynddo fo, i gau ei geg?'

Y tro yma, *fe* gododd Alex ei phen i edrych arno. 'O'dd y syniad wedi 'y nharo i 'fyd, ond fe fydden ni ar dir danjerus iawn – so ti'n credu? – yn gweud peth fel'na yn y *Chronicle.* Ma'n gwestiwn 'da fi a fydde'r Golygydd hyd yn o'd yn *styried* cynnwys dim ohono fe.'

'Wela i'm pam. Os ydi'r stwff yma ar gael i bawb ar y Rhyngrwyd, pam na ellwch chi ei gyhoeddi fo yn y *Chronicle*?'

Syllodd Alex arno'n hir cyn ateb. 'Ga i weld be fydd 'da Tom Allen i'w weud, ife?' Yna, heb unrhyw rybudd, gwyrodd ymlaen a tharo cusan cyflym ar wefus Zen a gwenu. 'So ti'n mynd i ofyn ifi fynd allan 'da ti i swper ryw nosweth 'te?'

Methodd yntau â chuddio'i syndod na'i bleser. 'Wrth gwrs! Gora po gyntad, ddeuda i!'

''Na ni 'te! Cei di neud y trefniade.' A chyn troi'n ôl at ei gwaith, ychwanegodd: 'Ond dim i unman *posh*, cofia!'

Weddill y daith, bu Zen mewn hwyliau gwell. Ar ôl darllen am achos Tomlinson a gweld fel roedd hwnnw wedi cael ei erlid gan y gwasanaethau cudd, cysurai ei hun fod ganddo yntau achos dros deimlo dicter cyfiawn, ond nid oedd yn ffyddiog, serch hynny, y deuai'r gwironedd ynglŷn â llofruddiaeth Stephen Smythe i'r wyneb byth. Dau gwestiwn oedd raid eu hateb. Yn gynta: Pwy oedd ag achos digonol i gael gwared â'r Ysgrifennydd Amddiffyn? Ac yn ail: Pwy oedd wedi hysbysu'r asasin bod Stephen Smythe yn bwriadu ymddangos ar y Teras y diwrnod hwnnw. Ond roedd un dryswch arall, hefyd, sef pam bod Smythe ei hun wedi mynnu mynd allan ar y Teras y pnawn hwnnw? Yn dilyn un ymgais i'w ladd, pam oedd o wedi gosod ei hun yn y fath berygl o gwbwl?

Ar ôl myfyrio am rai munuda, 'Wyst ti be, Alex?' meddai. 'Dwi newydd sylweddoli pam y mentrodd Stephen Smythe allan ar y Teras.'

'O? Gwed pam 'te.'

'Doedd o ddim yn meddwl bod ganddo fo ddim i'w ofni, dyna pam.'

'Shwd 'ny 'te? O'dd rhywrai ishws wedi trio'i ladd e.'

'Oedd, ond pwy oedd rheini? Maidu a Hilja!' Cydiodd yn ei llaw a'i gwasgu a gallai hi weld y difrifoldeb yn ei lygaid. 'Mi fetia i ganpunt efo ti ei fod o'n teimlo'n saff am ei fod o'n gwbod, rywsut neu'i gilydd, fod y ddau oedd wedi trio'i ladd o – hynny ydi, Maidu a Hilja Shmit – wedi cael eu lladd yn barod, mewn damwain ffordd.'

'Mowredd mowr, Zen! So ti'n awgrymu taw fe, Stephen Smythe . . . ?' Ond roedd ei syndod yn dangos ei bod hi'n barod i styried y posibilrwydd.

'Ma'n bosib, wyt ti ddim yn meddwl? Roedd Smythe yn ddigon craff i ama pwy allai fod wedi trio'i ladd o – amaturiaid oedden nhw, wedi'r cyfan – ac mi fydda fo wedi gneud ei ymholiada ynglŷn â Maidu a Hilja ac wedi cael gwbod o Tallinn – heb fawr o draffarth dybia i – eu bod nhw wedi dod drosodd i Lundain. Synnwn i ddim na chafodd o glywad am be ddigwyddodd i mi yn Hyde Park a'i fod o wedi gweld y cysylltiad. Doedd o ddim yn dwp, o bell ffordd! Roedd o'n gwbod o'r gora nad oedden nhw'n fygythiad mawr i'w fywyd o, bellach. Ar ôl yr ymgais aflwyddiannus wrth y Carriage Gates, roedd o'n cael ei warchod ddydd a nos gan y lluoedd diogelwch, a doedd gan y ddau ifanc ddim gobaith mul o fynd yn agos ato fo wedyn. Ond mi'r oeddan nhw'n fygythiad o fath gwahanol i'w yrfa fo, yn doeddan? Fe allen nhw fod wedi datgelu ei enw iawn o, a deud fel roedd Igor Valyukh wedi distrywio'u teulu nhw a dwyn y trysora. Meddylia pe bai'r Wasg yn cael ei dannedd ar stori felly!'

Roedd cyffro Zen i'w weld yn llygaid Alex hefyd, erbyn rŵan. 'Jawch erio'd! Mi fydde wedi bod yn rhwydd i unrhyw ohebydd ddilyn y stori wedi 'ny, a phrofi cyhuddiade Maidu a Hilja yn 'i erbyn e. So ti'n credu? Fe fydde'r *tabloids* i gyd wedi bod yn cnoco ar ddrws Mrs Shmit yn Tallinn a bydden nw wedi ca'l y wybodeth gethon ni 'da hi. Ac fe fydde cwpwl o ymholiade yn New York wedi datgelu ar ran pwy ca's y cerflun 'na gan Pigalle ei werthu, flynydde'n ôl.'

Am unwaith, roedd Zen ar y blaen i Alex. 'Felly, mi fyddai Smythe wedi sylweddoli cymaint o fygythiad oedd y brawd a'r chwaer iddo fo ac mae'n fwy na phosib – o gofio'r fath gythral diegwyddor oedd o – y galla fo fod wedi trefnu damwain? Be wyt *ti*'n feddwl?'

'Wi'n cytuno, yn enwedig os o'dd e gyment o anifel ag o'dd Mrs Shmit yn ddisgrifio. Os gallen ni brofi, Zen, bod Stephen Smythe yn llofrudd 'i hunan . . . taw fe na'th drefnu'r ddamwen i Maidu a Hilja . . . yna bydde hynny'n help i gliro d'enw dithe 'fyd, sbo. So ti'n meddwl? A bydde'n gysur i Mrs Shmit, wi'n siŵr, 'san ni'n gallu profi i bawb arall shwd ddyn o'dd e.'

Roedd gwên lydan wedi lledu dros ei gwyneb wrth iddi ddychmygu rhan y *Chronicle* – ac A. A. Morgan yn arbennig – yn y datgeliadau. Yna, heb rybudd, gwyrodd ymlaen i roi cusan arall iddo, gan oedi'n hirach ar ei wefusau y tro hwn, a syllu'n hir ac yn gariadus wedyn i'w lygaid tywyll.

Pennod 14

Pencadlys MI5, Thames House, Westminster, Llundain SW1

'Holmes! Dwi isho gair!'

'Bygyr!' meddai'r gŵr oedd â llais ac acen Syr Alex Ferguson, rheolwr *Manchester United*. 'Be ddiawl mae Critchley isho rŵan?' Edrychodd ar ei wats. Roedd yn ugain munud wedi pump. 'Dwi wedi gaddo mynd â'r wyrion i'r pictiwrs, heno.' Ofnai fod Critchley ar fin drysu'r cynlluniau hynny.

'Pan mae'r meistr mawr yn galw, rhaid i'r mwnci ufuddhau!'

'Ia ia! Digri iawn!' Eiliad yn ôl, roedd wedi bod yn eistedd ar gornel ei ddesg yn sipian coffi allan o fŵg plastig – paned olaf ei ddydd gwaith – ac yn sgwrsio a chwerthin efo dau o'i gyd-weithwyr; ond rŵan, mwya sydyn, doedd hiwmor ei gyfeillion ddim hanner mor ddoniol ac roedd yntau'n difaru na fyddai wedi gneud esgus i adael y swyddfa ynghynt. 'Digri uffernol!' ychwanegodd, heb unrhyw ymgais i gadw'r min blin o'i lais, a chlywsant yr un dymer yn sŵn ei sodlau wrth iddo anelu am swyddfa Critchley tu ôl i'w mur gwydrog, ym mhen pella'r stafell.

'Gwranda!' meddai hwnnw, heb brin roi cyfle iddo gau'r drws o'i ôl. 'Mae *K* ei hun newydd fod ar y ffôn. Mae ganddi hi rwbath yn ei chragan ynglŷn â'r boi Smith 'ma yn Westminster.'

'Yr *SO11*?'

'Ia, hwnnw. Dwi'n cael ar ei gwynt hi ei bod hi newydd fod yn trafod yr achos efo rhywun o bwys – yn Whitehall neu'r Swyddfa Gartre, o bosib. Mae hi isio gwbod pwy roddodd y stori wirion 'na i'r Wasg fod yr asasin yn cuddio mewn car neu lorri ar lan bella'r Dafwys. Yn ôl be ddeudodd *K*, funud yn ôl, chdi oedd y cynta i gyfeirio at y peth pan oeddet ti'n croesholi Smith yn Westminster.'

'Naddo ddim! Soniais i'r un gair am na char na lorri. Be wnes i oedd taflu amheuaeth ar ei stori *o*, Smith, ei fod o wedi gweld fflach y gwn ar do Ysbyty Sant Thomas.'

'Ond fo oedd yn iawn!'

'Ia, fe wyddom ni hynny rŵan, ond ro'n i isio rhoi prawf arno fo ar y pryd. Ei roi o dan bwysa.'

'A pham oeddat ti isio gneud hynny?'

'Wel, oherwydd bod rhywfaint o amheuaeth yn ei gylch, dyna pam, ac er mwyn gweld a oedd ganddo fo gysylltiad ai peidio efo be ddigwyddodd ar y Teras. A deud y gwir, doeddwn i ddim gant y cant yn hapus efo'i stori fo ynglŷn â be ddigwyddodd yn Hyde Park, a ro'n i hefyd isio gwbod pam yr agorodd o ei geg i'r Wasg. Fe gofiwch fod y stori wedi ymddangos yn y *Chronicle* y bora wedyn, drannoeth yr ymgais gynta honno – yr un aflwyddiannus – i saethu'r Ysgrifennydd Amddiffyn, a hynny er iddo fo a phawb arall gael rhybudd gan Roylance a'r *Sergeant at Arms* i beidio trafod y digwyddiad efo neb.'

'Ond fe wyddet ti'n iawn fod Smith wedi deud hanas Hyde Park wrth amryw o'i ffrindia yn y gwarchodlu cyn hynny; cyn iddo fo dderbyn rhybudd y *Sergeant at Arms*. Be oedd i rwystro unrhyw un o'r rheini rhag agor ei geg i'r *Chronicle*? Am bres, falla! Ond erbyn rŵan, siawns sâl ar y diawl sydd gynnon ni o gael hwnnw na'r Papur i gyfadda.' Eisteddodd Critchley yn ôl yn ddiamynedd yn ei gadair. 'Sut bynnag, dydio ddiawl o bwys, bellach, pwy oedd yn gyfrifol. Be sydd *yn* bwysig – a dyma mae *K* isio'i wbod – ydi pwy aeth ati'n fwriadol i gamarwain yr ymchwiliad trwy ollwng stori gelwyddog i'r Wasg mai o gefn lorri neu gar y cafodd y fwled ei saethu. Oes wnelo ti rwbath â'r stori honno?'

'Nagoes, dim.'

Syllodd Critchley arno trwy lygaid culion am eiliad neu ddwy. 'Dwn i ddim pam, ond mi rydw i *yn* dy gredu di, Holmes. Oes gen ti syniad pwy *allai* fod yn gyfrifol, ta?'

'Dim o gwbwl, ond falla bod Lorrimer yn gwbod. Ganddo fo ces i glywad gynta.'

'Lorrimer? A phwy uffar ydi Lorrimer?'

'Vauxhall Cross.'

'*MI6*? Arglwydd mawr! Dwyt ti ddim yn cydweithio gormod efo'r criw yna, gobeithio? Y Ffyrm ydi dy flaenoriaeth di, Holmes, a phaid ti ag anghofio hynny!'

'Wrth gwrs!'

'Be ddiawl sydd gan *MI6* i'w neud efo hyn, beth bynnag? Mae gan rheini fwy na digon ar eu plât dramor, heb iddyn nhw ddechra gwthio'u trwyna i mewn i'n *patch* ni yn fa'ma.'

'Cytuno'n llwyr! Rwbath arall?' Roedd Holmes wedi cymryd cam diamynedd yn nes at y drws. Nid dyma'r amser i gyfadde diddordeb *MI6* yn y busnes, meddyliodd. Ers yr ymgais gynta honno i ladd yr Ysgrifennydd Amddiffyn, fe wyddai fod Lorrimer wedi bod yn synhwyro o gwmpas petha, fel rhyw ddaeargi ar drywydd llwynog, ac wedi cynnal ei archwiliad manwl ei hun hefyd o'r rhan honno o Hyde Park lle ceisiwyd saethu'r *SO11* Smith. Ac i goroni'r cwbwl, roedd wedi mynnu cael bod yn bresennol pan gafodd Smith ei groesholi, y diwrnod y llofruddiwyd yr Ysgrifennydd Amddiffyn.

'Oes! Atab hwn!' Roedd Critchley ar ei draed rŵan. 'Sut oedd yr asasin yn gwbod y byddai Smythe yn ymddangos ar y Teras y diwrnod hwnnw? Oes gen ti syniad?'

'Rhaid bod rhywun wedi cysylltu efo fo ar fyr rybudd. Dim

ond llond dwrn o bobol allai fod wedi gneud hynny, ac roedd Smith yn un o'r rheini.'

'Mae 'na un styriaeth bwysig arall hefyd, wrth gwrs.'

Edrychodd Holmes arno gan ddisgwyl, yr un mor ddiamynedd o hyd, iddo ymhelaethu. Fe wnaeth hynny o'r diwedd: 'Rhaid hefyd bod yr asasin yn *disgwyl* galwad fyr-rybudd. Os felly, yna rhaid ei fod o'n aros – yn byw, hyd yn oed! – o fewn cyrraedd i Westminster ac Ysbyty St Thomas.'

'Roedd hynny wedi 'nharo inna hefyd.' Roedd o isio ychwanegu *'erstalwm'* ond wnaeth o ddim. 'Dyna pam ein bod ni'n edrych trwy restrau gwesteion pob gwesty a hostel o fewn dwy filltir i Balas Westminster.'

'Dwi'n falch o glywad. Cofia grybwyll hyn'na hefyd yn dy adroddiad.'

Roedd llaw Holmes ar ddwrn y drws erbyn rŵan. Caledodd ei lygaid. 'Adroddiad?'

'Mae *K* yn disgwyl adroddiad llawn ar ei desg ben bora fory. Gofala nad ydi hi'n cael ei siomi.'

Wedi cyrraedd ei ddesg ei hun unwaith eto, y peth cynta a wnaeth Holmes oedd cipio'r ffôn o'i grud a dyrnu rhifau i mewn iddo. Cas beth ganddo oedd gorfod siomi'r plant.

* * *

Swyddfa'r Chronicle, Stryd y Fflyd, Llundain EC4

Cael ei siomi wnaeth Alex hefyd, gynted ag y rhuthrodd i swyddfa Tom Allen efo'i herthygl ddadlennol am Stephen Smythe ac Igor Valyukh. Cip yn unig a daflodd y Golygydd Gwleidyddol dros yr erthygl.

'Gwell iti eistedd, Alex!' meddai, 'tra mod i'n galw ar Gus Morrisey.' Estynnodd neges ffacs iddi. 'Fe gyrhaeddodd hwn oddi wrth *Reuters*, lai na hanner awr yn ôl. Mae Gus a finna wedi trafod rhywfaint arno ond roedden ni am aros nes gweld be oedd gen ti i'w gynnig.'

Datganiad swyddogol o 10 Downing Street oedd y pennawd, gydag ychydig linellau i ddilyn:

Yn ystod yr oriau diwethaf, daeth gwybodaeth frawychus i sylw'r Prif Weinidog ac aelodau'r Cabinet ynglŷn â chefndir cudd y diweddar Stephen Smythe. Ymddengys fod y cyn-Ysgrifennydd Amddiffyn wedi bod yn byw twyll ers blynyddoedd lawer a'i fod wedi camarwain nid yn unig aelodau'r Llywodraeth bresennol a gweddill y Tŷ ond llywodraeth Mrs Thatcher a John Major cyn hynny, yn yr 1980au a'r 90au. Gwyddid, wrth gwrs, mai gŵr o Ddwyrain Ewrop oedd Smythe ond fe dybid, hyd yma, mai Estoniad o dras ydoedd ac mai ei enw bedydd oedd Steffan Zenovich Shmit. Wrth yr enw hwnnw, wedi'r cyfan, y derbyniodd ddinasyddiaeth Brydeinig oddi ar law Mrs Thatcher yn 1981 ac yn y blynyddoedd ers hynny ni chafodd y gwasanaethau cudd unrhyw achos i amau'r cefndir hwnnw – tan yn awr. Yn ystod yr oriau diwethaf, ac oherwydd y datblygiadau annisgwyl yn dilyn ei lofruddiaeth frawychus, daeth i sylw GCHQ nad Estoniad o'r enw Steffan Zenovich Shmit oedd Smythe wedi'r cyfan ond Rwsiad o'r enw Igor Valyukh.

Yn unol â pholisi'r Llywodraeth Lafur Newydd i fod yn hollol agored ar faterion o'r fath, bwriedir rhyddhau pob gwybodaeth newydd fel y daw honno i law. Yn y cyfamser, rhaid pwysleisio nad oes lle o gwbwl i gredu bod twyll y diweddar Ysgrifennydd Amddiffyn wedi bod yn fwriadol ddichellgar nac wedi gosod Prydain Fawr mewn unrhyw berygl oddi wrth ei gelynion. I'r gwrthwyneb, gwyddys bellach iddo fod yn asiant i MI6 yn ystod y saithdegau ac iddo fentro'i fywyd yn arwrol ar fwy nag un achlysur trwy drosglwyddo gwybodaeth gyfrinachol am gynlluniau'r Cremlin a'r KGB.

Roedd calon Alex wedi suddo ymhell cyn gorffen darllen. Ni theimlai ond awydd crio llond bol. Beth yw'r dywediad Cwmrâg am *stealing my thunder* sgwn i? meddyliodd yn chwerw.

'Llongyfarchiada, Alex!'

Heb iddi sylwi, roedd Gus Morrisey wedi cerdded i mewn i'r stafell ac wedi taflu cip sydyn dros ei herthygl.

'Llongyfarchiade, Mr Morrisey? Ond am beth? Ma'r cyfan

yn ffliwt on'd yw e?' A gadawodd i neges ffacs *Reuters* syrthio trwy'i dwylo ar y ddesg.

'Ah! Ond yn fan'na rwyt ti'n rong, ti'n gweld. Does dim rhaid bod yn ddewin i weld pam bod Downing Street wedi gneud y datganiad, nac oes?'

'Sa i'n diall.'

'Alex bach! Wedi cael clywad am dy ymweliad di a Smith â Tallinn maen nhw, siŵr iawn, a'r datganiad yna . . . ' Pwyntiodd at y papur y bu hi'n ei ddarllen. ' . . . ydi'r ffordd leia poenus iddyn nhw ddod allan o'u picil.'

'Ond shwd o'n nhw'n gwbod?'

'Be? Dy fod ti a Smith wedi bod allan yn Tallinn?' Gwenodd y Golygydd, a gwelodd Alex yr un math o wên yn lledu dros wyneb Tom Allen hefyd. '*MI6*, fy ngenath annwyl i! *MI6*! Fe wydden nhw o'r gora be oeddech chi'n bwriadu'i neud gynted ag y gwnaethoch chi gais am fîsa. Yn yr hen ddyddia, mi fydden nhw wedi bod yn disgwyl amdanoch chi yn Gatwick pnawn 'ma ac wedi mynd â phob tystiolaeth oddi arnoch chi, yn enw *diogelwch cenedlaethol.* Ond dydi hi ddim mor hawdd gneud petha felly erbyn heddiw. Oes y *spin* ydi hi rŵan, a dyna ydi'r datganiad pathetig yma allan o Downing Street. Maen nhw'n chwilio am unrhyw ffordd allan o'u cywilydd. Yli di fel maen nhw rŵan yn trio creu pellter rhyngddyn nhw a'u cyn-Ysgrifennydd Amddiffyn – nid *Stephen Smythe,* na *Mr Smythe* chwaith, jyst *Smythe.* Ac yli di hefyd fel maen nhw'n trio tynnu colyn y Toriaid trwy'u hatgoffa nhw mai llywodraeth Mrs Thatcher a ganiataodd ddinasyddiaeth i'r brawd yn y lle cynta.' Daeth Gus Morrisey i osod braich am ei hysgwydd a gofyn yn gyfrinachol bron: 'Pa bapur, meddat ti Alex, fydd y Prif Weinidog a'i griw – heb sôn am *K* yn Spook House a *C* yn Vauxhall Cross – yn ei ddarllen gynta bore fory? Wyt ti'n meddwl y byddan nhw'n rhuthro am y *Clarion* a'r *tabloids* eraill er mwyn cael darllen eu celwydd eu hunain? Choelia i fawr! Felly gad inni weld faint o olygu sydd ei angen ar dy erthygl di, ac a oes unrhyw ffordd o wella arni.'

'Mae gen i newydd arall iti hefyd, Alex.' Tom Allen oedd rŵan yn siarad. 'Maidu a Hilja Shmit – y brawd a'r chwaer y gofynnaist ti inni neud ymholiada yn eu cylch – Wel, mae'n ymddangos bod cyrff y ddau wedi bod yn gorwedd mewn marwdy yn Grays yn Essex ers tair wythnos a mwy, yn aros i rywun eu hawlio.'

'Ond so Mrs Shmit, eu mam-gu, yn gwbod ble ma nhw hyd yn o'd.'

'Paid â phoeni. Rydan ni newydd gysylltu efo llysgenhadaeth Estonia, yma yn Llundain. Fe fydd Mrs Shmit yn gwybod cyn nos. Rydan ni hefyd wedi cysylltu efo Scotland Yard ynglŷn â rhyddhau'r cyrff. Maen nhw'n deud mai'r crwner fydd â'r penderfyniad terfynol ar hynny – rheithfarn agored gafwyd yn y cwest, oherwydd amgylchiada'r ddamwain, felly mae rhywfaint o farc cwestiwn yn dal i fod uwchben y cyfan. Maen nhw hefyd yn deud y bydd raid i dy ffrind di – Mr Zen! – fynd i olwg y cyrff er mwyn cadarnhau mai dyna'r rhai a geisiodd ei saethu fo yn Hyde Park wythnosa'n ôl.'

'Fe ddyle rhywun fod wedi neud 'ny ers ache, so chi'n meddwl? Cysylltu 'da'u mam-gu yn Tallinn wi'n feddwl.'

'Y stori swyddogol ydi nad oedd dim papurau ar y cyrff i ddeud pwy oedden nhw nac o ble'r oedden nhw'n dod. Mae'n debyg bod y beic, hefyd, wedi cael ei logi o dan enw ffug.' Daeth rhywfaint o goegni i wyneb Tom Allen. 'Ond wedi deud hynny, cofia, synnwn i ddim nad oedd gan *MI5* neu *MI6* fys neu ddau yn y brwas.'

'Ble cethon nhw eu lladd 'te? A shwd?'

'Damwain yn y Dartford Tunnel. Roedd y ddau yn mynd ar y beic – does wybod i ble – ac, yn ôl dau dyst gwahanol, fe aeth lorri heibio iddyn nhw ar dipyn o gyflymder a thorri i mewn yn rhy gyflym o flaen y beic. Mae'r ddau dyst hefyd yn deud eu bod nhw wedi gweld fflachiada – *fel mwy nag un fflach camera,* dyna sut oedden nhw'n disgrifio'r peth – ar yr eiliad yr oedd y lorri yn gwasgu ar y beic. Chafodd y ddau ifanc ddim siawns o gwbwl, yn ôl be ddeudodd y tystion yn y cwest. Fe gawson nhw eu taflu yn erbyn wal y twnnel. Fe laddwyd y ferch yn syth ac fe fu'r brawd farw yn y sbyty, rhyw ddwyawr yn ddiweddarach. Fedrai'r tystion ddim bod yn siŵr be oedd wedi achosi'r fflachiadau nac o lle y daethon nhw gan i'r cyfan ddigwydd mor gyflym ac mor annisgwyl, medden nhw, ac mae'n debyg eu bod hwytha hefyd wedi cael eu dallu rywfaint. Sut bynnag, ddaru dreifar y lorri ddim hyd yn oed stopio. Lorri wedi'i dwyn oedd hi. Fe gafwyd hyd iddi rywle rhwng Thurrock a Grays, ychydig oriau'n ddiweddarach. Rhaid bod y gyrrwr yn gwybod ei fod wedi achosi damwain oherwydd roedd o wedi gadael yr *M25* ar y cyfle cynta posib ar ôl dod allan o'r twnnel ac wedi troi'r lorri i mewn i gae, a'i chuddio hi tu ôl i wrych yn fan'no.'

Roedd ceg a llygaid Alex yn llydan agored ymhell cyn iddo orffen siarad. ''Ych chi'n jocan!' meddai hi'n anghrediniol.

Edrychodd Tom Allen a Gus Morrisey yn rhyfedd arni.

'Pam fyddwn i'n gneud peth felly, Alex?'

'Sa i'n gwbod yn iawn pam, Mr Allen, ond ma'r peth yn codi ofon arna i.' Yna, yn hytrach na mynd ymlaen i egluro, tynnodd y copi o *Tomlinson* v. *MI6* allan o'i bag a'i gynnig i'r Golygydd. 'Darllenwch hwnna, Mr Morrisey!'

Crychodd hwnnw'i dalcen wrth weld y pennawd *MI6 and the Princess of Wales* a chrychodd ef yn fwy fyth wrth ddarllen y rhan y pwyntiai Alex ato. Yna, cynigiodd ef i Tom Allen. 'Wyt ti'n awgrymu, Alex, bod cynllun y mae Tomlinson yn ddeud gafodd ei awgrymu gan *MI6* i gael gwared â Slobodan Milosevic yn Serbia, wedi cael ei ddefnyddio i lofruddio Maidu a Hilja Shmit hefyd, yma yn Llundain?'

'Wi'n awgrymu dim, Mr Morrisey. Wi jest yn gofyn 'ch barn chi.'

Sŵn chwiban hir ac isel a gaed oddi wrth Tom Allen.

Pennod 15

Pencadlys MI6, Vauxhall Cross, Lambeth, Llundain SE11

Galwad bersonol gan C ei hun a gafodd Andrew Lorrimer, a hynny'n fuan wedi iddo gyrraedd ei ddesg fore trannoeth.

'Wyt ti wedi gweld y *Chronicle* bore 'ma, Lorrimer?' Dim cyfarchiad o fath yn y byd. Dim byd ond cwestiwn moel a swta.

'Do, syr. Anffodus a deud y lleia.'

'Anffodus yn wir. Sut wyt ti'n egluro'r datgeliada sy'n cael eu gneud ynddo fo?'

'Eu hegluro nhw? Be 'dach chi'n feddwl, C?'

'Roeddet ti'n nabod Valyukh, yn ôl yn yr hen ddyddia, pan oeddet ti'n Bennaeth *Controllerate* Dwyrain Ewrop. Ti, wedi'r cyfan, oedd yr un a'i perswadiodd o i weithio inni – yn 1975 yn ôl dy ffeil – ac fel ro'n i'n deud wrthat ti bore ddoe, mae'n fwy na phosib y bydd yr Ysgrifennydd Cartre neu'r Ysgrifennydd Tramor, neu'r ddau hyd yn oed, yn awyddus i gael dy holi di ynglŷn â'r cyfnod hwnnw. Os digwydd hynny, yna bydd yn ofalus efo dy eiria.'

Gwyddai Lorrimer fod y lein yn un ddiogel ac nad oedd beryg i neb arall fod yn gwrando ar y sgwrs. 'Does dim rhaid ichi boeni ynghylch hynny. Mi wn i'n iawn be i ddeud wrthyn nhw ac, yn bwysicach byth, be i beidio.'

'Iawn, felly! Cyn belled nad wyt ti ddim yn eu camarwain

yn fwriadol. Ond rŵan, dwed wrtha i be wyddost ti am y datganiad a wnaed i'r Wasg – neu a wnaed yn hytrach i ddau neu dri yn unig o'r *tabloids* – y diwrnod y cafodd yr Ysgrifennydd Amddiffyn ei ladd. Ai ti oedd piau'r stori mai allan o gar neu lorri y cafodd y fwled ei thanio?'

'Awgrymiad yn unig oedd hwnnw, C.'

'Pam? Be oedd y bwriad tu ôl i'r awgrym?' Doedd dim sŵn cerydd yn y cwestiwn, dim ond chwilfrydedd i gael at y gwir. Wedi'r cyfan, prin bod un ffeil yn llyfrgell *MI6* nad oedd y geiria *covert operations* yn ymddangos yn rhywle ynddi. I'r Pennaeth, y rheswm tu ôl i'r cynllwynio a'r cyfrinachedd oedd yn bwysig.

'Rhoi'r *SO11* o dan bwysa.'

'Smith?

'Ia.'

'Pam oeddet ti isio gneud hynny?'

'I greu dryswch.'

'I bwy, felly? *Special Branch*?'

'Nhw'n un, ia. Ond y *Spooks* hefyd, ar y pryd. Doeddwn i ddim am i rheini dyrchu gormod. Ond wyddwn i ddim bryd hynny, wrth gwrs, eich bod chi'n bwriadu rhyddhau'r wybodaeth am Shmit a Valyukh.'

'Doedd dim dewis. Sut bynnag, be wyddost ti am y ddamwain i'r ddau ifanc o Estonia, ta? Deud wrtha i, wir Dduw, nad oes dim sail i ensyniada'r *Chronicle* bod a wnelo ni yn Vauxhall Cross unrhyw beth â'r ddamwain.'

'Dwn i ddim byd am betha felly, C. Dim byd o gwbwl.'

Awgrymai'r tawelwch o ben arall y lein fod mwy o waith argyhoeddi ar Reolwr Gweithrediadau'r *SIS* ac aeth Lorrimer ymlaen, 'Bai Tomlinson ydi hyn i gyd, wrth gwrs. Oni bai i'r A. A. Morgan 'ma yn y *Chronicle* – meistres Smith, gyda llaw! – ddod o hyd i'r wefan ar y Rhyngrwyd, yna fyddai'r cyhuddiadau gwirion 'ma yn ein herbyn ni byth wedi cael eu gneud ganddi.'

'Mae datganiad Tomlinson wedi bod ar gael yn fan'no ers

misoedd lawer, i unrhyw un ei ddarllen.' Swniai Syr Richard yn swta ac yn ddiamynedd efo'i asiant. 'Felly paid â gweld bai ar y *Chronicle.* Sut bynnag, does dim rhaid imi ddeud wrthat ti o bawb, Lorrimer, gymaint o debygrwydd sydd rhwng be ddigwyddodd i'r brawd a'r chwaer yn Nhwnnel Dartford a'r cynllwyn honedig i gael gwared â Milosevic yn Serbia, flynyddoedd yn ôl.'

'Ond fe wyddoch chi cystal â finna, C, nad oedd a wnelo ni ddim byd â'r hyn a ddigwyddodd i Dywysoges Cymru ym Mharis. Ond mae erthygl Morgan yn mynd i godi'r graman honno hefyd, rŵan. Ac nid hynny'n unig! Mae hefyd yn golygu y bydd miloedd ar filoedd, ledled y wlad, yn dod i wybod am wefan Tomlinson ac yn rhuthro i ddarllen drostyn eu hunain y lol sydd yn fan'no. Mi fydd y busnas Diana ma'n siŵr Dduw o godi'i ben eto, ac mi fydd llyfr Burrell yn destun siarad o'r newydd.'

'Mae hynny'n anochel bellach, Lorrimer, ac yn anffodus iawn hefyd, gwaetha'r modd. Ond nid dyna'r rheswm dros yr alwad yma, ac rwyt ti'n gwybod hynny'n iawn, felly paid â thrio codi'r sgwarnog yna efo fi. Be dwi isio'i wybod gen ti ydi hyn: A oedd gen ti neu unrhyw un arall yn *MI6* ran o gwbwl yn y ddamwain a laddodd Maidu a Hilja Shmit yn Nhwnnel Dartford, fis yn ôl? Ac os oedd, yna pam?'

'A siarad drosof fy hun, syr, dim. Dim o gwbwl!'

'O! Deud ti! Wel ateb hwn rŵan ta: Pan est ti ati i *droi* Valyukh, yn ôl yng nghanol y saithdega, wyddet ti rwbath o gwbwl am y trysorau y mae tudalen flaen y *Chronicle* yn cyfeirio atyn nhw heddiw? Fedri di egluro cyfoeth personol Valyukh pan ddaeth o i'r wlad 'ma gynta?'

'Na, ond mi wna i ymholiada os liciwch chi.'

Pan roddodd Syr Richard Dearlove derfyn ar y sgwrs, ychydig eiliadau'n ddiweddarach, ni allai Andrew Lorrimer fod yn siŵr a oedd ei bennaeth wedi ei gredu ai peidio.

* * *

'Lle mae Smith ar hyn o bryd, Alex?'

''Nôl yn 'i fflat yn Tower Hamlets wi'n cymryd, Mr Allen. Dyna ble o'dd e'n mynd medde fe, pan adawodd e fi ddo'. Ro'dd e'n gobitho y bydde'r Wasg wedi colli diddordeb yndo fe erbyn nawr.'

'Mi fyddan erbyn heddiw, yn reit siŵr. Go brin y bydd gan unrhyw bapur newydd lawer o ddiddordeb ynddo fo bellach, yn dilyn y datganiad o Downing Street bnawn ddoe ac yn sicir ar ôl gweld dy erthygl di bora 'ma. Ond mae'n bwysig dy fod ti'n dal i gadw cysylltiad efo fo, cofia.'

Gwenodd Alex. 'Wi wedi addo mynd â fe mas i swper un nosweth . . . ne fe i fynd â fi.'

'Iawn. Gwna hynny, a thyrd â'r dderbynneb i mi. Mi all y *Chronicle* fforddio hyd at hanner canpunt dwi'n siŵr.'

'Diolch yn fowr!' Roedd yr haelioni yn ei phlesio'n arw.

'Mae'n bwysig dy fod ti'n cadw cysylltiad efo fo, wyst ti, oherwydd mae gen i ryw deimlad ym mêr fy esgyrn nad ydi'r busnas Stephen Smythe 'ma ddim wedi gollwng ei afael ar dy Zen di, eto.'

'So fe'n *Zen* i fi, Mr Allen!' Ond gwyddai Alex, oddi wrth wres ei gwyneb, fod ei chelwydd yn dangos.

Dyna pryd y canodd y ffôn.

'Helô! . . . Ia, yn siarad . . . Pwy? . . . Ah! Mae'n dda clywed dy lais di unwaith eto, Robert. A chofia fod y cynnig yn dal ar y bwrdd iti! Os byth y bydd yr *Inde* am dy roi di ar y clwt, yna mi ffeindiwn ni ryw swydd fach iti ar y *Chronicle*. A deud y gwir, rydan ni ar hyn o bryd yn chwilio am rywun i neud te inni.' Chwarddodd Tom Allen a gallai Alex glywed chwerthiniad pell o ben arall y lein hefyd. 'Pwy? . . . Ydi. Fel mae'n digwydd, Robert, mae hi yma efo fi, yr eiliad 'ma . . . Be? Wel ydw, siŵr Dduw, dwi'n gwrthwynebu iti gael gair efo hi.' Trodd at Alex a wincio'n chwareus. 'Glywist ti hyn'na, Alex? Robert Fisk o'r *Inde* isio gair efo ti. Be? Erioed wedi clywed sôn amdano fo,

Alex? Dwi'm yn synnu, a deud y gwir! Hàc os gwelist ti un erioed!' A chwarddodd wrth wrando ar ryw sylw ffraeth neu'i gilydd yn dod eto o ben arall y lein. Difrifolodd wedyn. 'Cei, Robert,' meddai, 'mi gei di air efo hi, ond ar ddau amod – a dwi o ddifri rŵan! Yn gynta, dwyt ti ddim i drio'i denu hi i weithio i'r *Inde,* ac yn ail, dwyt ti ddim i drio pigo'i hymennydd hi ynglŷn â'r busnes Smythe 'ma chwaith. Dyma hi iti rŵan!' Ac ar hynny, trosglwyddodd y ffôn i ddwylo Alex.

'Helô. Mr Fisk? Alex Morgan yn siarad. Shwd alla i'ch helpu chi?'

'Am eich llongyfarch chi ydw i, Alex; yn gynta am y sgŵp yn y *Chronicle* heddiw, ac yn ail am lwyddo i fynd i wraidd y dirgelwch ynglŷn â Stephen Smythe. Falla ichi glywed fy mod i, ers tro, yn ymchwilio i hanes ei fywyd o, gyda'r bwriad o sgrifennu bywgraffiad iddo fo rywbryd neu'i gilydd.'

'Odw, wi 'di clywed, Mr Fisk, ond o'dd e ddim y dyn rhwydda i witho 'da fe, fel wi'n diall.'

'Roedd hynny'n ddigon gwir, yn ôl be'r oedd ei gyd-aelodau ar y Cabinet yn arfer ei ddeud. Ond wyddoch chi be, Alex? Fe ges i bob cydweithrediad ganddo fo, o'r diwrnod cynta bron. Pan ffoniais i fo gynta am ei ganiatâd i sgrifennu'r cofiant – rai misoedd yn ôl, bellach – mi ofynnodd am amser i feddwl am y peth, ond ben bore trannoeth, fe ffoniodd fi'n ôl – nid ei *PPS* na neb arall ond fo'i hun yn bersonol – ac fe ges yr argraff fod y syniad, erbyn hynny, yn apelio'n arw ato fo. Chredech chi ddim mor barod oedd o wedyn i gydweithredu. Fe ges sawl cyfweliad ganddo fo ac roedd o bob amser yn barod i ateb pob cwestiwn yn gwbwl agored. Fedrwn i ddim bod wedi gofyn am fwy o gydweithrediad a deud y gwir. A dyna pam, o edrych yn ôl rŵan, na chefais i le i amau ei air o gwbwl. Roedd o'n rhoi'r argraff o fod mor agored ynglŷn â phob dim . . .'

Clywodd Alex chwerthiniad byr a chwerw o ben arall y lein.

' . . . Dwi'n sylweddoli rŵan, wrth gwrs, mai cyfrwystra a dim byd arall oedd hynny i 'nghadw fi rhag mynd ar ôl y wybodaeth drosof fy hun. Ei enw iawn, meddai, oedd Steffan Zenovich Shmit, a bu'n byw am gyfnod byr ar stryd *Toom-Kodi* yn Tallinn, Estonia. Ond roedd y tŷ yn fan'no wedi cael ei werthu droeon ers hynny, medda fo, a doedd ganddo ddim syniad – na diddordeb chwaith – mewn gwybod pwy oedd yn byw yno bellach. Fe'i cymerais inna fo ar ei air, wrth gwrs, a welwn i ddim pwrpas o gwbwl mewn mynd yr holl ffordd i Tallinn i weld ei gartre, yn enwedig gan ei fod wedi addo lluniau imi o'r tŷ ac o'i deulu, beth bynnag. Welis i byth mo'r rheini, gyda llaw, a dwi'n dallt pam rŵan. Roedd gan y dyn lawer iawn i'w guddio, yn amlwg, a'i ffordd ef o gelu'r gwir oddi wrtha i oedd trwy smalio cydweithredu'n llawn efo fi . . . er mwyn fy nghadw i rhag mynd allan i Tallinn yn un peth. Yr unig amod a osododd o arna i ar y pryd oedd na châi'r cofiant ymddangos o'r Wasg tan ar ôl iddo fo gyrraedd oed yr addewid, gan ei fod yn gobeithio parhau mewn gwleidyddiaeth tan hynny, medda fo. Doedd gen inna ddim dewis ond cytuno i'r amod, wrth gwrs. Dyna pam mod i wedi llaesu cymaint ar fy nwylo ynglŷn â'r holl beth. Gan na châi'r cofiant ymddangos am o leia bum mlynedd arall, yna roeddwn am gymryd fy amser i neud yr ymchwil. Sut bynnag, Alex, dychmygwch fy syndod yn hwyr bnawn ddoe pan ddaeth y datganiad rhyfeddol yna allan o Downing Street. Igor Valyukh! Doeddwn i ddim hyd yn oed wedi *clywed* yr enw o'r blaen, heb sôn am ei gysylltu â Stephen Smythe. A dychmygwch wedyn f'ymateb wrth ddarllen eich erthygl ddadlennol chi yn y *Chronicle* bore 'ma.'

'*Fe*'i hun roiodd y cyfeiriad yn Tallinn ichi felly, ife?'

'A dyna sut y cawsoch chi fo? Allan o f'erthygl i yn yr *Inde*?'

'Ie.'

Clywodd Alex ef yn chwerthin yn ysgafn ond yn ddi-hiwmor ar ben arall y lein. 'Eironig, a deud y lleia,' oedd ei unig sylw. Yna, ar ôl tawelwch hir, 'Falla y cawn ni gyfarfod rywbryd, Alex? Mi fyddwn i'n gwerthfawrogi cael eich holi am eich ymweliad â *Toom-Kodi* a'ch sgwrs efo Mrs Shmit. Nes imi ddarllen eich erthygl, wyddwn i ddim ei bod hi'n dal yn fyw hyd yn oed. Yn ôl Smythe . . . Shmit . . . Valyukh . . . roedd ei fam – neu'n hytrach mam y Steffan Shmit iawn – wedi marw flynyddoedd yn ôl. A dyna beth arall! Soniodd Smythe/Shmit erioed fod ganddo blant chwaith.'

'Na'th Valyukh ddim sôn bod plant 'da Shmit 'ych chi'n feddwl, ife?'

Chwarddodd eto. 'Ia, wrth gwrs. Roedd yr enwau Maidu a Hilja yn gwbwl ddiarth imi, tan bore 'ma. A rŵan, mae'ch erthygl chi'n deud nid yn unig eu bod nhw wedi cael eu lladd mewn damwain ddiweddar, yma yn Lloegr, a bod eu cyrff yn dal mewn marwdy yn Grays, Essex, ond bod rhywbeth amheus iawn hefyd ynglŷn â'r ffordd y digwyddodd y ddamwain. Mae'n rhaid imi ddeud fy mod i'n edmygu'r ffordd yr ydach chi'n dadla'r achos, Alex, a'r ffordd yr ydach chi wedi defnyddio tystiolaeth y cyn-asiant *MI6,* Richard Tomlinson.'

'Diolch yn fowr, Mr Fisk!' Clod yn wir, o styried pwy oedd yn ei roi. 'Ond wi'n cadw meddwl agored ar beth ma Tomlinson yn ei weud serch 'ny, cofiwch. Os darllenwch chi'r llyfyr *MI6: Fifty Years of Special Operations,* ma Stephen Dorrill yr awdur yn gweud yn fan'ny – ar dudalen 788 wi'n credu – taw nonsens llwyr yw cyhuddiade Tomlinson ynglŷn â marwoleth Tywysoges Cymru.'

'Ydi. Dwi'n gyfarwydd â'r gyfrol, ac mae'r adroddiad swyddogol a ddaeth allan o Ffrainc yn ddiweddar wedi profi hynny'n derfynol, beth bynnag. Ond wedi deud hynny, Alex, synnwn i ddim nad ydi'ch erthygl chi wedi agor tun go fawr o gynrhon, serch hynny, a hwnnw'n dun sy'n llawn hyd at ei ymylon, ac mi fydd hi'n ddiddorol iawn cael gweld sut y bydd petha'n datblygu o hyn allan. Dwi'n llwyr gredu y bydd raid i'r gwir i gyd ddod i'r wynab rŵan, rywsut neu'i gilydd. Dwn i ddim a ydach chi'n sylweddoli ai peidio, Alex, ond fe allech chi fod wedi cychwyn sgandal a allai ddymchwel y Llywodraeth ei hun. Sut bynnag, diolch am y sgwrs, a llongyfarchiada unwaith eto.'

Safodd Alex yn fud am rai eiliada, heb osgo rhoi'r ffôn yn ôl yn ei grud. Roedd y sgwrs wedi dod i ben mor swta rywsut, ac efo datganiad oedd yn ddychryn iddi.

Gwenodd Tom Allen o ben arall y stafell, ond heb ddeall yn iawn y syndod ar ei gwyneb. 'Rwyt ti'n edrych fel petait ti wedi gweld ysbryd, Alex. Ddaru'r dyn mawr ddim codi ofn arnat ti, gobeithio?'

Pennod 16

Bwyty Chez Gerard, Covent Garden, Llundain WC2

Roedd Alex wedi gofyn dros y ffôn am fwrdd i ddau wrth y ffenest ac roedd Pierre wedi addo cadw un iddi. Nid bod honno'n ffafr fawr ynddi ei hun oherwydd er mor boblogaidd a phrysur oedd *Chez Gerard*, y bwyty Ffrengig uwchben Covent Garden, roedd y ffaith mai un ffenest hir oedd ei wal allanol yn golygu bod yno sawl 'bwrdd ffenest'.

Prin fu'r trafod yn ystod y pryd ond rŵan gallent eistedd yn ôl i fwynhau eu coffi a gweddill y gwin. Oddi tanynt, roedd y sgwâr yn oleuedig a phrysur er bod y farchnad ei hun, erbyn hyn, wedi hen dawelu a chau. Roedd yno grwpiau ifanc o bob cenedl dan haul, rhai ohonynt yn cadw reiat diniwed, cyplau yn crwydro'n ddiamcan i wahanol gyfeiriadau, meddwyn yn cysgu ar fainc ac un arall efo'i law agored yn begera'n bowld. Roedd hi'n olygfa oedd yn newid yn barhaus ac yn cynnig rhywbeth newydd o hyd i'w wylio.

'Wi'n dwlu ar y lle 'ma.'

'Fedra i ddim deud mod i'n ciniawa yma'n amal, a deud y gwir.'

Gwelodd mai tynnu coes oedd o. 'Taw â dy ddwli, Zen! Sôn am y rhan hyn o Lunden – am Covent Garden – o'n i, dim am y bwyty, w.' A gwenodd arno eto. Roedd hi wedi gwenu arno'n amal, heno, meddai wrthi'i hun. Nid yn unig ei fod o'n gwmni difyr ond roedd hefyd wedi gneud ymdrech i greu argraff arni.

Eisteddai gyferbyn â hi rŵan efo'i ddau benelin ar y bwrdd o'i flaen a'i ên gadarn yn gorwedd yng nghwpan ei ddwylo. Roedd ôl yr haearn smwddio i'w weld o hyd ar ei grys glas glân a gwisgai drowsus llwyd-ddu o ddenim ysgafn oedd yn newydd sbon. Gorweddai ei siaced ledr ddu dros gefn ei gadair, tu ôl iddo.

Gwyddai Alex fod sawl merch yn y stafell wedi taflu mwy nag un cip gwerthfawrogol i'w gyfeiriad a lled-obeithiai fod ambell ddyn yn ei llygadu hi, hefyd, oherwydd roedd hitha wedi mynd i drafferth i greu argraff. Yn ei dewis o ffrog yn un peth! Gwahanol ei lliw ond tebyg ei steil i'r un a wisgai pan aeth â fo efo hi i Ben y Tyle'n ddiweddar; hynny'n golygu bod clun noeth yn dod i'r golwg yn amal ganddi heno eto. O bryd i'w gilydd, gallai deimlo'i ben-glin yn cyffwrdd o dan y bwrdd â'i phen-glin noeth hitha, a hynny'n rhy amal i fod yn ddamweiniol.

'Shwd wyt ti mor siŵr fod 'da *MI5* ffeil arnot ti 'te?'

Roedd y pwnc wedi cael ei grybwyll ynghynt, yn y mân siarad a fu rhyngddynt yn ystod y pryd.

'Mae gynnyn nhw ffeil ar bawb ohonom ni, siŵr Dduw! Pob aelod o'r gwarchodlu! *MI6* yr un fath, synnwn i ddim. Arnat titha hefyd, o bosib, erbyn rŵan. Diawl erioed, roedd yr Holmes 'na hyd yn oed yn gwbod be oedd y llysenw ges i yn y fyddin, er nad oedd o wedi dallt pam, chwaith.'

'O? Pwy lysenw o'dd hwnnw, gwed?'

'Y Sarff.'

'Waw!' Chwarddodd. 'So fe'n enw clodforus iawn, odi fe? Pam fydde neb yn rhoi shwd enw i ti?'

'Sarjant Steven Zendon Smith.' Ac o weld y cwestiwn a'r diffyg deall yn aros yn ei llygaid, ychwanegodd: 'Sszs.'

'A! Wi'n gweld!' A chwarddodd gyda rhywfaint o ryddhad y tro yma. Yna estynnodd lyfr sgrifennu bychan a beiro o'i bag.

'Nawr 'te, busnes! Wi moyn iti styried pwy alle fod ishe ca'l gwared â Stephen Smythe.'

'Busnas?' Gwnaeth sioe o ffug siom. 'A finna wedi meddwl mai isho 'nghorff i oeddat ti heno 'ma, nid fy mrêns i.'

'Y brêns i ddechre, ta beth!' A gadawodd iddo syllu i ddwfn ei llygaid disglair, i weld yr addewid oedd yn fan'no. 'Nawr 'te! Be licen i nawr yw gneud rhester o bawb fydde wedi bod ishe lladd Stephen Smythe neu Steffan Zenovich Shmit neu Igor Valyukh.'

'Rwyt ti wedi newid dy job, felly?'

'Sa i'n diall.'

'Ditectif wyt ti bellach!'

Ni ddaeth y wên a ddisgwyliai.

'Ma'r golygydd am i fi neud rhagor o ymholiade, 'na i gyd.'

'Ac rwyt ti am i mi dy helpu di.'

'Dyna licen i. 'Yt ti'n folon?' Y llygaid eto'n gwahodd ac yn addo.

'Iawn, ond dwn i ddim sut, chwaith.'

'Be 'sen ni'n dechre 'da Stephen Smythe pan o'dd e'n Ysgrifennydd Amddiffyn. O'dd e ddim yn boblogedd, o'dd e?'

'Nagoedd, debyg.'

'Wi 'di bod yn neud ymholiade heddi a 'di ffindo mas jest mor amhoblogedd o'dd e. Ro'dd staff y Weinyddieth Amddiffyn yn Whitehall i gyd yn 'i gasáu e â chas perffeth. Bwli o ddyn o'dd e, ma'n debyg. Neb o gwbwl 'na â gair da iddo fe. Do'dd yr aelode seneddol ddim yn 'i lico fe chwaith – aelode dim un o'r pleidie! Dim hyd yn o'd aelode'i blaid e'i hunan. Ro'dd 'da fe dafod y cythrel ac ro'dd e'n llawn o'i bwysigrwydd e'i hunan.'

'Hen drwyn o hen foi oedd o, beth bynnag – mi wn i hynny, o brofiad – ond diawl erioed, Alex, dydi pobol ddim yn cael eu saethu jyst am eu bod nhw'n oriog neu'n amhoblogaidd. A dydi aeloda seneddol sy'n cael eu sarhau yn gyhoeddus o bryd i'w gilydd ddim yn mynd i'r draffarth na'r gost o gyflogi *hitman* proffesiynol.'

'Wi'n diall hynny, Zen. Felly, 'yn ni'n whilo am rywun gwahanol on'd 'yn ni?'

'Cywir.'

'Beth obeutu'r gwasnaethe cudd, 'te? *MI5*? *MI6*?'

'Mi ddeudwn i dy fod ti'n nes ati yn fan'na, falla. Ond diawl erioed, Alex, fyddai hyd yn oed *MI6* ddim yn mynd cyn bellad â lladd aelod blaenllaw o'r Cabinet.'

'Hyd yn o'd 'sa fe'n fygythiad rywffordd i'r Sefydliad ac i'r Deyrnas Unedig?'

Cymerodd Zen eiliad neu ddwy i gnoi cil ar ei chwestiwn. Yna, meddai, 'Na, dwi'n meddwl dy fod ti wedi colli dy ffordd yn gythral rŵan. Os oedd Smythe . . . neu Valyukh . . . neu beth bynnag wyt ti am ei alw fo . . . yn fygythiad, yna mi fyddai *Spook House* ac *MI6* – a Scotland Yard hefyd, pe bai raid – wedi delio efo'r peth yn eu ffordd eu hunain. Ac nid trwy'i saethu fo fyddai hynny.'

'Iawn 'te! Wi'n derbyn dy farn di.' Penderfynodd beidio deud wrtho ei bod hi eisoes wedi anfon ymholiad i'r cyfeiriad e-bost *spectre@worldcom.ch* yn y Swistir. 'Felly, rhaid taw rhywun arall o'dd yn gyfrifol.'

'Marcia llawn am weithio hyn'na allan!'

Gwenodd Alex wên bell i gydnabod y gwamalrwydd. 'Felly pwy 'te, Zen?'

'Paid â meddwl nad ydw inna wedi bod yn crafu 'mhen ynglŷn â'r peth ers dyddia. Er enghraifft, dwi'n cofio bod Smythe wedi creu dipyn o gynnwrf dro'n ôl pan oedd o'n bygwth datgelu gwybodaeth gyfrinachol ynglŷn â rhyfel cynta'r Gwlff, pan oedd Margaret Thatcher a'r Toriaid yn rhedag y sioe. Ond roedd y sibrydion hynny wedi chwythu'u plwc cyn i hyn ddigwydd.'

'Ond clywes i rai yn awgrymu taw 'na pam fod Sadoun Majid yn Llunden, y diwrnod y ca's Smythe 'i ladd. So ti'n credu bod cysylltiad falle rhynto fe a'r busnes hyn?'

'Doedd ganddo fo gythral o ddim i neud efo'r saethu, os mai

dyna wyt ti'n ofyn. Roedd o'n cachu brics pan welodd o be ddigwyddodd i Smythe.'

'Ond falle taw achos 'i fod e, Majid, 'na yn y lle cynta y ca's Smythe 'i ladd. Falle bod rhywun neu'i gily ofon beth alle ddod mas o'r cyfarfod rhyntyn nhw'u dou.'

'Os felly, yna mi fyddai wedi bod yn saffach rhoi bwled yn Majid hefyd, i gau ceg hwnnw'n ogystal.'

Yn ystod y sgwrs, roedd Alex wedi bod yn sgrifennu rhestr o'r posibiliadau ac wedi bod yn nodi'r gwrth-ddadleuon hefyd, ar ymyl y ddalen. Aeth yn dawel rŵan a gallai Zen synhwyro rhywfaint o'i rhwystredigaeth hi.

'Mae'r busnas Diana yn rwbath i'w styriad, cofia. Sawl gwaith glywist ti Smythe yn deud ar goedd ei fod o'n credu mewn bod yn agorad ac yn onast mewn gwleidyddiaeth – y diawl dau-wynebog iddo fo! – a bod yn rhaid i'r Llywodraeth a'r gwasanaethau cudd fel ei gilydd fod yn fwy atebol. *Atebolrwydd i'r etholwyr* oedd ei ddywediad mawr o. Dyna'r rheswm roedd o'n ei roi, er enghraifft, pan oedd o'n bygwth rhyddhau ffeithia ynglŷn â chamgymeriada *MI6* a'r *CIA* yn Irac, adeg *Desert Storm*. Pam wyt ti'n meddwl bod yr hen aeloda o Gabinet Maggie Thatcher am ei waed o'n barhaol?'

'So ti'n awgrymu taw . . . ?'

'Arglwydd mawr, nacdw! Deud ydw i bod Smythe wedi rhoi mwy na digon o le i bobol ei gasáu o; a rhai o'r rheini'n bobol ddylanwadol iawn yn y wlad 'ma. Heb sôn am y *CIA* yn America! Wyt ti wedi styried rheini? Uffar digwilydd oedd Smythe, pan feddyli di am y peth – yn galw am onestrwydd ac atebolrwydd, a fynta'i hun efo cymaint i'w guddio, ac wedi byw cymaint o dwyll a chelwydd. A dyna iti'r ffordd roedd o'n beirniadu'r Iddewon, wedyn, am fod mor gyndyn i drafod heddwch efo'r Palestiniaid. Wyt ti'n cofio'r storm ddaru o'i hachosi yn Efrog Newydd y tro hwnnw, yng nghyfarfod y Cenhedloedd Unedig?'

'Beth? So ti'n awgrymu taw'r Mossad . . . ?'

'*MI5, MI6,* y *CIA,* y *Mossad* . . . hyd yn oed *Al Quaeda* neu'r

Taliban . . . Mae gen ti ddigon i ddewis ohonyn nhw. Wedi'r cyfan, roedd y boi wedi sathru amal i gorn.'

'Ond pam nest ti sôn am Dywysoges Cymru, 'te?'

'Syniad ddaeth i 'mhen i rŵan, dyna i gyd, pan gofiais i fod Smythe, rai misoedd yn ôl, wedi deud mewn araith i'r Tŷ bod angen newid y ddeddf ar gyfrinachedd, er mwyn gorfodi Thames House a Vauxhall Cross i drosglwyddo rhai o'u ffeiliau i ddwylo'r Llywodraeth, pe bai galw am hynny. Fe ddefnyddiodd y sibrydion ynglŷn â marwolaeth Diana fel un enghraifft dros neud peth felly. Dwi'n cofio'r dadla oedd yn mynd ymlaen ar goridora Westminster ar y pryd. Doedd dim posib i ni yn y gwarchodlu beidio clywad oherwydd roedd 'na dynnu dani diawledig yn mynd ymlaen. Rhai o'r aelodau yn cytuno efo fo – mi fedri di ddychmygu pwy oedd rheini, mae'n siŵr – ond y rhan fwyaf yn wyllt yn erbyn. Mi welis i un ffrae hyd at daro yn y *Central Lobby* . . . '

'Oh?'

Chwarddodd. 'Ro'n i'n meddwl y basa hyn'na'n codi dy glustia newyddiadurol di! Ond fiw i mi ddeud wrthat ti pwy oedd y ddau, wrth gwrs.' Gwelodd hi'r direidi'n dod i'w lygaid wrth iddo ychwanegu, 'Ond dwi'n un drwg am siarad yn fy nghwsg, cofia.'

Caeodd Alex ei llyfr bach nodiadau ac ysgwyd ei phen. Roedd ei rhestr, bellach, yn rhy anobeithiol o hir. Galwodd am y bil. 'Beth 'san ni'n cerdded lawr i'r Aldwych,' meddai, 'a cha'l tacsi o fan'ny.'

O fan'no i ble, tybad? meddyliodd Zen wrth deimlo'i braich yn clymu am ei fraich ei hun.

* * *

10 Stryd Downing – Llundain

Taflai'r lamp ei hynys fechan o oleuni halogen ar bapurau'r ddesg. Roedd gweddill y stafell mewn cysgodion dwfn a gweddill y tŷ wedi hen dawelu.

Rhwbiodd y Prif Weinidog ei lygaid mewn ymgais ofer i gael gwared â'r blinder oedd ynddyn nhw. Ochneidiodd yn uchel. 'Siawns na cha i lonydd rŵan tan y bore,' meddai wrtho'i hun.

Roedd newydd roi'r ffôn i lawr ar yr Ysgrifennydd Cartre. Cyn hynny, bu mewn sgyrsiau hir efo'r Ysgrifennydd Tramor, Eliza Manningham-Buller o Thames House a Syr Richard Billing Dearlove o Vauxhall Cross. Hyd yn oed yn farw, meddai wrtho'i hun, roedd Stephen Smythe yn dal i fod yn ddraenen yn ei ystlys. 'Yn fwy o gur pen nag y buodd o erioed,' ychwanegodd o dan ei wynt.

Doedd cynllun Syr Richard Dearlove i dynnu'r colyn allan o erthygl A. A. Morgan yn y *Chronicle* ddim wedi gweithio. Yn hytrach, roedd y datganiad swyddogol o Downing Street am wir gefndir y cyn-Ysgrifennydd Amddiffyn wedi creu mwy o nyth cacwn nag a freuddwydiodd neb, a bellach roedd peryg i'r sgandal ddymchwel y Llywodraeth. Roedd o wedi disgwyl rhywfaint o gefnogaeth oddi wrth y Toriaid ar lawr y Tŷ, gan mai Margaret Thatcher a roddodd loches i Shmit – neu Valyukh – yn y lle cynta, ond roedd yr wrthblaid wedi bod yn cyfarth fel daeargwn hunangyfiawn drwy'r dydd ac yn galw am ymddiswyddiad y Prif Weinidog a phob aelod o'i Gabinet.

Medrodd Tony Blair wenu gwên wan rŵan wrth gofio'r cyfarth hwnnw. 'Pe baen nhw wedi bodloni ar alw am f'ymddiswyddiad i yn unig,' meddai wrtho'i hun, 'yna fe allai pethau fod wedi mynd yn boeth iawn arna i, hyd yn oed o gyfeiriad fy meinciau cefn i fy hun, ond fe gollson eu cyfla – diolch i Dduw! – pan ddechreuson nhw alw ar y Cabinet i gyd i ymddiswyddo. Maen nhw'n cicio'u hunain erbyn rŵan, siŵr o fod, am fod mor fyrbwyll. Unwaith y dechreuodd y pleidiau weiddi a ffraeo ar draws ei gilydd, yna fe weithiodd pethau er mantais i mi wedyn.'

Nid oedd hyd yn oed aelod hynaf y Tŷ yn cofio'r fath bandemoniwm ag a welwyd ar lawr y Siambr y pnawn hwnnw.

Methodd y Llefarydd yn lân â chael yr aelodau i drefn ac er cywilydd i bawb bu'n rhaid dod â'r sesiwn i'w therfyn ymhell cyn pryd oherwydd yr annisgyblaeth a'r sŵn. Be wnâi'r Wasg o'r peth drannoeth, Duw'n unig allai ddeud, ond o leia fe dynnai'r sylw, am ryw hyd beth bynnag, oddi arno fo fel prif weinidog.

Cyn noswylio, taflodd Blair un cip arall ar y papur o'i flaen. Roedd popeth roedd o wedi'i sgrifennu ar hwnnw yn ymwneud â'r diweddar Ysgrifennydd Amddiffyn. Teimlai'n ddig iawn tuag at yr *SIS* am gadw pethau rhagddo cyhyd. Fel arall, fyddai Smythe byth bythoedd wedi cael ei ddyrchafu'n aelod o'r Cabinet. *Mae Vauxhall Cross wedi mynd yn rhy bell y tro yma,* meddyliodd. *Maen nhw wedi mynd i feddwl yn fan'no nad ydyn nhw'n atebol i ddiawl o neb ond nhw'u hunain. Ddim hyd yn oed i Westminster! I feddwl eu bod nhw wedi celu'r fath wybodaeth bwysig oddi wrth Brif Weinidog y Deyrnas! Ond fe gân nhw weld o hyn allan!* Ar yr un gwynt, cofiodd fel roedd Robin Cook, pan oedd hwnnw'n Ysgrifennydd Amddiffyn, wedi gneud pob dim o fewn ei allu i ddod ag *MI6* i drefn trwy geisio gorfodi'r gwasanaeth, o dan y Ddeddf Rhyddhau Gwybodaeth *(FOIA)*, i drosglwyddo ffeiliau o Vauxhall Cross i'r Archifdy Gwladol. Ond er mor daer y bu Cook wrthi, yr *SIS* a gafodd y gair olaf. Ac yn ddiweddar, roedd Stephen Smythe wedi bod yn galw am yr un peth, gan ddadlau'n rymus iawn ar lawr y Tŷ bod datblygiadau technolegol diweddar yn ei gwneud hi fwy neu lai yn amhosib i unrhyw wlad gadw'i chyfrinachau iddi hi ei hun, mwyach, a'i bod yn amser i Vauxhall Cross sylweddoli hynny. Cofiodd Tony Blair hefyd, â gwên chwerw rŵan, fel roedd Smythe wedi fflangellu'r gwasanaethau cudd â'i dafod a'u cyhuddo nid yn unig o fod yn wastraffus ac yn llawer rhy gostus i'w cynnal ond o fod, yn ogystal, yn fwriadol yn taflu llwch i lygaid gweinidogion y Goron ar faterion o dragwyddol bwys. Roedd wedi mynd cyn belled ag awgrymu y gallai ambell fradwr – llofrudd hyd yn oed! – fod yn llechu yn rhengoedd Vauxhall Cross. Fel y gellid disgwyl, roedd y cyhuddiad hwnnw wedi tynnu storm o brotest ac wedi creu anhrefn llwyr ar lawr y Tŷ y diwrnod hwnnw hefyd wrth i'r meinciau gyferbyn chwifio'u papurau uwch eu pennau a gweiddi geiriau fel 'Cywilyddus!' a 'Gwarthus!' a 'Tyn dy eiria'n ôl!' Roedd aelodau o'i feinciau cefn ef ei hun, hyd yn oed, wedi bod yn gweiddi petha fel 'Lle mae'r dystiolaeth?' a 'Dyro enwau!'

Ysgydwodd ei ben yn anghrediniol unwaith eto wrth feddwl sut y gallodd Stephen Smythe, o bawb, gyhuddo neb o dwyll a rhagrith. Haerllugrwydd y dyn!

Cododd y ddalen yn nes at y lamp a dechrau darllen y ddwy golofn o bwyntiau y bu'n eu sgriblo wrth groesholi pennaeth *MI6* lai na hanner awr yn ôl. Pwyntiau o wybodaeth am ei ddiweddar Ysgrifennydd Amddiffyn oedden nhw i gyd. Yn y golofn gyntaf, popeth a wyddid ac a gredid amdano cyn iddo gael ei ladd; yn yr ail golofn, popeth a ddatgelwyd amdano yn ystod y dyddiau diwethaf.

Mewn llythrennau bras uwchben y golofn gyntaf ceid yr enwau STEPHEN SMYTHE / STEFAN ZENOVICH SHMIT ac yna nifer o bwyntiau, efo croes fechan gyferbyn â phob un –

✘ Ganwyd 13.03.40, Tallinn, Estonia.
✘ Tad – Willhelm Shmit – Almaenwr o dras ond y teulu wedi trigo blynyddoedd mewn gwahanol rannau o Wlad Pwyl. Marw 1962
✘ Mam – Olga Shmit (*née* Zenovich) – o dras Rwsiaidd ac yn enedigol o Novograd. Marw 1974
✘ Dibriod
✘ Ei dderbyn i Brydain yn 1980 ar sail –
(i) ei addewid i drosglwyddo pob gwybodaeth o bwys oedd ganddo fel milwr yn y Fyddin Goch
(ii) ei gyfraniadau hael i goffrau'r ddwy blaid fawr

Ysgydwodd y Prif Weinidog ei ben yn anghrediniol eto fyth. A dyna swm a sylwedd yr hyn a wyddem ni amdano fo, meddyliodd. A'r rhan fwyaf o hynny'n gelwydd! Mae'r peth yn anhygoel, a deud y lleia. Efo gwybodaeth mor denau ac mor anghywir â hyn, yna sut ar y ddaear ddaru ni . . . sut ddaru *mi* . . . ganiatáu i'r dyn ddringo i swydd mor allweddol yn y lle cynta? 'Rhaid iti dy holi dy hun, Tony!' meddai wrth y stafell wag o'i gwmpas. Ond wedi deud hynny, Margaret Thatcher ac *MI6* ddaru baratoi'r ffordd i'r dyn, chwarter canrif yn ôl. Nhw oedd fwyaf atebol!

Aeth dros y pwyntiau o un i un. Ac eithrio'r olaf, prin bod unrhyw un ohonyn nhw'n wir, fel roedd o wedi nodi ar ymyl y ddalen wrth groesholi Syr Richard Dearlove –

- Dyddiad geni y Stefan Zenovich Shmit go iawn – 1952 *nid* 1940. 12 mlynedd o wahaniaeth. Pam? 1940 yn ei osod yn nes at oed Igor Valyukh, dyna pam! Ai twyll Smythe ei hun, ynteu *MI6*? *C* yn gyndyn i gyfaddef!
- Y wybodaeth ynglŷn â'r tad – *cywir*! ac eithrio'r *celwydd* bod hwnnw wedi treulio'i ienctid yng Ngwlad Pwyl. (Willhelm Shmit heb adael yr Almaen nes iddo gael ei anfon i Tallinn i weithio, yn fuan wedi i'r Ail Ryfel Byd ddod i ben.) Pam y celwydd? I ddrysu unrhyw ymgais i ddarganfod cefndir Shmit. Twyll pwy? Smythe ei hun ynteu *MI6*? Smythe meddai C! (Tybed?)
- Blwyddyn marwolaeth y tad – *celwydd*! 1954 *nid* 1952. Pam? Eto i ddrysu unrhyw ymchwil i gefndir Smythe/Shmit/Valyukh. Twyll pwy?
- Man geni'r fam – *celwydd*! Nid Novograd, Rwsia, ond Tallinn, Estonia. Novograd oedd man geni Igor Valyukh!
- Y fam wedi marw – *celwydd*! Olga Shmit yn dal yn fyw heddiw – yn yr un tŷ ag y cafodd hi a Stefan ei mab eu geni ynddo. *C* yn cydnabod bod *MI6* wedi celu'r wybodaeth *'er mwyn gwarchod y weddw'*. (Tybed?)

- Stefan Z. Shmit yn ddibriod – *celwydd*! Ei fab Maidu (ganed 1976) a'i ferch Hilja (ganed 1978) wedi cael eu lladd, fis yn ôl, mewn damwain yn Nhwnnel Dartford (Amgylchiadau amheus? *MI6* yn gysylltiedig? Honiadau A. A. Morgan yn y *Chronicle* – Faint o sail sydd iddyn nhw? *C* yn gwadu unrhyw gysylltiad. Swnio'n ddidwyll, ond . . . ?)

Mewn colofn arall roedd wedi nodi chydig bwyntiau o dan yr enw IGOR VALYUKH. Methai gredu nad oedd y wybodaeth yn y rhestr hon yn hysbys iddo tan ychydig ddyddiau'n ôl, rhan ohoni mor newydd ag ychydig funudau'n ôl, yn dilyn y sgwrs efo *C*:

- Stephen Smythe = Igor Valyukh NID Stefan Zenovich Shmit!!
- I.V. – Ganwyd 1940 yn Novograd, Rwsia. Un o 8 o blant. Teulu tlawd. Y tad yn gweithio yn y melinau coed ond yn marw'n ifanc. I.V.'n dianc rhag tlodi'r teulu ac yn ymuno â'r Fyddin Goch.
- Dyrchafiadau buan yn y fyddin > Lefftenant Gyrnol > Gneud gwaith i'r Stasi (KGB) yn ogystal.
- Stori AAM yn y *Chronicle* (*Angen cadarnhau'r manylion*):
  - (i) I.V. wedi cymryd mantais ar SZS – milwr ifanc yn ei gatrawd – ar ôl clywed am drysor yn y teulu; trysor wedi ei ddwyn gan Alexander Zenovich, hen daid SZS, o'r Hermitage yn St Petersburg adeg Gwrthryfel 1917 y Bolsheficiaid. [Robert Fisk – cofiannydd Smythe – yn yr *Independent* yn cyfeirio at gefndir SZS ond heb sôn o gwbwl am Valyukh. Yntau ddim yn gwybod chwaith? Gwell ei holi.]
  - (ii) I.V. wedi anfon SZS ar gyrch peryglus yn Chechnya, yn fwriadol er mwyn i SZS gael ei ladd. (*Honiad mam SZS, yn ôl AAM.*)
  - (iii) Valyukh wedi priodi Hilja, gweddw SZS, yna

wedi peri marwolaeth honno hefyd [*Honiad y weddw Shmit eto, yn ôl AAM*].

(iv) I.V. wedi etifeddu neu ddwyn cyfoeth y teulu (*trysorau o'r Hermitage?)* ac yna wedi dod drosodd i Brydain (*Hynny'n egluro cyfoeth Smythe, ond sut mae profi?* C *yn honni dim gwybodaeth. Dim achos dros beidio'i gredu.)*

- 1975 – I.V. yn cytuno i fod yn asiant *UKN* (h.y. rhan-amser) i *MI6*, o dan reolaeth Andrew Lorrimer (UKA/5, Pennaeth *Controllerate* Dwyrain Ewrop ar y pryd). I.V. yn trosglwyddo peth gwybodaeth ddefnyddiol i *MI6* (e.e. am ymweliadau gwleidyddion Rwsia â gwledydd y Dwyrain Canol; manylion gwerthiant arfau rhwng Rwsia ac Iran; adroddiadau'r Stasi ar y datblygiadau yn Iran o dan ddylanwad cynyddol yr Ayatollah Khomeini). I.V. hefyd wedi bwydo llawer o wybodaeth gamarweiniol (*disinformation*), i'r *CIA*.
- 1980 – Oherwydd bod Igor Valyukh wedi bod yn asiant 'gwerthfawr' i *MI6* yn Nwyrain Ewrop, Margaret Thatcher yn caniatáu iddo ddod i Brydain wrth yr enw Steffan Zenovich Shmit. Shmit, yn fuan wedyn, yn newid yr enw hwnnw i 'Stephen Smythe'. M.T. ac *MI6* wedi helpu Igor Valyukh i ddiflannu oddi ar wyneb daear! *C* yn bendant na wyddai M.T. am y cysylltiad rhwng Smythe y gwleidydd a Steffan Shmit/I.V. (Rhaid derbyn)
- 1981 – Stephen Smythe yn derbyn dinasyddiaeth Brydeinig. *(Anarferol o fuan! Dylanwad pwy?)*

Rhwbiodd y Prif Weinidog ei lygaid unwaith eto, yn fwy ffyrnig y tro hwn. Methai'n lân â derbyn bod y fath sefyllfa wedi cael ei chadw'n gyfrinach dros yr holl flynyddoedd a bod Vauxhall Cross – a Margaret Thatcher hefyd – wedi sefyll yn ôl a chaniatáu i Stephen Smythe ddatblygu'n wleidydd mor amlwg ym Mhrydain, ac i fagu'r fath ddylanwad wrth wneud hynny. Roedd y peth yn anghredadwy ac yn gwbwl gwbwl annerbyniol meddai wrtho'i hun am y canfed tro. Pa ddatgeliadau oedd eto i ddod? Dyna'r cwestiwn! Beth pe bai'r Wasg yn darganfod, er enghraifft, bod Smythe wedi parhau i fod yn asiant o ryw fath i Rwsia? Be wedyn? Hanner awr yn ôl, roedd *C* wedi ceisio gneud yn fach o'r ofn hwnnw. 'Peidiwch â phoeni, Brif Weinidog!' Dyna'i eiriau. 'Mae *MI6* wedi bod yn cadw llygad barcud ar Smythe o'r diwrnod y rhoddodd o ei droed yn y wlad 'ma gyntaf. Pe bai unrhyw amheuaeth ynglŷn â'i deyrngarwch i Brydain, pe bai wedi ceisio defnyddio'i swydd neu'i wybodaeth freintiedig mewn unrhyw ffordd a allai beryglu diogelwch y Deyrnas, yna mi fyddem ni wedi gweithredu'n syth. A chi, Mr Blair, fyddai wedi bod y cyntaf i gael gwybod. A deud y gwir, roeddem ni wedi bod yn ystyried cymryd y camau hynny'n ddiweddar iawn oherwydd bod Mr Smythe, fel y gwyddoch chi'ch hun, wedi bod yn galw am ymchwiliad cyhoeddus i farwolaeth Tywysoges Cymru – *er mwyn tawelu'r sibrydion unwaith ac am byth,* yn ei eiriau ef. Mae saith mlynedd wedi mynd heibio ers y ddamwain yn Nhwnnel *Place d'Alma* ym Mharis – a damwain oedd hi! – a fedrwn i, fel pennaeth yr *SIS,* mwy na chitha fel Prif Weinidog dwi'n siŵr, ddim bod wedi caniatáu iddo fynd cyn belled â hynny. Wedi'r cyfan, y peth olaf fydden ni eisiau i ddigwydd fyddai i'r teulu brenhinol gael eu llusgo unwaith eto i mewn i'r sgandal y mae'r Wasg wedi'i greu. A chofiwch hefyd fod Smythe wedi bygwth datgelu rôl *MI6* a'r *CIA* yn y ddadl dros fynd i ryfel arall yn erbyn Saddam. Allen ni ddim bod wedi caniatáu hynny chwaith, wrth gwrs.'

Dim ond ar ôl rhoi'r ffôn i lawr yr oedd Tony Blair wedi ystyried goblygiadau'r geiriau olaf. Be oedd Syr Richard newydd ei gyfaddef oedd bod marwolaeth Stephen Smythe wedi dod ar adeg hwylus nid yn unig i'r Llywodraeth ond i *MI6* yn ogystal, ac wedi datrys problem go ddyrys iddyn nhw. Iddyn nhw a'r *CIA*! Oedd hynny'n golygu . . . ? Nid oedd yn gwestiwn yr oedd arno eisiau'i ofyn iddo'i hun, yn enwedig yr adeg hon o'r nos. Pwysodd fotwm y lamp nes boddi'r stafell – a'i broblemau yntau – mewn tywyllwch.

* * *

Inverness Court, Bayswater, Llundain W2

Roedd Alex wedi gorchymyn i yrrwr y tacsi eu gollwng ym mhen y stryd unffordd, ganllath neu fwy oddi wrth ddrws ei fflat hi.

'Ofn i'r cymdogion dy weld ti'n dod â *fancy man* adra?' gofynnodd Zen yn gellweirus, wrth deimlo'i braich yn clymu unwaith eto am ei un ef.

'Wrth gwrs 'ny!' Rhoddodd binsiad ysgafn iddo. 'So ti'n gallu gweld penawde'r *Clarion*, w? "A. A. Morgan, gohebydd enwog y *Chronicle*, yn cael affêr gudd 'da'r sarff Zen, llofrudd yr Ysgrifennydd Amddiffyn".' Dechreuodd biffian am ben ei geiria'i hun.

'O? A 'dan ni'n mynd i gael affêr, felly, ydan ni?' Sŵn sibrwd awgrymog yn hytrach na sŵn chwerthin oedd yn ei lais o, wrth iddo'i thynnu'n nes ato.

'Sa i'n gwbod 'to! Sa i rio'd wedi bod mas 'da Sarff o'r bla'n.'

'Ssss!' meddai ynta yn ei chlust, a chwarddodd y ddau yn uchel, fe pe bai i brofi nad oedd barn cymdogion yn cyfri dim.

Syrthiodd tawelwch rhyngddynt wedyn a dim ond clecian eu sodlau agos oedd i'w glywed ar y stryd. O dipyn i beth, synhwyrodd Zen fod ei chamau hi'n arafu, nes o'r diwedd iddyn nhw beidio'n llwyr. Trodd i edrych arni, ei lygaid yn llawn cwestiwn.

'Paid â deud dy fod ti wedi newid dy feddwl, wir Dduw! Ddim rŵan, a ninna wedi gyrru'r tacsi'n ôl!' Ceisiai wneud yn fach o'i amheuon.

Yn ateb i'w gwestiwn, ailddechreuodd Alex gerdded. ''Wi'n poeni, Zen,' meddai ymhen rhai eiliadau.

'Ynglŷn â be, 'lly? Y busnas Smythe 'ma? Ddaw dim byd

ohono fo, bellach, gei di weld. Dim byd ond diawl o sgandal, wrth gwrs, a homar o gur pen i'r Llywodraeth. Mae'r Toriaid wedi cachu'u crefft pnawn 'ma, wrth gwrs, a fydd eu harweinydd nhw ddim yn ei job yn hir iawn eto, garantîd. Ond mae petha'n dal i fyny efo Teflon Tony hefyd, mae gen i ofn. Mae un peth yn siŵr, mi fydd *Special Branch*, Spook House a Vauxhall Cross rhyngddyn nhw wedi gneud parsal bach taclus o'r cwbwl, gei di weld.'

'Na, dim 'na'r ofon sy 'da fi. Wi'n poeni obeutu pethe gatre, yn Pen y Tyle.'

'Be? Dydi dy fam ddim gwaeth, gobeithio?'

'So hi'n mynd i wella, wi'n diall hynny. Ma Doc Phillips wedi gweud ishws y bydd hi'n ca'l rhagor o strôcs. Ond so Tada'n mynd i wella o'r *Parkinson's* chwaith!'

Erbyn hyn, roedden nhw wedi cyrraedd drws yr adeilad a thra oedd hi'n ymbalfalu yn ei bag am yr allwedd, chwiliodd Zen am ei henw ymysg y rhai oedd â fflatiau yno. Chwe fflat i gyd, sylwodd, a fflat 'Alex Morgan' – rhif 6 – ar y llawr uchaf, sef y trydydd.

'Ti'n mynd o flaen gofidia, rŵan.'

'Falle wir, ond wi'n twmlo'n euog.'

'Yn euog?' Roedd wedi aros iddi gau'r drws o'u hôl. 'Be sy gen ti i deimlo'n euog amdano fo?' Ofnai fod y newid tymer ynddi yn mynd i chwalu ei obeithion am weddill y noson.

'Yn un peth, wi'n neud dim i helpu, odw i? Dylen i fod gatre yn helpu Tada i ofalu am y ffarm. Netho i addo, flynydde'n ôl, cyn i fi ddod i witho 'da'r *Chronicle*. Ond nawr ma fe'n sôn am werthu, a 'na'r peth dwetha ma fe a fi moyn. 'Sa fe'n torri'i galon, wi'n siŵr, 'sa fe'n gorffod gadel Pen y Tyle.'

'O? A be nei di, 'lly?'

Roedden nhw wedi dringo'r grisiau ac wedi cyrraedd drws y fflat.

'Sa i'n bwriadu aros yn Llunden yn hir iawn 'to, ta beth, ond sa i'n moyn gadel ar hyn o bryd chwaith. Ma pethe cyffrous yn digwdd 'ma.' Roedd ei meddwl hi ar y sgŵp oedd eto'n ei haros ynglŷn â thrasiedi'r Ewells yn Fulham.

'Mae'n dda gen i glywad.' Gwthiodd ddrws y fflat ynghau, o'u hôl. 'Yn hytrach na gwerthu'r ffarm, pam na chyflogith dy dad rywun i reoli petha yn ei le.'

'A! Haws gweud na neud. Pwy 'se'n folon trio am jobyn felly, ta beth? 'Sa'r pae ddim yn dda o gwbwl.'

'Fi, pe bawn i'n byw'n nes.'

Chwarddodd Alex, wrth i'w hiwmor ddychwelyd. 'Ti!' meddai, mewn tôn wamal, anghrediniol. 'So ti'n gwbod dim obeutu ffarmo a ceffyle 'yt ti? O's ffermydd yn yr East End 'te?'

Doedd dim cysgod gwên ar wyneb Zen wrth iddo syllu'n ôl arni. 'Dwi'n gwbod diawl o ddim am ffarmio, ond mi fyddwn i'n barod i ddysgu. Mi fydda gen i ddiddordab yn y ceffyla a'r merlod, beth bynnag.'

'So ti o ddifri, 'yt ti?' Chwilfrydedd, yn fwy na chwerthin, oedd yn ei chwestiwn rŵan.

'Fel dwi'n deud, petawn i'n byw yn nes . . . '

'Wi'n gweld ti nawr, yn patrolo Pen y Tyle yn dy siaced Kevlar a'r MP5 o dan dy gesel. Clint Eastwood Shir Gâr! Fentre'r un potsier saethu'n ffesantod ni wedi 'ny.'

Wrth glywed ei chwerthin a'i thynnu coes, aeth Zen i'r afael â hi, a'i thynnu i lawr ar y soffa o flaen y tân trydan oer nes peri i'w ffrog ymrannu a chodi i noethi ei chluniau siapus.

'Aros i fi dynnu 'y nghòt, w!' meddai hi dan chwerthin, ond roedd ei freichiau wedi cau amdani a'i bwysau yn ei dal hi i lawr ar y clustogau. Teimlodd ei ddannedd yn brathu'n ysgafn ar ei chlust a'i wefusau yn symud wedyn drwy'i gwallt ac i lawr at ei gwddf. Wrth droi ei phen i dderbyn ei gusan, daeth yn ymwybodol o'i ben-glin yn gwthio rhwng ei choesau, yn ysgafn i ddechrau ac yna'n galetach wrth i'w awydd dyfu. Caeodd hithau ei chluniau amdano ac ymateb i angerdd y gusan, i'w gymell. Ond prin bod angen hynny oherwydd roedd ei law ddiamynedd eisoes wedi agor botymau'i chôt ac yn tylino'i bron i ddod â chaledwch pleserus i'w theth. 'Zen! O, Zen!' sibrydodd yn wyntog wrth ymateb â'i chorff ei hun i aflonyddwch ei bwysau arni. Gwthiodd i'w erbyn a murmur fel mewn breuddwyd wrth deimlo'i law yn crwydro i lawr i anwesu'i chlun noeth; a phan aeth ei fysedd eiddgar i chwilio am ei lleithder tynnodd ei gwynt yn swnllyd drwy'i dannedd. Clywodd ei anadlu'n trymhau; clywodd hefyd, fel pe bai o bell, ei griddfan ei hun. 'Ie, Zen!' meddai'n aneglur i'r geg agored oedd unwaith eto'n chwilio am ei hun hi. Yna'n fwy pendant, fel pe bai arni ofn iddo ddiflannu o'i gafael, 'Ie . . . oh ie!' a gwthio'i chorff yn erbyn ei galedwch. Yna, roedd yn ei thynnu hi'n ysgafn oddi ar y soffa nes bod y ddau ohonynt yn llithro i'r carped, ei ffrog a'i chôt hi'n ddim mwy na chlustog iddi erbyn hyn, a'i noethni newydd yn wahoddiad pellach iddo, pe bai angen hynny. Crafangodd amdano eto. 'Ia!' anogodd yntau'n wyntog, wrth deimlo'i llaw hithau'n dechrau crwydro. 'Ia, Alex! Ia! . . . Ia!' Yna roeddynt yn ymbalfalu'n wyllt i ddiosg pob dilledyn oedd yn rhwystr i'w caru.

Pa mor hir y buont ynghlwm, doedd gan yr un o'r ddau ddim syniad. Eiliadau hir? Munudau llachar? Cofiai Alex weiddi 'Nawr, Zen! Nawr!' a chlymu ei hun amdano wrth deimlo'i ffyrnigrwydd bendigedig ynddi. Cofiai yntau'r ymgolli llwyr mewn gwefr oedd fel fflach danbaid yn ei ben ac yn ei lwynau. A gwyddai'r ddau eu bod wedi croesi rhyw ffin na fu'r un ohonyn nhw drosti o'r blaen a'u bod wedi rhannu profiad na fyddai'n bosib i'r un ohonynt ei ail-greu efo neb arall, byth; efo'i gilydd, chwaith, o bosib. 'Paid â symud!' sibrydodd Alex, yn fyr iawn ei gwynt. 'Aros lle'r wyt ti! . . . Aros yn hir!' Yna, brathodd ei thafod rhag ychwanegu, 'Wi'n dy garu di, Zen! Wi'n dy garu di!' rhag iddi ei ddychryn . . . rhag ei deimlo'n pellhau. Doedd hi ddim am iddo feddwl am eiliad mai ffordd o'i rwydo oedd yr ymgordeddu bendigedig a fu.

Cyn rowlio oddi arni, sibrydodd yn gellweirus i'w chlust: 'Paid â meddwl, madam, fy mod i wedi gorffan efo chdi eto!'

Chwarddodd hitha a gneud ymgais i'w gosi. 'Y bostwr mowr!' meddai. 'Gawn ni weld pwy yw'r mishtir, glei!' Yna, wedi brwydr fer o chwerthin a rhagor o ymgordeddu noeth, gwthiodd hithau ei hun yn dorch fodlon i'w gesail. Doedd dagrau ddim ymhell iddi; dagrau nad oedd hi'n barod i'w dirnad ar hyn o bryd. Dagrau pleser y profiad ynteu dagrau ei hofn? 'Dim nawr yw'r amser i whilo am sicrwydd 'da fe,' meddai wrthi'i hun. Y sicrwydd nad *tamed un nosweth* oedd hi iddo.

* * *

10 Stryd Downing

Trodd y Prif Weinidog i edrych ar y cloc ger ei wely. Ugain munud i dri! Hyd yma, nid oedd wedi cael yr un hunell o gwsg. I sŵn anadlu ysgafn Cherie wrth ei ymyl, bu'n troi a throsi pethau yn ei feddwl ysig. Roedd problema'n gwrthod cilio iddo, problema a fyddai'n dyblu a threblu wrth i'r Wasg fynnu ymchwiliad swyddogol i lofruddiaeth Stephen Smythe. Ymrithiai'r penawda allan o dywyllwch oer y llofft, i watwar ei anobaith – Y PRIF WEINIDOG YN YMDDISWYDDO . . . BLAIR YN BAROD I FYND O'R DIWEDD . . . YMDDISWYDDO MEWN GWARTH . . . a dyfnhaodd ei bruddglwyf. Fel y Frenhines, fe gafodd yntau ei *anus horribilis* . . . a mwy! Sawl gwaith, yn ystod y misoedd diwetha, y teimlodd awydd cefnu ar y cyfan a chilio efo'i deulu i dawelwch y wlad i fyw, ymhell oddi wrth bob gwleidydd a gohebydd a darpar gofiannydd. 'Ond damia unwaith, nid un i droi cefn ar broblema ydw i,' meddai wrtho'i hun. 'Dwi wedi wynebu petha cyn waethed â hyn o'r blaen, droeon, ac wedi'u trechu nhw i gyd. A dyna fydd yn digwydd eto, hefyd. Nid ar chwarae bach y ces i'r gair o fod yn wleidydd cryf a styfnig.' Teimlodd rywfaint o'i hyder yn treiddio'n ôl, wedyn, a'r pruddglwyf yn cael ei erlid allan ohono, wrth i gynllun ddechra cynnig ei hun. A mwya'n y byd y meddyliai am y cynllun hwnnw, mwya'n y byd o fanteision a lleia'n y byd o anfanteision a welai yn deillio ohono. Oedd, roedd elfen gref o risg yn y peth, fe wyddai hynny, a byddai mwy o aelodau'r Cabinet yn gwrthwynebu nag yn cymeradwyo mae'n siŵr. Gallai ddychmygu eu rhybuddion a'u doethinebu:

'Mae'r Wasg yn siŵr Dduw o weld be ti'n drio'i neud! Fe gei dy groeshoelio ganddyn nhw.'

'Mi fyddai'n well iti adael i betha fod, Tony.'

'Cadw dy ben i lawr a gadael i betha gymryd eu cwrs, dyna fyddai orau iti. Mae wedi talu iti neud hynny yn y gorffennol.'

Ond pa werth mewn agwedd mor negyddol? 'Y peth gorau i'w neud,' meddai wrtho'i hun, 'ydi peidio â sôn gair am y peth wrthyn nhw, o leia nes i'r trefniadau gael eu gneud.' Fe ymgynghorai â Cherie yn y bore, a châi farn Jonathan Powell, ei Bennaeth Staff, a David Hill, ei Gyfarwyddwr Cysylltiadau, cyn y pnawn.

Doedd dim byd yn chwyldroadol, wedi'r cyfan, mewn gwahodd rhai i de yn Stryd Downing. Bwffe bach ysgafn a phaned boeth neu lasiad o win mewn llaw. A chyfle i sgwrsio'n anffurfiol ac yn ddidwyll. Pa well ffordd, wedi'r cyfan, o feithrin cysylltiada cyhoeddus? Onid oedd pob prif weinidog ers cyn cof wedi defnyddio'r dacteg? Ac onid oedd ynta'i hun hefyd wedi gweld ei gwerth, ar fwy nag un achlysur? 'Ond i mi gael cyfle i drafod efo nhw, yn anffurfiol ac mewn awyrgylch gyfeillgar, yna dwi'n siŵr y medra i luchio dŵr oer ar lawer o'u dadleuon nhw.'

Gan y gwyddai na ddeuai cwsg hyd nes y câi roi'r cynllun ar droed, cododd, taflodd ŵn nos dros ei ysgwyddau ac aeth i lawr yn ôl i'w stydi. Estynnodd am ddalen lân o bapur, a beiro o'r drôr, a dechreuodd ar ei restr gwahoddedigion. Pawb sydd ag unrhyw gysylltiad â'r busnes Smythe 'ma, gan ddechra efo'r rhai mwyaf amlwg, meddyliodd.

Y ddau enw cyntaf a nododd oedd rhai'r Ysgrifennydd Cartref a'r Ysgrifennydd Tramor. Gorchymyn yn fwy na gwahoddiad gaen nhw wrth gwrs, a rhybudd i neud yn fach o'r peth pe bai eraill o aeloda'r Cabinet yn codi bwganod. Eu gwragedd i gael gwahoddiad hefyd, wrth gwrs, yn gwmni ac yn gefn i Cherie. Cynrychiolaeth o Scotland Yard – Gregory Roylance ac efallai bedwar arall o'i ddewis ef ei hun i gadw at yr ymylon a chlustfeinio ar sgyrsiau hwnt ac yma. Doedd neb gwell na *Special Branch* am neud peth felly. Y *Sergeant at Arms* a *Black Rod* wrth reswm. Byddai'n rhaid iddyn nhw, fel Awdurdod Palas Westminster, fod yno. Bill Ramsey, Gary Baker a Doreen Davis, penaethiaid adrannau atal trosedd yn y Tŷ – roedden nhwtha hefyd yn ddigon doeth i wybod sut i drafod aeloda busneslyd y Wasg a sut i ymateb i'w cwestiyna nhw. A'r pedwar *SO11* oedd ar y Teras y diwrnod hwnnw! Os am greu'r argraff o fod yn gwbwl agored ynglŷn â'r busnes i gyd – a dyna, wedi'r cyfan, holl bwrpas y trefniant – yna byddai'n rhaid i'r rheini fod yn bresennol yn ogystal. Ond i Roylance a'r *Sergeant at Arms* eu paratoi nhw'n iawn, a gneud yn berffaith glir iddyn nhw be allen nhw'i ddeud wrth y Wasg, a be allen nhw ddim, yna ni ddylai fod unrhyw broblem. Be am y gwasanaethau cudd? Fe ddylid cael cynrychiolaeth o Thames House a Vauxhall Cross ond byddai'n rhaid bod yn ofalus rhag rhoi lle i'r Wasg godi bwganod ynglŷn â pham eu bod nhw yno o gwbwl. Ni ellid disgwyl i *K* a *C* fod yno, wrth reswm – pobol y cysgodion oedden nhw bob amser; bodau di-wyneb – ond fe ellid gofyn iddyn nhw anfon cynrychiolwyr serch hynny; cynrychiolwyr oedd yn ddigon hysbys â chefndir yr holl fusnes; cynrychiolwyr y gellid dibynnu arnyn nhw i fod yn ddoeth wrth gael eu croesholi. Roedd dau enw yn cynnig eu hunain yn syth – Holmes o *MI5* a Lorrimer o *MI6*.

Sythodd y Prif Weinidog yn ei gadair gyda pheth hunanfodlonrwydd oherwydd ei fod wedi profi iddo'i hun unwaith eto pa mor dda y gallai gofio enwau, yn enwedig y rhai mewn adroddiadau a ddaethai iddo o Thames House a Vauxhall Cross.

Pwy rŵan o'r cyfryngau? Dim dynion camerâu, yn un peth! Felly, a oedd pwrpas gwahodd y BBC ac ITV ? O gael dewis, fe gâi'r BBC fynd i'r diawl ganddo, yn enwedig ar ôl y busnes anffodus yna efo Gillighan a Dr David Kelly, ond creu trafferthion iddo'i hun yn fwy na dim arall fyddai eu hanwybyddu – a doedd o ddim eisiau ymddangos yn grintach nac yn ddialgar – felly gwell rhoi cynnig iddyn nhw hefyd, ond dim ond un cynrychiolydd yr un. Un ynte dau gynrychiolydd o bob un o'r papurau? Gwell gwahodd dau mae'n siŵr. Y *Mail* a'r *Clarion* yn ogystal? Parodd y cwestiwn iddo grychu'i dalcen a chrafu'i ên. Byddai'n well ganddo anghofio am y rheini – wedi'r cyfan, roedd hi'n hen bryd i'r ddau racsyn hynny sylweddoli'r anfanteision o fod â pholisi golygyddol oedd mor wrth-lywodraeth Lafur Newydd – ond wedi meddwl, falla bod mwy i'w golli trwy beidio'u gwahodd. Yn wahanol i'r lleill, fodd bynnag, chaen nhw ond anfon un cynrychiolydd. Fe roddai ystyriaeth fwy ffafriol i'r *Chronicle*, gan mai dyna'r papur yr oedd mwyaf o angen gweithio arno. Fe gâi'r *Chronicle* anfon tri chynrychiolydd yn hytrach na dau – y Golygydd a'i Olygydd Gwleidyddol, yn ogystal â'u gohebydd A. A. Morgan. Roedd yn bwysig ei bod hi, o bawb, yn bresennol. Hi a Fisk o'r *Independent*.

Gwnaeth gyfri cyflym yn ei ben. Rhyw dri deg a phump, falla! Nifer iawn! Heb fod yn rhy fach nac yn rhy fawr. Cyfle i bawb gael cyfarfod pawb arall.

Pan aeth yn ôl i'w wely, teimlai ei fod wedi oeri trwyddo ond buan y daeth cwsg yng ngwres y cynfasau.

Pennod 17

Swyddfa'r Chronicle

Cael ei siomi a wnâi Alex bob tro yr edrychai a oedd neges e-bost wedi cyrraedd iddi. Aethai tridiau heibio ers iddi anfon ymholiad iddo i'r Swistir ond doedd Tomlinson, hyd yma, ddim hyd yn oed wedi cydnabod derbyn ei llythyr. Roedd yn fwy na phosib ei fod wedi chwerwi cymaint oherwydd y ffordd y cafodd ei erlid a'i droi'n alltud gan ei gyn-gyflogwyr yn Vauxhall Cross fel ei fod bellach eisiau dim byd mwy na llonydd i fwynhau ei ymddeoliad. *Hyd yn o'd os o's gydag e wybodeth obeutu Igor Valyukh,* meddyliodd Alex, *falle fydd e ddim yn folon trafod 'da'r Wasg.* Ac eto, roedd hi wedi awgrymu yn ei llythyr y gallai datgeliadau o bwys dalu'n dda iddo.

'Oes gen ti funud, Alex?' Tom Allen oedd yn galw arni.

Canol bore oedd hi ac roedd y rhan fwyaf o'r gohebyddion naill ai allan ar y stryd neu'n sgwrsio efo'i gilydd dros baned o goffi. Eithriadau oedd rhai fel Mark Winnow, y colofnydd pêl-droed, a Kate Ottley, sêr-ddewines colofn 'Swyn y Sidydd', y naill – a barnu oddi wrth y cyffro yn ei lais fel y cerddai Alex heibio iddo – newydd dderbyn manylyn go flasus am un o sêr y bêl gron ac wrthi rŵan yn holi ac yn stilio am fwy o wybodaeth, a'r llall – yn ei byd bach serog ei hun fel arfer – yn brysur yn teipio.

'Pryd fuost ti yn Downing Street ddiwetha?'

Rhythodd yn ddiddeall arno. 'Downing Street?' Yna chwarddodd yn fyr. 'Sa i rio'd wedi bod 'na, Mr Allen.'

Gwenodd yntau'n lletach ac estyn cerdyn gwahoddiad iddi. 'Na finna, ond mae 'na dro cynta i bob dim.'

Rhythodd Alex ar y cerdyn oedd yn gwahodd Mr Gus Morrisey (Golygydd), Mr Thomas Allen (Golygydd Gwleidyddol) a Ms A. A. Morgan (Gohebydd) i ymuno â Mr a Mrs Blair am de anffurfiol i aelodau'r Wasg yn 10 Stryd Downing, bnawn dydd Iau, 28ain Hydref. 'Sa i'n diall! Pam fi, w?'

'Alex bach! Mae'n ddigon hawdd gwybod pam. Hyd yn oed os nad wyt ti'n sylweddoli hynny dy hun, rwyt ti wedi creu tipyn o gynnwrf yn ddiweddar wyst ti. Wedi'r cyfan, oni bai amdanat ti mi fyddai *MI6* wedi bod yn hapus iawn i weld gweddillion yr hen Stephen Smythe yn troi'n llwch yn yr amlosgfa a gadael i bawb – gan cynnwys Robert Fisk, ei gofiannydd – ei goffáu fel y gwleidydd unplyg o dras Estonaidd a lofruddiwyd ar dir sanctaidd Palas Westminster.'

Er y sŵn gwamal yn ei lais, gwyddai Alex fod Tom Allen yn hollol o ddifri.

'. . . A byddai Igor Valyukh wedi diflannu oddi ar wyneb daear heb i neb – ei deulu yn Rwsia na neb arall heblaw ein cyn-Brif Weinidog a chriw Vauxhall Cross – wybod i ble na sut.' Estynnodd ei law am y cerdyn gwahoddiad yn ôl. 'A dyna iti pam yr wyt ti, Alex, a ninna a phawb arall yn dy sgil di, yn cael mynd i de efo'r Prif Weinidog a'i wraig.'

Ond prin ei bod hi'n gwrando oherwydd bod cynnwrf gwahanol yn ei llygaid. 'Ma fe newydd ddod i fi nawr, Mr Allen! Ac fe allen i gico'n hunan am bido meddwl cyn hyn . . . '

'Be, felly, Alex?'

'Be wedech chi 'sen i'n gofyn am ga'l hedfan mas i Rwsia – i Novograd – i whilo am aelode tylwth Igor Valyukh, a neud erthygl – cyfres falle – am 'i gefndir e? Os o'dd 'da fe naw o frodyr a whiorydd, ma'n bosib bod lot ohonyn nw – pob un, falle – yn dal yn fyw a gallen i'u holi nhw . . . '

Gwelodd Tom Allen ei chyffro'n cynyddu wrth i'w dychymyg danio.

' . . . A gallen i fynd i St Peterburg, a neud ymholiade yn yr Hermitage i weld a o's record o drysore gas 'u dwgyd yn ystod gwrthryfel y Bolsheficied. A gallen i alw 'da'r weddw Shmit yn Tallinn 'to. A gallen i . . . '

Ond roedd Tom Allen wedi codi bys i roi taw arni. 'Alex bach! Dydw i ddim isio taflu dŵr oer ar dy frwdfrydedd di ond mae'n iawn iti wybod bod Robert Fisk allan yn Rwsia y funud 'ma, ar yr union drywydd yr wyt ti'n sôn amdano fo.'

'O!' Ceisiodd gelu'i siom. 'Shwt 'ych chi'n gwbod 'ny?'

'Walt Truman gafodd glywed yn Westminster bnawn ddoe.'

'O!' Roedd y fflam wedi cilio yr un mor gyflym o'i llygaid ond taniodd gwreichionen arall rŵan. 'Ond so fe'n mynd i lwyddo falle, a 'se'n adroddiade ni'n wahanol, ta beth.'

Lledodd gwên dosturiol dros wyneb y Golygydd Gwleidyddol. 'Bydd yn onest, Alex! Wyt ti'n gweld Fisk yn methu? Sut bynnag, fe gymerai ddyddia lawer – cymaint â thair wythnos, o bosib! – i ti gael fîsa. Mi fydd yr *Inde* wedi rhedeg erthyglau Fisk ymhell cyn i ti ddod yn ôl. Na, Alex, mae'r stori yna wedi mynd trwy'n dwylo ni mae gen i ofn, felly gad inni ganolbwyntio ar be ddaw allan o de parti Downing Street yr wythnos nesa.'

* * *

Palas Westminster

Cael ei *alw* i New Scotland Yard wnaeth Zen. Gorchymyn moel iddo ymddangos yno am un ar ddeg fore trannoeth. Ni wyddai i weld pwy, na pham, ond amheuai'n gryf ei fod ar fin cael ail-ddechrau gweithio. Nid bod hynny'n rhyw achos dathlu mawr iddo. Oedd, roedd yn falch, wrth reswm, nad oedd wedi colli'i swydd yn barhaol, a bod yr amheuon yn ei gylch wedi cilio, ond pe bai'n onest efo fo'i hun byddai hefyd yn cyfadde nad oedd ganddo fawr o awydd ailgydio yn y gwaith. Bu'r ymweliadau â De Cymru ar y naill law, a Tallinn ar y llaw arall, yn agoriad llygad annisgwyl iddo. Yn un peth, roedd gwaith diddorol Alex wedi tanlinellu iddo ddiflastod ei waith ei hun yn Westminster, ac yn ail, roedd bywyd agored iach y fferm yn Sir Gaerfyrddin wedi peri iddo sylweddoli o'r newydd pa mor fyglyd a chaethiwus oedd awyrgylch ei fflat a'i fywyd ef ei hun yn Tower Hamlets.

A rŵan, wrth adael Bishopsgate am Threadneedle Street ac anelu'r beic am Queen Victoria Street a'r Embankment, daeth drosto eto don o hiraeth am yr amrywiaeth a'r cyffro – a'r rhyddid hefyd, o fath – a roddodd blynyddoedd y fyddin iddo. Gwell gwres tywodlyd annioddefol y Gwlff, meddyliodd . . . gwell peryglon strydoedd cefn Belffast . . . na diflastod coridora gor-barchus Palas Westminster. Nid bod y rheini wedi bod yn rhy syber yn ddiweddar, chwaith, ond gwyddai Zen cystal â neb mai buan iawn y câi cyffro'r dyddia diwetha ei sgubo o dan y carped ac y gwnâi Awdurdod y Tŷ bopeth o fewn gallu dyn i ddod â normalrwydd yn ôl i betha. Cyn hir, fe ddeuai rhyw sgandal arall i fynd â bryd y Wasg ac fe gâi Westminster lonydd i lithro'n ôl i'w hen rigolau syrffedus.

'Dau beth, Smith!' Roylance ei hun oedd yno'n ei ddisgwyl. 'Yn gynta, mae'n dda gen i ddeud y cei di ailddechra gweithio o fory mlaen . . . shifft y pnawn, dwi'n tybio . . . ac yn ail, mae 'na wahoddiad iti fynd i Downing Street am de, bnawn dydd Iau nesa, ti a'r tri oedd efo ti ar y Teras pan laddwyd yr Ysgrifennydd Amddiffyn. Fydd dim disgwyl i'r un ohonoch chi fynd i'ch gwaith y diwrnod hwnnw, wrth reswm.'

Edrychai Zen fel pe bai'n methu credu'i glustia. 'Fi? Dach chi'n tynnu 'nghoes i, syr!'

'Dim o gwbwl. Mae'r pedwar ohonoch chi – a finna i'ch canlyn – wedi cael gwahoddiad i de efo'r Prif Weinidog a'i wraig. Gwahoddiad na all yr un ohonom ni ei wrthod, gyda llaw. Mae'r cerdyn yn pwysleisio mai achlysur cwbwl anffurfiol fydd o, ond gofala wisgo coler a thei, serch hynny. Fe gyfarfyddwn ni yn Scotland Yard am ddau o'r gloch a chael ceir i fynd â ni draw i Downing Street efo'n gilydd.'

Prin y cofiai Zen gerdded yn ôl at ei feic yn y maes parcio tanddaearol. Sôn am betha'n newid yn sydyn, meddyliodd. Un funud, fo oedd y dyn drwg, yn cael ei ama o gynllwynio i ladd neb llai nag Ysgrifennydd Gwladol ac yn cael ei groesholi gan *MI5* a *6*, a'i groeshoelio wedyn gan y Wasg, heb brin gyfle i'w amddiffyn ei hun; y funud nesaf, dyma orchymyn i ail-ddechrau gweithio, heb unrhyw ymddiheuriad am yr hyn a fu. Ond ar ben y cyfan – a dyma oedd y sioc fwya – gwahoddiad i de yn Downing Street o bob man! Ac efo'r Prif Weinidog ei hun! Be gythral oedd tu ôl i beth felly?

Er crafu pen yn hir am eglurhad, yr unig reswm y gallai feddwl amdano oedd mai dyma ffordd y Sefydliad o gydnabod trawma pob un ohonyn nhw dros y pythefnos ddiwetha. 'Dim byd personol felly, Zen,' meddai wrtho'i hun, 'neu fyddai Bluto a'r lleill ddim wedi derbyn gwahoddiad hefyd. Falla mai *OBE* gei di nesa gynnyn nhw!' Chwarddodd a llwyddo wedyn i yrru'r cwbwl o'i feddwl.

* * *

Inverness Court, Bayswater, Llundain W2

'So chi wedi styried cyflogi rheolwr 'te, Tada?'

'Ni 'di sôn ganweth obeutu'r peth, Angharad!' Roedd goslef ei lais yn awgrymu bod ei ferch yn codi hen ddadleuon. 'So hi mor rhwydd â 'ny i ga'l neb, odi hi? Fe allen i fynd i Siop y Diwaith yn Gafyrddin a gofyn a o's 'da nhw rywun ar y clwt sy'n diall digon am ffarmo i garco Pen y Tyle, ond sa i'n credu y bydden ni damed callach.'

'Dim gwa'th o drio, fyddech chi Tada?' Teimlai Alex yn anghysurus. Fe wyddai mai ei thad oedd yn iawn ac nad oedd ganddo lawer mwy o ddewis, bellach, ond gwerthu Pen y Tyle, yn y dyfodol agos. Naill ai hynny neu iddi hi, Alex, ddychwelyd adre i gymryd gofal o bethau. *'Fel 'nes i addo!'* atgoffodd ei hun.

'Gallen i gynnig enw ichi, falle.'

Arhosodd i'w thad ymateb.

'Pwy?' gofynnodd hwnnw ymhen sbel.

'Falle . . .' Oedodd i ddangos ei hansicrwydd. 'Falle y bydde 'da Zen ddiddordeb.'

Tawelwch eto o ben arall y lein. Yna, 'So ti o ddifri, 'yt ti?'

'Fe wedodd e 'sa fe'n lico byw yn y wlad.'

Clywodd chwerthiniad chwerw ei thad. 'Faint o brofiad ffarmo sy 'da fe, Angharad?'

'Dim, ond ma fe'n barod i ddysgu a 'sa fe'n gallu delio 'da probleme.'

'Fel y broblem 'da Joni Jipsi ti'n feddwl, ife?' Anghredinedd oedd i'w glywed yn ei lais, bellach.

'Wel . . . ie.'

'Wi'n cymryd y byddet tithe'n dod gatre i aros 'fyd?'

Taflwyd hi oddi ar ei hechel gan y cwestiwn. 'Wel na, ddim os bydde pethe'n gwitho'n iawn 'da Zen ond wi ddim yn bwriadu aros yn Llunden mwy na blwyddyn ne ddwy 'to. Bydda i'n dod gatre wedi 'ny.'

Eto'r tawelwch o Ben y Tyle, yna, 'Angharad fach! Be sy wedi digwdd i dy reswm di, w? Hyd yn o'd 'sa'r Zen 'ma'n diall rwbeth obeutu ffarmo, shwd wyt ti'n meddwl y bydde'r gweision yn ymateb iddo fe?' *I'w acen gocni* oedd o am ei ddeud ond barnodd yn well peidio. 'A so ti'n credu y bydde fe'n swno mas o le yn y mart? So ti wedi anghofio mor Gwmrâg yw'r ardal, wyt ti?'

Gwyddai Alex mai ei thad oedd yn iawn a'i bod hitha'n crafu gwaelod y gasgen am ffordd i osgoi rhoi'r gorau i'w gwaith a gorfod gadael Llundain. Ond gwyddai hefyd na allai hi byth fod mor hunanol â gadael i Ben y Tyle fynd ar werth. Fe dorrai ei thad ei galon pe bai'n gorfod mynd i fyw i dŷ moel, yng nghanol pobol.

'Sa i'n gallu meddwl nawr. Ffona i chi 'to cyn diwedd yr wthnos.'

'Ol reit 'te. Hwyl nawr!'

Ddwyawr yn ddiweddarach, roedd y siom yn llais ei thad yn dal i ferwino'i chlustiau.

Pennod 18

10 Stryd Downing

Pan ddaeth hanner awr wedi dau bnawn dydd Iau, mewn ceir ar wahân y teithiodd Gregory Roylance a'i ddynion o Scotland Yard i Stryd Downing, fo ar y blaen, efo *chauffeur* i'w yrru, a'r pedwar swyddog *SO11* yn ei ddilyn mewn dau gar heddlu. Er mai taith fer iawn oedd hi, lai na milltir, dewis teithio yn yr ail gar a wnaeth Zen, yn hytrach na rhannu'r cyntaf efo Bluto. Un rheswm am hynny oedd bod y dyn mawr newydd roi newyddion trist iddo, a hynny mewn ffordd ansensitif ar y naw, fe deimlai.

'Hen dro am Frank. Ti'm yn meddwl?'

Roedden nhw'n cychwyn allan at y ceir ar y pryd ac roedd Zen wedi edrych arno'n ddiddeall am eiliad, gan na allai glywed yr un nodyn o ofid nac o gydymdeimlad yn llais Bluto.

'Hen dro? Be ti'n feddwl, 'lly?'

'Chlywist ti ddim? Mae o'n marw achan! Cansar trwyddo fo. Welwn ni mo'no fo eto, mae'n beryg.'

A gyda hynny, roedd o wedi camu ymlaen yn gyflym at ddrws y car cyntaf o'r ddau oedd yn eu haros.

Frank, yn naturiol, oedd ar feddwl Zen wedyn, nes cyrraedd Downing Street. Y lliw drwg ar ei wyneb . . . yr olwg legach, boenus arno . . . y blinder amlwg . . . y gneud esgusion yn hytrach na dod am beint i *Churchill's* . . .

'Doedd fawr ryfadd!' meddai wrtho'i hun. 'Roedd gan yr hen Frank fwy ar ei feddwl nag a dybiodd neb. Ond damia'r basdad Bluto am gael boddhad allan o ddeud wrtha i.'

Safai Roylance ar y palmant tu allan i'r giatiau ar Whitehall yn disgwyl iddyn nhw ymuno â fo, coler ei gôt ddu laes wedi ei chodi yn erbyn y gwynt oer oedd yn chwipio i lawr o gyfeiriad Sgwâr Traffalgar. Roedd ei gar eisoes wedi gneud tro pedol ac yn anelu'n ôl am Scotland Yard.

Wrth wylio'r pedwar yn camu allan o'u ceir, taflodd un edrychiad gwerthusol arall drostynt, i sicrhau eu bod yn edrych eu gorau – nad oedd yr un trowsus na siaced yn dangos crychau, bod cwlwm pob tei yn syth a'r esgidiau'n ddisglair lân. Yna, arwyddodd ar y ddau blismon tu hwnt i'r rheilin uchel i agor y giatau iddyn nhw.

Ar y palmant gyferbyn â Rhif 10, safai treipod ac arno gamera teledu BBC ac fel y nesaent, gwelsant lens hwnnw'n cael ei throi tuag atynt, i'w dilyn bob cam at y drws du enwog. Clywodd y gohebydd Andrew Marr yn gweiddi rhywbeth ond ni ddeallodd y cwestiwn ac ni throdd ei ben i'w gydnabod chwaith. Sylwodd fod Gregory Roylance hefyd wedi troi clust fyddar.

Sythodd y plismon oedd ar ddyletswydd i gydnabod y cad-lywydd o Scotland Yard ac yna, fel pe bai trwy wyrth, agorwyd y drws, i'w derbyn dros y trothwy.

* * *

'Alex! Be gythral ti'n neud? Mae Mr Morrisey yn y car yn barod.' Roedd Tom Allen wedi oedi'n ddiamynedd amdani ym mhen y grisia oedd yn arwain i lawr at y drws a agorai ar Fleet Street. Wrth glywed ei weiddi, cododd amryw yn y stafell eu pennau'n chwilfrydig o'r gwaith yr oedden nhw ar ei ganol ac yna gwenu'n llydan. Gwyddent i gyd be oedd yn mynd ymlaen. Nid bob dydd y byddai'r Golygydd Gwleidyddol yn edrych mor barchus mewn siwt ddu a choler a thei. Nid bob dydd chwaith y byddai Alex yn talu cymaint o sylw i'w gwisg ac i'w cholur .

'Eiliad yn unig, Mr Allen! Wi jest moyn neud copi o'r e-bost sy 'di dod i fi nawr.'

Gwnâi ei gorau i guddio'i chyffro rhagddo. Roedd hi wedi edrych sawl gwaith yn ystod y bore a oedd Tomlinson wedi ymateb i'w hymholiad a chael ei siomi bob tro ond rŵan, a hitha ar fin cychwyn am Downing Street yng nghwmni ei dau bennaeth, fe sylwodd fod gohebiaeth newydd ei chyrraedd o'r cyfeiriad *spectre@worldcom.ch*.

'Dere 'mla'n!' meddai hi'n ddiamynedd ac o dan ei gwynt wrth wylio'r ddalen yn llusgo allan o'r printar . . . ac yna un arall . . . ac un arall wedyn ar ei chwt . . . !

'Uffar dân, Alex!'

Swniai'r Golygydd Gwleidyddol fel pe bai ar fin ffrwydro.

'Sorri, Mr Allen! Wi'n dod nawr,' gwaeddodd, gan brysuro i blygu'r dalennau – pump i gyd – a'u gwthio i'w bag llaw, cyn cipio'i chôt oddi ar gefn ei chadair a rhedeg yn fân ac yn fuan ar ei ôl. Clywodd un neu ddau o'i chyd-weithwyr yn twt-twtian yn ffug ddwrdiol wrth iddi frysio heibio iddyn nhw a chododd hitha law a gwenu'n ôl.

'Be ddiawl oedd mor bwysig na fedra fo aros, beth bynnag?' Roedd yn dal y drws ar agor iddi.

'Rhyw wybodeth o'n i wedi gofyn amdani 'na i gyd. Wi'n gobitho cynnwys peth ohoni yn fy erthygl at fory.'

'Os na rown ni dân arni, yna fydd hi ddim gwerth i Gus a finna gychwyn o gwbwl. Dangos gwynab yn unig fedrwn ni'n dau ei neud ar y gora – rwyt ti *yn* dallt hynny? Fe gei di aros tan bryd mynni di ond mi fydd raid i'r Golygydd a finna fod yn ôl yn fa'ma cyn pump i yrru rhifyn bore fory i'w wely.'

'*Ma*'n ddrwg 'da fi . . . ' Swniai'n wirioneddol edifeiriol. ' . . . ond o'dd e'n bwysig i fi. Onest!'

Disgwyliai druth arall ar ôl cyrraedd y tacsi, gan y Golygydd y tro hwn, ond prin y sylwodd hwnnw arnyn nhw'n cyrraedd gan ei fod wedi ymgolli mewn rhyw ddogfen neu'i gilydd.

Trwy drugaredd, doedd y traffig ddim yn drwm a chawsant siwrnai ddigyffro i lawr y Strand hyd at Sgwâr Traffalgar ac oddi yno wedyn i Whitehall. Teimlodd Alex y cynnwrf pleserus o'i mewn wrth i'w car arafu o flaen y giatiau mawr duon. Be ddwedai ei rhieni tybed, pe gallen nhw'i gweld hi'n awr?

Doedd hi ddim i wybod, ond ar yr eiliad yr oedd hi'n camu allan o'r car, roedd drws Rhif 10 yn cau tu ôl i Zen.

'Rwyt ti'n smart iawn, Alex, os ca i ddeud!'

Gwridodd fymryn. 'Diolch, Mr Morrisey.' Ddylai hi ddeud ei fod ynta hefyd yn drawiadol o drwsiadus yn ei siwt a'i gôt ddu laes? Penderfynodd beidio.

Roedd hi wedi brwshio'i gwallt yn ôl dros ei chlustia ac wedi'i glymu'n ddeniadol ar ei chorun. Bu'n gynnil gyda'r colur a'r persawr, ac amdani gwisgai siwt drowsus ddu dros siwmper goler-uchel dynn o'r un lliw. Ar ôl hir bwyso a mesur neithiwr, roedd wedi penderfynu mai dyna'r lliw mwyaf gweddus at yr achlysur. Du hefyd oedd ei chôt, a godreon honno'n dod o fewn modfedd neu ddwy i sgubo'r llawr.

'Iawn! Ffwrdd â ni ta!' meddai'r Golygydd wrth i'r plismon agor y giât drom o'u blaen.

Wrth frasgamu i gadw ochr yn ochr â'r ddau ddyn, a gwrando ar rythm cyson eu sodlau ar y palmant, daeth i feddwl Alex eu bod ill tri'n debycach, yn eu du llaes, i aelodau o SS Hitler nag i westeion Prif Weinidog Prydain Fawr. Llwyddodd i fygu'i gwên.

Ni ddaeth unrhyw symudiad na chwestiwn o gyfeiriad camera'r BBC.

Wrth i'r drws du agor unwaith eto, fel pe bai ohono'i hun, i'w derbyn ac wrth i'w dau gydymaith sefyll yn gwrtais o'r neilltu iddi hi fynd i mewn gyntaf, sylwodd Alex ar loywder y rhif efydd a'r blwch llythyrau oedd â'r geiria hynafol *First Lord of the Treasury* wedi eu sgythru arno. Yna camodd dros yr hiniog gan gymryd gofal rhag llithro ar y llawr marmor du a gwyn a gneud ffŵl ohoni'i hun. Pan gododd ei llygaid, gwelodd glwstwr o bobol – dynion gan mwyaf – yn sgwrsio'n frwd ym mhellter y Neuadd Dderbyn, efo gwydraid bychan o sieri yn llaw pob un. Daeth gweision fel ysbrydion o rywle i gymryd gofal o'u cotiau ac un arall i'w harwain ac i'w cyflwyno ar goedd i weddill y cwmni. Yna, o ganol y dorf, ymddangosodd wyneb gwengar y Prif Weinidog. Camodd Alex o'r neilltu, i Gus Morrisey fod yn gyntaf i dderbyn ei groeso.

'Gus! Diolch ichi am ddod. A chitha Tom!'

Gwyliodd Alex yr ysgwyd llaw cyfeillgar ond amheuai'n gryf a oedden nhw wedi cyfarfod erioed cyn hyn.

'A dyma, rwy'n cymryd, ydi'r enwog A. A. Morgan?'

Wrth deimlo'r dwylo'n gwasgu am ei llaw hi, ac o synhwyro hefyd bod y cyfarchiad – o fod yn rhy uchel – wedi tynnu sylw eraill o'r cwmni, gwridodd Alex. *Enwog?* meddyliodd. *Pam fod e'n gweud 'na? Sa i'n enwog o gwbwl! Falle taw jocan ma fe.* A gwenodd yn ansicr i gydnabod y croeso ffuantus.

'Dowch i gael gwydraid o sieri ac i gyfarfod Cherie!'

Gallodd wenu'n fwy naturiol arno'r tro yma.

Fe siomwyd Alex o'r ochor orau gan Cherie Blair. Roedd ei chroeso'n gynnes ac yn ddidwyll. 'Dydi'r dynion 'ma ddim yn medru meddwl wyddoch chi, Alex,' meddai hi'n ysgafn, wedi i'w gŵr droi draw i sgwrsio efo Gus Morrisey a Tom Allen. 'Mae'n siŵr y carech chi ymweld â stafell y merched i ddechra?' A chyn aros am ateb, cododd ael i alw morwyn ymlaen i dywys Alex.

Yn nhawelwch y stafell ymolchi, ymwrthododd hi â'r cyfle i astudio cyflwr ei gwallt a'i cholur. Yn hytrach, aeth i'w bag i gael cip sydyn ar y llith a ddaethai iddi o'r Swistir. Bu honno'n llosgi ar ei meddwl gydol y daith o Fleet Street.

Pan fentrodd yn ôl i ganol y cwmni, rai munudau'n ddiweddarach, roedd bywiogrwydd a chyffro yn ei llygaid. Yr unig beth ar ei meddwl oedd cael gair tawel efo Zen, lle bynnag oedd hwnnw.

* * *

'Gyfeillion!' Tawelodd y cwmni wrth i'r Prif Weinidog godi'i lais i gyfarch pawb. 'Gobeithio ichi i gyd dderbyn eich gwydraid o sieri ac i gael cyfle i gyfarfod eich gilydd. Achlysur anffurfiol hollol fydd hwn a'm gobaith ydi y cewch chi fwy na digon o amser i gymysgu ac i sgwrsio. Fe welwch fod rhai Ysgrifenyddion Gwladol yn bresennol . . . ' Trodd ei lygaid a'i wên i gyfeiriad David Blunkett a Jack Straw. ' . . . ac mi fydd amryw ohonoch yn gyfarwydd hefyd â Jonathan Powell, fy Mhennaeth Staff, a David Hill, fy Nghyfarwyddwr Cysylltiadau.' Yna, wrth iddo gyfeirio at y gynrychiolaeth o Scotland Yard a'r gwasanaethau cudd oedd yn bresennol, fel pe bai'r rheini hefyd yno yn rhinwedd eu swyddi, daeth yn amlwg i bawb mai aelodau'r Wasg oedd piau'r croeso. 'Mae'n anrhydedd i Cherie a minnau gael eich croesawu i'n cartref cyffredin . . . ' Gwenodd yn llydan, os braidd yn nerfus hefyd, wrth daflu llygad dros wychder y Cyntedd o'u cwmpas a chwarddodd pawb yn gwrtais, yn ôl y disgwyl. 'Rwyf am fod yn gwbl agored efo chi – fel sy'n bolisi gan y Llywodaeth hon bob amser, wrth gwrs – ac egluro pam mai chi a wahoddwyd yma heddiw.' Â'i law, arwyddodd fod pawb yn ddiwahân yn cael eu cynnwys rŵan. 'Fel y gwyddoch, dwi'n siŵr, mae wedi bod yn gyfnod anodd, a chyfnod trallodus hefyd, i'r Llywodraeth yn ddiweddar, ac i mi'n bersonol. Nid fy mod i'n disgwyl unrhyw ffafrau gennych chi, y Wasg, wrth gwrs . . . ' Daeth chydig o chwerthin cwrtais eto, yn ateb i'w wên. ' . . . ond fe fu rhywfaint o gamddeall anffodus rhyngom yn ystod yr wythnosau diwethaf ynglŷn â chefndir y drasiedi – trasiedi sydd wedi siglo Palas Westminster i'w seiliau. Gofid i mi'n bersonol, coeliwch fi gyfeillion, fu teimlo bod y berthynas rhyngom – perthynas sydd wedi arfer bod mor glòs ac mor gynnes . . . ' Sylwodd Alex ar lygaid yn ciledrych ar ei gilydd ac ar ambell wên wamal. ' . . . fod y berthynas honno wedi chwerwi rhywfaint yn ddiweddar, a hynny'n bennaf oherwydd y sibrydion di-sail – a maleisus hefyd, rai ohonynt, mae'n ddrwg gen i ddeud – a gafodd eu lledaenu. Gellid tybio, o ddarllen ambell adroddiad a ymddangosodd gennych, fy mod i ac aelodau eraill o'm Llywodraeth wedi mynd ati'n fwriadol i'ch camarwain chi ac i gelu'r gwir rhag yr etholwyr – yr etholwyr a roddodd y grym yn ein dwylo ni yn y lle cyntaf. Wna i ddim gwadu nad yw'r cyhuddiadau hynny wedi fy mrifo i'n bersonol – fel y bydd Cherie a gweddill fy nheulu yn fwy na pharod i dystio, rwy'n siŵr – ond rwy'n barod i dderbyn hefyd mai camddealltwriaeth yn fwy na malais sydd wedi bod tu ôl i'r rhan fwyaf o'r sylwadau a wnaed. Oherwydd hynny, felly, y penderfynodd fy ngwraig a minnau eich gwahodd chi i gyd atom bnawn heddiw, er mwyn cael erlid – unwaith ac am byth, gobeithio – yr amheuon a'r cyhuddiadau sy'n dal i godi'u pennau yn ddyddiol bron yng ngholofnau'ch papurau – amheuon a chyhuddiadau nid yn unig ynglŷn â llofruddiaeth anffodus Mr Stephen Smythe ond hefyd yr hen rai parthed marwolaeth Tywysoges Cymru ym Mharis yr holl flynyddoedd yn ôl, er enghraifft, neu'n fwy diweddar, y rhyfel yn Irac. Mae rhai o'r cyhuddiadau, os ca i ddweud, wedi achosi llawer o loes dros y blynyddoedd i ambell aelod o'r teulu brenhinol. Ac mae rhai ohonoch chi'n gneud yr un cyhuddiadau eto rŵan. Gyfeillion annwyl, cyn gadael Rhif 10 bnawn heddiw, ga i'ch annog chi nid yn unig i fwynhau'ch hunain ac i fanteisio ar ein lletygarwch a'n croeso diffuant ond hefyd i drafod unrhyw amheuon sydd gennych efo'r gwleidyddion a'r swyddogion diogelwch sydd yma'n bresennol . . . '

Gwelsant ei wên yn lledu.

' . . . Cyn belled â'ch bod chi ddim yn disgwyl iddyn nhw ddatgelu gormod o gyfrinachau, wrth gwrs, yna fe fyddant yn fwy na pharod i drafod ffeithiau efo chi ynglŷn â'r drychineb a ddigwyddodd ym Mhalas Westminster y mis diwetha. Mae yma'n bresennol . . . ' Arwyddodd â'i law agored at y wal bellaf oddi wrtho, lle safai Zen a'i gyd-swyddogion. ' . . . yr aelodau hynny o'r gwarchodlu oedd gyda'r Ysgrifennydd Amddiffyn ar y Teras y diwrnod hwnnw. Rwyf am bwysleisio na allai'r un ohonyn nhw fod wedi gwneud dim . . . dim oll . . . i atal y drychineb ac mae'n wirioneddol ddrwg gen i fod un ohonyn nhw, cyn heddiw, wedi gorfod dioddef cyhuddiad cwbwl warthus yn ei erbyn, cyhuddiad a wrthbrofwyd yn llwyr erbyn hyn, diolch i'r Drefn. Manteisiwch ar eich cyfle i gael gair efo nhw ill pedwar ynglŷn â be ddigwyddodd, a manteisiwch hefyd ar gyfle i siarad ag aelodau eraill o'r lluoedd diogelwch, sydd hefyd yn bresennol. Gallaf eich sicrhau eu bod nhw wedi bod wrthi fel lladd nadredd yn ceisio dwyn y llofrudd i gyfrif, ac er na lwyddwyd i wneud hynny hyd yma, eto i gyd gallwch fod yn berffaith dawel eich meddyliau na fydd traed hwnnw'n rhydd yn hir iawn eto. Hefyd yn bresennol mae'r Cadlywydd Gregory Roylance o Scotland Yard ac oherwydd yr holl sibrydion di-sail am rôl y gwasanaethau cudd yn hyn i gyd, yna rwyf hefyd wedi gofyn i Thames House a Vauxhall Cross anfon cynrychiolaeth atom ni pnawn 'ma. Felly, dwi'n pwyso arnoch chi, gyfeillion y Cyfryngau, i fanteisio ar eich cyfle i gael darlun cywir o'r sefyllfa.'

Gwelwyd ef yn ymlacio a'i ysgwyddau'n gostwng fymryn i awgrymu ei fod am droi at rywbeth arall rŵan. 'Cyn hynny, fodd bynnag, a chyn ichi fwynhau'r bwffe y mae Cherie wedi'i baratoi ar eich cyfer, rwy'n credu bod Jonathan – Jonathan Powell, fy Mhennaeth Staff – wedi trefnu i rywun eich arwain ar daith o gwmpas Rhif 10.' Daeth mwy o'i ddannedd eto i'r golwg. 'Gan nad yw cyfle o'r fath yn codi'n rhy amal, yna rwy'n siŵr y bydd amryw ohonoch yn awyddus i fanteisio arno. Felly, beth pe baem ni'n ymgynnull i fwyta ymhen . . . ' Edrychodd ar ei wats. ' . . . deugain munud, dyweder?'

Wrth i'r cwmni wahanu, sylwodd Alex mai aelodau'r Wasg oedd yr unig rai i ddilyn y ferch a ddewiswyd yn arweinydd arnynt. Gwelodd y Prif Weinidog, ynghyd â'i ddau Ysgrifennydd Gwladol, ei Bennaeth Staff a'i Gyfarwyddwr Cysylltiadau, yn ymneilltuo trwy ddrws ar y dde i'r Cyntedd Derbyn. Gwelodd hefyd ei golygydd hi ei hun, Gus Morrisey, mewn sgwrs efo Gregory Roylance a'r ddau ohonynt yn cilio i gyfeiriad gwahanol, efo Zen a'r tri swyddog arall yn canlyn. Oedai eraill lle'r oeddynt, i fân siarad.

Cyn diflannu o'i golwg, trodd Zen i edrych arni, rhoi winc a gwenu'n gynnil. Teimlodd hitha'i chalon yn cyflymu yng ngwres ei edrychiad ac yn reddfol crychodd ei gwefusau mewn siâp cusan cyflym. Efo'i gefn tuag ati rŵan, gwelodd ef yn codi bys at ei wefus ei hun, i gydnabod derbyn y gusan, yna roedd wedi mynd, a dychwelodd ei rhwystredigaeth hi, y rhwystredigaeth y bu'n ei deimlo ers darllen llythyr e-bost Richard Tomlinson rai munudau'n ôl. Oherwydd hynny, doedd y daith o gwmpas Rhif 10 ddim yn apelio llawer ati. Cael trafod cynnwys cyffrous y llythyr efo Zen oedd y flaenoriaeth bellach.

'Dyma ichi'r *Grand Staircase*!' Roedd y sylwebaeth wedi cychwyn. 'Un o nodweddion enwocaf Rhif 10, heb os . . . a'r rheswm am ei enwogrwydd, wrth gwrs, yw'r lluniau a welwch chi'n addurno'r wal yr holl ffordd i fyny . . . llun pob prif weinidog a fu ar Brydain erioed . . . pob un o bwys, o leiaf . . . '

Clywodd Alex ambell un yn cymryd ei wynt i mewn yn werthfawrogol ond roedd ei sylw hi yn dal i fod ar y Cyntedd ac ar ŵr cringoch, canol oed, oedd rŵan yn arwyddo'n gynnil efo'i ben a'i lygaid ar ŵr penfoel, hŷn nag ef ei hun, i ymuno â fo mewn cornel dawel yn ddigon pell oddi wrth bawb. Fyddai hi ddim wedi rhoi mwy o feddwl i'r peth oni bai am yr edrychiad gwyliadwrus a daflodd hwnnw o'i gwmpas cyn ufuddhau, fel pe bai am neud yn siŵr nad oedd neb arall wedi sylwi.

Yn araf ac yn gyndyn, dilynnodd Alex y cwmni i fyny'r tro yn y grisiau mawreddog. Trwy ddal yn ôl a llusgo'i thraed gobeithiai gael llonydd eto i edrych dros lythyr Tomlinson.

'A dyma'r *Cabinet Room*! R'ym ni'n awr yn tynnu at

ddiwedd ein taith o gwmpas Rhif 10.'

Edrychodd Alex ar ei wats a synnu bod bron hanner awr wedi mynd heibio. Ymysg lleoedd eraill, roeddynt wedi cael gweld y *White Drawing Room – 'hoff stafell Lady Churchill'* yn ôl y tywysydd – efo blodau emblem y pedair gwlad yn addurno'i nenfwd, yna'r *Pillared Room* a'i charped Persiaidd moethus, y *State Dining Room ' . . . a gynllluniwyd gan y pensaer Syr John Soane yn ôl yn yr 1820au.'* Synnodd hefyd at ba mor dwyllodrus o fawr oedd y tŷ ei hun. Byddai 'palas' yn well gair i ddisgrifio'r lle, meddyliodd.

' . . . Mae pob cyfarfod o'r Cabinet er 1856 wedi cael ei gynnal yn y stafell hon. Yma,' meddai'r tywysydd, 'bu Lloyd George a Churchill, yn eu tro, yn taranu ac yn llywio polisïau tyngedfennol."

Fel pawb arall, syllodd Alex gyda pheth rhyfeddod ar y bwrdd hirgrwn efo'r ddwyres o gadeiriau moethus yn crymanu amdano.

' . . . Fe ddychwelwn yn awr i'r *Terracotta Room*. Honno yw Stafell y Wledd, lle y bydd y Prif Weinidog yn arfer gwesteia.' Dilynodd pawb hi fel haid o wyddau. 'Dros y blynyddoedd mae rhai o wleidyddion enwoca'r byd wedi ciniawa wrth y bwrdd yn y stafell hon.' Safodd eiliad i edrych arnynt efo gwên awgrymog. 'A heddiw, chi ydi'r gwesteion pwysig, oherwydd yno y mae'r lluniaeth wedi ei osod ar eich cyfer.'

Clywodd Alex gymysgedd o synau yn ymateb i'r sylw; rhai yn mynegi gwerthfawrogiad, mwmblan eraill yn awgrymu nad oedd eu cydweithrediad mor hawdd â hynny i'w brynu. Ond roedd pawb, yn ddiwahân, yn barod i fanteisio ar y lletygarwch a gâi ei gynnig.

Oherwydd ei brys i gael gair efo Zen, Alex oedd y gyntaf o'i chriw i fynd trwy ddrws y Stafell Terracotta. Roedd y Prif Weinidog a'r lleill i gyd yno'n eu disgwyl ac yn sgwrsio mewn grwpiau, ond heb eto gyffwrdd y danteithion ar y byrddau. Sylwodd fod Zen yng nghwmni Jack Straw yr Ysgrifennydd Tramor, y *Sergeant at Arms, Black Rod* a Jonathan Powell, y

Pennaeth Staff, a bod y gŵr cringoch canol oed a welsai'n ymddwyn yn amheus yn gynharach, yn tindroi o fewn clyw iddynt. Roedd Gus Morrisey mewn trafodaeth ddwys efo Gregory Roylance a'r Ysgrifennydd Cartref, tra bod y gweddill oedd yno, gan gynnwys Tony Blair ei hun, yn mwynhau trafod materion ysgafnach a barnu oddi wrth y chwerthin a bywiogrwydd y lleisiau. Yr unig eithriad arall oedd y gŵr penfoel â'r sbectol. Sylwodd Alex ei fod ef wedi cornelu rhywun y tybiai hi oedd yn un o griw Zen o'r gwarchodlu.

Gynted ag y gwelodd nhw'n cyrraedd yn ôl, camodd Cherie Blair ymlaen gyda gwên. 'Cymerwch blât mewn llaw,' meddai gan arwyddo at y pentwr platiau glân efo napcyn rhwng pob un, 'a helpwch eich hunain i bob dim sydd yma. Mae'r cyllyll a'r ffyrc draw acw ac fe ddaw'r gweision atoch i ofyn pa un ai te neu goffi ynteu lasiad o win a garech efo'ch bwyd. Gobeithio eich bod i gyd wedi mwynhau'ch taith o gwmpas Rhif 10.' Trodd at Alex fel y nesaf ati, 'Ac rwy'n mawr obeithio y cawn ni gyfle am sgwrs cyn ichi adael.'

Gwenodd Alex yn ôl a diolch iddi, gan ddrwgamau ar yr un pryd rhyw bwrpas cudd i sgwrs o'r fath; bod y Prif Weinidog am i'w wraig holi a stilio ar ei ran, efallai, a dwyn perswâd hefyd, o bosib.

Ymunodd Tom Allen efo hi ar y daith o gwmpas y bwrdd danteithion. 'Wel? Be wyt ti'n feddwl, Alex?'

'O'r lle? Gwych on'd yw e? A so'r bwyd yn ffôl chwaith!'

'Cytuno, ond bydd ar dy wyliadwriaeth o hyn allan. Pa bynnag gynllunia sydd gen ti ar gyfer erthygl arall ar Smythe, paid â'u datgelu nhw i neb yn fa'ma.' Yna, roedd wedi troi i siarad efo rhywun arall.

Wedi bod o gwmpas y bwrdd a chodi cyllell a fforc iddi'i hun, aeth i osod ei phlât ar un o'r nifer byrddau gwag oedd o gwmpas cyrion y stafell a phenderfynu aros ar ei thraed i fwyta. Prin y cafodd gyrraedd yno nad oedd un o'r gweision wedi dod ati i ofyn beth gymerai hi i'w yfed ac archebodd wydraid o win coch ganddo. Roedd hi ar lwgu ond gan fod y rhan fwyaf o'r cwmni heb eto orffen codi bwyd ar eu platiau, smaliodd gymryd diddordeb yn y portreadau ar y mur wrth ei hymyl. Llun o ryw Admiral Sir Charles Thompson, Bt. (*c.* 1740-1799) gan Thomas Gainsborough oedd un ohonyn nhw, llun o George yr Ail (1683-1760) oedd y llall, hwnnw wedi'i beintio gan John Shackleton.

'Anrheg ganddo *fo* oedd Rhif 10 'ma, wyddech chi, Alex?'

Trodd i weld bod Cherie Blair wedi dod draw i gadw cwmni iddi.

'Anrheg? Ma'n ddrwg 'da fi ond sa i'n diall.'

'Nid i ni, wrth gwrs!' chwarddodd gwraig y Prif Weinidog wrth weld y dryswch yn llygad ei gwestai. 'George yr Ail oedd bia'r lle 'ma ar un adeg ond fe'i rhoddodd o fo'n gartre i Syr Robert Walpole pan oedd hwnnw'n brif weinidog ac mae'r tŷ wedi bod yn gartre i bob prif weinidog byth oddi ar hynny.'

'Diddorol. O'n i ddim yn gwbod 'na.'

'Be oeddech chi'n feddwl o weddill y tŷ, ta?'

'Gwych iawn, Mrs Blair. Sa i rio'd 'di gweld lle tebyg iddo fe,' meddai, yn gwbwl ddiffuant. 'Mae e'n anferth on'd yw e?'

'Galwch fi'n Cherie! . . . Fe garwn i ddeud fy mod i'n dipyn o edmygydd o'ch gwaith chi ar y *Chronicle.*'

A! Dyma ni! meddyliodd Alex wrth gofio rhybudd Tom Allen. *Rhaid i fi fod yn garcus nawr.* 'Diolch yn fowr ichi!' Chwarddodd yn nerfus braidd. 'Ond sa i 'di gneud llawer . . . '

Torrodd Cherie Blair ar ei thraws trwy chwerthin, yna ychwanegodd, 'Dyna'n drwg ni ferched, Alex! Rydan ni'n rhy wylaidd. Fe ddylech chi fod yn falch iawn o'ch erthygl-tudalen-flaen dro'n ôl, ac rwyf wedi darllen erthyglau diddorol eraill gennych hefyd, mae'n rhaid imi ddeud, felly peidiwch â meddwl fod gan y dynion ryw hawl ddwyfol i ragori arnom ni'r merched.' Chwarddodd yn ysgafn eto. 'Mi fydda i'n atgoffa Tony yn aml o'r peth.'

Gwenodd Alex yn gleniach arni rŵan. Roedd gwraig y Prif Weinidog yn anwylach person nag a freuddwydiodd hi erioed, meddai wrthi'i hun, ac yn ddidwyll at hynny.

'Daliwch ati i gael at y gwir, 'ngeneth i!' A gyda hynny roedd hi wedi troi i sgwrsio efo gwesteion eraill.

'Whiw!' meddai Alex, wrth i frawddeg olaf gwraig y tŷ adael ei hargraff arni. 'Sgwn i be o'dd ystyr hwnna?'

'Sgwrs ddiddorol?' Tom Allen oedd wrth ei hysgwydd eto rŵan. 'Be oedd ganddi i'w ddeud?'

'Siarad merched, dyna i gyd. Wi'n lico hi!'

'O, deud ti! Dwi am gael gair efo Jonathan Powell, dwi'n meddwl. Paid titha â cholli cyfla i gael gair efo rhai ohonyn nhw chwaith, cofia.' Yna, roedd ynta hefyd wedi mynd.

'Y bòs yn cadw golwg arnoch chi?'

Gwenodd ar y dieithryn. 'Ie, debyg.'

'A. A. Morgan, gohebydd y *Chronicle*! Dwi'n iawn?'

'Odych, ond sa i'n . . . '

Estynnodd ei law iddi ei hysgwyd. 'Robert Fisk. Dwi'n sgwennu i'r . . . '

'*Inde!*' meddai hi ar ei draws. 'Wi mor falch ga'l cwrdd â chi . . . a wi'n ddiolchgar 'fyd i chi am ffono fi y dwyrnod o'r bla'n . . . Ond do'n i ddim yn dishgwl i chi fod 'ma heddi.'

'Pam hynny, felly? Oeddech chi ddim yn meddwl y cawn i wahoddiad?'

Gwelodd y direidi yn ei lygaid a gwridodd fymryn. 'Na, dim 'na, ond glywes i bo chi yn Rwsia . . . '

'Oeddwn, tan neithiwr,' meddai. 'I chi mae'r diolch fy mod i wedi mynd yno o gwbwl, Miss Morgan, ac mi fydda i'n hedfan yn ôl i Mosco eto, ben bora fory, i barhau efo'r ymchwil. Ond fedrwn i ddim gwrthod y gwahoddiad i ddod 'nôl i fa'ma heddiw, fedrwn i?'

'Sa i ishe holi, Mr Fisk, ond 'ych chi wedi ca'l mwy o wybodeth obeutu Igor Valyukh?'

'Dwi wedi llwyddo i gael gafael ar rai o'i deulu fo, do, ond fedra i ddim datgelu llawar iawn mwy na hyn'na ar hyn o bryd.'

'Wrth gwrs 'ny. Wi ddim ishe i chi feddwl taw whilo am wybodeth dw i.'

Gwenodd ynta. 'Na, dwi'n dallt hynny . . . Alex. Dyna'ch enw 'ndê? Alex! Alex Morgan?'

'Ie.'

'Dod draw wnes i i ddiolch i chi am eich erthygl yn y *Chronicle,* y diwrnod ar ôl i'r Ysgrifennydd Amddiffyn gael ei ladd. Rhaid imi fod yn onest a deud cymaint â hyn wrthoch chi: Er mod i wedi dechra ymchwilio i hanes y dyn ers dwy flynedd neu ragor – dwi'n credu imi grybwyll wrthoch chi dros y ffôn mod i'n gobeithio cyhoeddi ei gofiant ryw ddiwrnod – eto i gyd, ches i rioed le i amau stori swyddogol Whitehall. Ches i rioed le i amau nad Steffan Zenovich Shmit oedd enw bedydd ein Stephen Smythe ni.' Cododd ael fel pe bai i gydnabod ei fethiant ei hun. 'Ond wedi deud hynny, cofiwch, doeddwn i ddim wedi mynd yn rhyw bell iawn efo fy ymchwil. Mi fyddwn i wedi mynd allan i Tallinn ryw ddiwrnod a dwi'n licio credu y byddwn i wedi darganfod y gwir am Shmit a Valyukh drosof fy hun wedyn . . . '

So fe am roi llawer o glod i fi, meddyliodd Alex yn siomedig.

' . . . ond dydi'r ffaith honno'n tynnu dim oddi wrth eich camp chi, Alex. A'r rheswm dwi wedi dod draw yn unswydd i siarad efo chi rŵan ydi er mwyn cael diolch ichi unwaith eto – yn y cnawd fel petai!' a gwenodd – 'am fy rhoi fi ar ben ffordd ynglŷn ag Igor Valyukh. A dwi'n addo y bydd Rhagair y cofiant, pan a phryd y caiff hwnnw'i gyhoeddi, yn cydnabod fy niolch ichi.'

Erbyn iddo'i gadael roedd hi wedi anghofio'n llwyr am y gwegni yn ei chylla. Teimlai'n gynnes o'i mewn yn dilyn y sgwrs efo Cherie Blair ac yna efo Robert Fisk. Drachtiodd weddill ei gwin ac ni cheisiodd rwystro'r gwas efo'r botel rhag ei lenwi eilwaith i'w ymylon.

Edrychodd o gwmpas y stafell. Ac eithrio dau neu dri, roedd pawb arall wedi codi bwyd ar eu platiau ac roeddynt bellach yn siarad ac yn bwyta am yn ail. Chwiliodd am Zen a cheisio dal ei lygad ond roedd wedi ei gornelu gan dri gohebydd oedd am gael clywed o lygad y ffynnon be oedd wedi digwydd ar y Teras y diwrnod hwnnw, bron fis yn ôl. Gwelodd fod eraill wedi gwthio'u hunain i gwmni'r Ysgrifennydd Cartref, tra bod eraill eto mewn sgwrs ddwys efo'r Ysgrifennydd Tramor.

So nhw'n mynd i ga'l llawer o wybodeth mas o rheina, 'yn nw, meddyliodd. *'Sa'n well 'da fi ga'l gair 'da rhywun o* MI6 *fy hun, ond s'dim syniad 'da fi p'un a o's rhywun o Vauxhall Cross 'ma neu bido.* Syllodd o'i chwmpas yn chwilfrydig.

'Pam bod pob gohebydd arall yn y lle 'ma yn awyddus i gael gair efo fi, a thitha ddim? Dyna liciwn i wbod!' Heb iddi sylwi, roedd wedi gwasgu at ei hochor a gallai deimlo cefn ei law, rŵan, yn rhwbio yn erbyn ei chlun.

Methodd hitha guddio'i phleser o'i gael mor agos ati. 'Wi moyn rhoi cwtsh mowr iti o fla'n pawb! Be ddwede Mr Blair, tybed?'

'Be tawn i'n gofyn am fenthyg ei wely fo am ryw hannar awr? Ti'n meddwl y bydda fo'n cytuno?'

Tra oedden nhw'n siarad, nid oedd yr un o'r ddau yn edrych i wyneb y llall. I bwy bynnag oedd yn gwylio, sgwrs amhersonol iawn oedd yn mynd ymlaen rhyngddyn nhw.

'Dim ond hanner awr?' Smaliai hi syndod. 'So ti'n llawer o foi, 'yt ti?'

Bu'n rhaid i Zen wenu wedyn. Yna sobrodd. 'Dwyt ti ddim i weld mor awyddus i fanteisio ar dy gyfla â'r gweddill ohonyn nhw.'

'Sa i moyn y *spin* gan David Hill a Jonathan Powell, ond wi ishe gair 'da ti, Zen. Wi ishe gwbod p'un a o's rhywun o *MI6* 'ma neu bido . . . a wi ishe gwbod pwy yw'r dyn â'r gwallt cochlyd sy'n siarad nawr 'da Gregory Roylance, dy fòs di, a pwy 'fyd yw'r dyn pen mo'l sy'n siarad 'da'r bachan mowr â'r farf ddu yn y gornel. Wi'n siŵr mod i di gweld y ddou 'na o'r bla'n.'

Heb unrhyw sioe o chwilio am neb yn arbennig, taflodd Zen lygad hamddenol o gwmpas y stafell. Pan drodd eto i edrych ar Alex, roedd cysgod gwên yn chwarae ar ei wefus. 'Dau aderyn efo'r un garrag! Tri, hyd yn oed!'

'Pardwn? Sa i'n diall!'

'Roeddat ti isio gweld rhywun o *MI6*, meddat ti. Wel, dyna be ydi nacw sy'n siarad efo Bluto. A ti'n iawn! Rwyt ti wedi'u gweld nhw o'r blaen. Wyt ti'n cofio pan ofynnis i am gael gweld dy gerdyn adnabod di yn Westminster y dwrnod hwnnw?'

'A! Wrth gwrs 'ny! Wi'n cofio nawr! O'n nw'n siarad 'da'i gilydd bryd 'ny 'fyd. *SO11* fel ti yw'r un ifanca, wi'n cofio nawr!'

'Dydi'r diawl ddim mor ifanc â hynny, mwy na finna, bellach, ond fe allat ti ddeud ei fod o'n ifanc uffernol rhwng ei ddwy glust. Dwi newydd gael gwbod mai Lorrimer ydi enw'r llall . . . yr un efo'r pen moel. A Holmes o *MI5* ydi'r cringoch sy'n siarad efo Roylance. Wyt ti ddim yn ei weld o'n debyg i Syr Alex Ferguson, *Man United*? Nhw'u dau, Holmes a Lorrimer, oedd yn trio taflu'r bai arna am i Stephen Smythe gael ei saethu.'

Daliai i edrych draw, heb sylweddoli'r sioc oedd bellach wedi ymddangos ar wyneb Alex.

'So ti o ddifri, Zen? Lorrimer wedest ti? Andrew Lorrimer?'

Syllodd yn chwilfrydig arni rŵan. 'Dwn im be 'di'i enw cynta fo, ond Lorrimer o *MI6* ydi o, beth bynnag.'

'Rhaid inni siarad, Zen . . . yn glou.' Yna, fel yr edrychai tua'r gornel, gwelodd un o'r gweision yn dal hambyrddaid o wydrau llawn gwin i Lorrimer a Bluto ddewis ohonyn nhw. Gwelodd Bluto yn cydio mewn dau ac yn cynnig un i Lorrimer. Yna, fel pe bai wedi sylweddoli'i gamgymeriad daliodd y gwydryn tuag at law arall y gŵr o *MI6*. Dyna pryd y sylwodd hi fod braich dde Andrew Lorrimer yn gorwedd yn ddiffrwyth wrth ei ochor ac na allai fod wedi cydio yn y gwin efo'r llaw honno.

'Be sy?' Roedd Zen yn gweld olwynion ei meddwl yn troi, yn araf a phoenus i ddechra ond yna'n gyffrous o gyflym.

'Sa i'n credu hyn!'

'Credu be, 'lly? Ti'n edrych fel 'sa ti wedi gweld ysbryd Churchill ne rwbath!'

Ond chafodd o ddim arlliw gwên yn ôl ganddi. Roedd ei gwyneb wedi'i fferru mewn syndod. Yna'n raddol daeth allan o'i llewyg.

'Rhaid inni siarad, Zen! Nawr, ar unwaith!' A gyda hynny roedd hi wedi anelu am y drws, gan roi'r argraff ei bod am ymweld â stafell y merched.

Arhosodd ynta am rai eiliada gan smalio astudio'r llun o Siôr yr Ail, yna anelodd ef hefyd am y drws.

Roedd hi'n aros amdano yn y coridor tu allan, lle'r oedd llawer o fynd a dod ymysg y gweision a'r morynion.

'Be sy'n bod?'

Yn hytrach na'i ateb, daliodd Alex docyn o ddalennau iddo'u cymryd ganddi.

'Be ddiawl 'di rhein?' Ond cydiodd ynddyn nhw serch hynny. Darllenodd gyfeiriad yr e-bost – *spectre@worldcom.ch*. – ac yna'r enw 'Richard Tomlinson'.

'Wedes i mod i wedi anfon ato fe. Darllen nhw!'

Gwyliodd ef yn byseddu'n araf drwy'r dalennau, i'w cyfrif.

'Uffar dân, Alex! Mae 'ma bump o dudalenna i gyd! Ti'n gwbod gymaint dwi'n licio darllan! Rŵan deud wrtha i'n fras be sydd ynddyn nhw, a pham rwyt ti wedi cynhyrfu cymaint.'

'Anfones i at Tomlinson i ofyn a o'dd e'n gwbod rhywbeth obeutu Igor Valyukh.'

'Pam Tomlinson?'

'Wel, odd e'n gwitho 'da *MI6* yn y *Controllerate* yn Nwyren Ewrop dechre'r nawdege ac o'n i'n meddwl y bydde fe 'di clywed am Igor Valyukh achos bod hwnnw wedi troi'n ysbïwr dros Bryden, ddouddeg mlynedd a rhagor cyn'ny.'

'Ac oedd o wedi clywad amdano fo?'

'O'dd! Ma Tomlinson yn gweud . . . ' Ysgydwodd y papura fel pe bai hynny'n gadarnhad o'r hyn yr oedd hi ar fin ei ddatgelu ' . . . bod Valyukh, er bod e'n Lefftenant Cyrnol yn y

Fyddin Goch, yn neud gwaith i'r *Stasi* 'fyd. 'Mewn geirie erill, sbei i'r *KGB!*'

'Ond 'dan ni'n gwbod hynny'n barod, Alex. 'Dan ni'n gwbod hefyd ei fod o wedyn wedi troi'n fradwr, a dod yn sbei dros Brydain.'

'Aros, w!' Gwasgodd hi ei fraich i'w annog i fod yn fwy amyneddgar. 'Ond pwy feddyliet ti ga's e i witho dros *MI6?*' Gan ei bod yn ofni y caent eu styrbio unrhyw funud, roddodd hi ddim cyfle iddo feddwl yn hir. 'Lorrimer!' meddai, yn ateb i'w chwestiwn ei hun. 'Andrew Lorrimer!'

Dangosodd Zen beth syndod yn ei wyneb. 'Be? Hwnna i mewn yn fan'na?' Nodiodd ei ben i gyfeiriad y stafell roedden nhw newydd ddod allan ohoni.

'Ie.'

'Diddorol! Ac yn fwy diddorol fyth, be ddiawl sydd a wnelo Bluto â fo?'

'S'dim syniad 'da fi, ond wi'n ame bod rwbeth yn gwynto'n ddrwg rhynto fe, Lorrimer, a'r llall 'na.'

'Pa llall? . . . Holmes?'

'Ie. O'dd y ddou yn cadw cwnsel, gynne, a o'n nhw'n ofon i neb 'u clywed nhw'n siarad. Ond dim dyna'r cwbwl! O bell ffordd chwaith! Ma Tomlinson yn credu bod Lorrimer, pan o'dd e yn Nwyren Ewrop . . . wedi . . . '

Roedd hi'n oedi'n fwriadol rŵan, er mwyn ennyn ei chwilfrydedd.

'Wedi be?'

'Ma Tomlinson yn credu bod Valyukh a Lorrimer wedi whare'r ffon ddwybig a bod dealltwrieth rhyntyn nw.'

'Pa fath o ddealltwriaeth. Uffar dân, Alex! Dyro'r gora i siarad mewn damhegion.'

'Yn ôl Tomlinson, o'dd Valyukh yn gweud cyfrinache wrth Bryden a o'dd Lorrimer yn gweud cyfrinache wrth y Sofiet.'

'Ti'n jocian! Pam fyddai'r ddau yn chwara gêm mor uffernol o beryglus â hon'na?'

'Am arian, wrth gwrs! O'dd Pryden yn talu i Valyukh am

wybodeth a ro'dd Lorrimer yn ca'l arian teidi 'da Mosco.'

'Sut ddiawl na fasa Tomlinson wedi datgelu hyn i gyd cyn hyn, ta, os oedd o'n gwbod am y mistimanars?'

'Ma fe'n gweud 'i fod e wedi trio neud 'ny, flynydde'n ôl. Ma fe'n gweud, pan ga's e'i hala i Berlin yn 1992 i witho 'da *Controllerate MI6* yn Nwyren Ewrop, 'i fod e 'di gweld rhai pethe miwn ffeil yn fan'ny – pethe o'dd yn neud iddo fe ame bod Lorrimer 'di bod yn whare'r ffon ddwybig a derbyn arian o Mosco. Ond erbyn 'ny o'dd peder blynedd ar ddeg wedi mynd hibo ers i Lorrimer adel Berlin a so Tomlinson yn credu bod Vauxhall Cross wedi cymryd 'i amheuon e o ddifri achos fe halodd e'r ffeil i Lunden ond na'th e ddim clywed gair am y peth wedi 'ny.'

'O gofio bod Lorrimer ei hun yn gweithio yn Vauxhall Cross erbyn hynny, falla nad oedd o'n beth call iawn i Tomlinson ei neud. Mi fasa unrhyw beth oedd yn ymwneud â'r *Controllerate* yn Berlin, yn naturiol wedi cael eu pasio'n syth iddo fo, a'r peth cynta fasa fo'n neud wedyn fasa difa pob dim oedd yn pwyntio bys ato fo'n bersonol. Mi ddeudwn i fod dy Tomlinson di . . . ' Amneidiodd Zen i gyfeiriad y papurau yn llaw Alex. ' . . . wedi bod yn naïf ar y diawl, i anfon y ffeil i Vauxhall Cross o gwbwl, yn enwedig a fynta'n gwbod bod Lorrimer yn gweithio yno.'

'Ond o'dd e ddim! 'Na'r peth, w! Ma fe'n gweud na wydde fe ddim bod Lorrimer yn dal i witho 'da *MI6*, achos yn 1980 fe ga'th e fwled yn 'i ysgwdd wrth drio helpu dou wyddonydd i jengyd dros y wal o Ddwyren Berlin. Fe ga's un gwyddonydd 'i ladd a so Lorrimer 'i hun 'di gallu iwso'i fraich dde byth wedi 'ny. O'dd Tomlinson yn credu'n siŵr 'i fod e wedi ymddeol ar bensiwn da . . . ond o'dd e ddim, o'dd e? Ni'n gwbod 'ny nawr.'

Arhosodd Zen i ragor o'r gweision fynd heibio. Gwyddai hefyd y byddai rhywun, gyda hyn, yn siŵr o weld ei golli o'r stafell fwyta ac y câi cwestiynau eu gofyn wedyn. 'Mi fydd raid imi fynd yn ôl,' meddai. 'Gwranda, Alex! Wela i ddim bod unrhyw gysylltiad rhwng be ddigwyddodd yn Berlin bymthang mlynadd yn ôl a be sydd wedi bod yn mynd ymlaen yn Llundain 'ma'n ddiweddar. A sut bynnag, does yna ddiawl o ddim y gallwn ni'i neud ynglŷn â'r peth, bellach.'

'Ti'n meddwl 'ny? Gwranda ar be arall sy 'da Tomlinson i'w weud! 'Beutu whech mish yn ôl, medde fe, fe ga's y rhaglen *Face to Face* – Stephen Smythe yn cael 'i holi gan John Humphrys – 'i hailddangos ar y teledu yn Genefa, ble ma fe, Tomlinson, nawr yn byw. Sa i'n gwbod welest ti'r rhaglen pan ga's hi'i darlledu gynta?' Arhosodd iddo ysgwyd ei ben. 'Na finne, ond fe wedodd Smythe wrth John Humphrys, mae'n debyg, fod Robert Fisk yn mynd i sgrifennu cofiant arno fe pan fydde fe'n ymddeol o'r Llywodreth a bydde un bennod gyfan o'r llyfyr yn sôn am 'i hanes e cyn iddo fe ddod i Bryden – 'i hanes e yn y Fyddin Goch a fel o'dd e 'di bod yn asiant dwbwl a pethe felly. Yn ôl Tomlinson, o'dd Smythe yn awgrymu 'fyd y bydde fe'n datgelu pethe am *MI6* 'sa'n rhoi sioc i lawer iawn o bobol.'

'Ydw, dwi'n cofio rŵan siŵr! Welis i mo'r rhaglan ond dwi'n cofio'r trafod oedd 'na yn Westminster y diwrnod wedyn. Roedd 'na lawar o'r aeloda'n deud mai gimic oedd y cyfan; gimic i greu gwerthiant pan fydda'r llyfr yn dod o'r wasg, ac mae'n siŵr mai dyna oedd yn wir.'

'A! Ond so ti'n credu galle 'ny fod yn rheswm da i'w ladd e?'

Unig ymateb Zen oedd chwerthin yn anghrediniol a chymryd dau gam i'w gadael. 'Alex bach! Wyt ti'n mynd yn paranoid, ta be? *MI6* yn lladd yr Ysgrifennydd Amddiffyn? Arglwydd mawr! Be nesa?' Gostyngodd ei lais, rhag tynnu sylw'r forwyn oedd yn mynd heibio ar y pryd, 'Mi fyddi di'n deud rŵan bod gan Tony Blair a Margaret Thatcher hefyd rwbath i neud â'r peth! A dy fod ti'n coelio'r straeon mai gŵr y Frenhines ddaru orchymyn lladd Tywysoges Cymru! A bod Hitler ac Elvis yn dal yn fyw!' Trodd ar ei sawdl, ond nid cyn taflu cusan chwareus ati. 'Dwn i'm be amdanat ti ond dwi'n mynd yn ôl i'r byd real!'

'Aros, Zen!' Roedd ei llais yn daer. 'Dim *MI6* o'n i'n feddwl, w! Jest Lorrimer! Fe a neb arall! Dim ond Stephen Smythe . . . Valyukh . . . fydde'n gwbod 'i fod e, Lorrimer, 'di bod yn fradwr. Beth 'sa fe ofon i Smythe weud y cyfan wrth Robert Fisk a bod hwnnw'n 'i enwi fe yn y cofiant? Beth wedyn? Galle Lorrimer ga'l 'i hala i garchar am flynydde. Ma fe yn 'i chwedege nawr, on'd yw e? Bydde fe'n marw yn y jael! So ti'n credu galle 'na fod yn ddigon o reswm i ga'l gwared â Smythe?'

Trodd Zen eto, a'i edrychiad yn fwy tosturiol y tro yma. 'Gwranda, Alex! Dwi'n derbyn bod be wyt ti'n ei ddeud yn gneud llawar o synnwyr ond uffar dân . . . ! Fedri di ddim mynd o gwmpas yn cyhuddo rhywun heb brawf. Dwi'n gwbod eich bod chi, bobol y Wasg, yn ffansïo'ch hunain fel ditectifs ond . . . '

Torrodd ar ei draws yn ddiamynedd. 'O's raid i fi ddisgrifo Andrew Lorrimer iti? Pen mo'l . . . sbectol . . . 'i fraich dde'n ddiffrwth! Ble clywest ti ddisgrifiad fel'na o'r bla'n?'

Gwyliodd ei lygaid yn agor yn fawr a'i geg yn syrthio'n agored.

'Arglwydd mawr! Yn Tallinn?'

'Wrth gwrs 'ny. Wi'n ame taw Lorrimer o'dd un o'r ddou a'th i weld y weddw Smit yn Toom-Kodi. So ti'n meddwl?'

Roedd meddwl Zen yn troi'n wyllt erbyn hyn wrth iddo styried goblygiadau'r hyn yr oedd Alex newydd ei ddeud. 'Gwranda, Alex!' meddai o'r diwedd, a'i synnu hi efo'i daerineb. 'Gad hyn i mi! Dallt?' Cododd fys rhybuddiol. 'Paid hyd yn oed ag edrych ar Lorrimer pan awn ni'n ôl yno rŵan. Paid â rhoi lle o gwbwl iddo fo ama dim. Ti'n gaddo?'

Ei thro hi oedd chwerthin rŵan. 'Wi'n addo, syr!' meddai'n chwareus, cyn ychwanegu, 'A wi'n caru ti.'

Gwenodd ynta, ond nid heb rywfaint o bryder. 'Gwell inni beidio mynd i mewn yn ôl efo'n gilydd. Gad i mi fynd gynta.'

Wrth ymuno â gweddill y cwmni, roedd ei feddwl yn gymysglyd a deud y lleia. Gwyddai, ym mêr ei esgyrn, fod Alex wedi taro'r hoelen ar ei phen ynglŷn â Lorrimer, ond lle oedd Holmes yn dod i mewn i'r busnas? A be am Bluto? Roedd hwnnw hefyd, yn rhy amal, big yn big efo Lorrimer.

'A! Dyma chi! Ro'n i'n ofni eich bod chi wedi diflannu.'

Roedd merch ganol oed wedi dod i sefyll wrth ei ysgwydd.

'Maggie Young o'r *Guardian*,' cyflwynodd ei hun. 'Oes gobaith imi gael holi tipyn arnoch chi?'

Wrth ateb ei chwestiyna, daliai Zen i chwilio'r stafell. Oedd, roedd Lorrimer, Holmes a Bluto yn dal yno ond nid yng nghwmni'i gilydd chwaith. Unwaith, daliodd Lorrimer ef yn edrych arno a throdd Zen ei lygaid draw yn gyflym. Gwyliodd ef wedyn wrth iddo ysgwyd llaw â rhywun . . . efo'i law chwith!

Arhosodd am ei gyfle, yna aeth o dipyn i beth ar draws y stafell i gael gair efo Bluto. 'Sut ma hi'n mynd?'

Ni cheisiodd y dyn mawr guddio'i syndod bod Zen yn swnio mor glên, ond dalltodd yn fuan pam.

'Y boi pen moel yn fan'cw! Pwy ydi o, 'lly?'

'Pam y diddordab?'

'Isio gwbod, dyna i gyd. Roedd o'n un o'r rhai fuodd yn fy holi fi dro'n ôl, a ches i ddim gwbod 'i enw fo hyd yn oed, heb sôn am ba awdurdod oedd gynno fo i holi yn y lle cynta.'

Ar yr eiliad honno, fe pe bai rhyw reddf wedi'i rybuddio fo, trodd Lorrimer i edrych arnynt a gwelodd Zen y cwestiwn yn ffurfio'n gyflym yn ei lygaid. Pe bai wedi gallu gweld gwyneb Bluto hefyd ar yr un pryd, byddai wedi sylwi ar yr edrychiad rhybuddiol yn llygad hwnnw. Yna, roedd yr eiliad wedi mynd heibio a Lorrimer wedi troi draw unwaith eto.

'Pam wyt ti'n gofyn i mi?'

'Dy weld ti'n siarad efo fo gynna, dyna i gyd.'

'Gneud sgwrs, dyna'r cwbwl! Ofynnis i ddim am 'i enw fo, a ddeudodd ynta ddim chwaith.'

'Rhyfadd!'

'Be uffar sy'n rhyfadd yn y peth?'

'Iti siarad efo fo eto heb wbod 'i enw fo.'

'Be ddiawl ti'n feddwl, *eto*?'

'Dwi wedi dy weld ti'n siarad efo fo o'r blaen . . . yn Westminster.'

Taniodd llygad Bluto ond tybiodd Zen weld fflach o bryder ynddyn nhw hefyd. 'Be uffar ydi hyn? *Third degree* ta be?' Ond prysurodd ymlaen, heb ddisgwyl ateb, 'Os wyt ti isio gwbod, un o bobol Vauxhall Cross ydi o. Andrew Lorrimer. Wyt ti'n fodlon rŵan?'

'Pam y sgwrs hir rhyngot ti a fo yn Westminster, ta?'

'Dim o dy fusnas di, mêt!'

Heb i Zen sylwi, roedd Lorrimer wedi taflu cip arall i'w cyfeiriad.

'O! Dyna ni 'lly! Gneud gwaith i *MI6* hefyd, y dyddia yma, wyt ti Bluto? *UKN*, falla?' A throdd draw, cyn rhoi cyfle i'r dyn mawr ymateb.

Naid i'r gwyll ganddo oedd y sylw olaf, ond mwya'n y byd y meddyliai am y peth rŵan, cliria'n y byd y deuai petha iddo. Roedd *MI6* yn cyflogi ysbiwyr rhan-amser (*UKN*) ym mhob rhan o'r byd bron – doedd neb yn Vauxhall Cross yn gwadu hynny bellach – felly pam na fyddai ganddyn nhw rywun ym Mhalas Westminster hefyd, i gadw llygad ar be oedd yn mynd ymlaen o dan yr wyneb yn fan'no? Wedi'r cyfan, roedd mwy nag un aelod seneddol yn y Tŷ yn coleddu syniada eithafol . . . chwith a de! A phwy'n well i'r gwaith o gadw golwg ar betha na Bluto?

Roedd meddwl Zen yn rasio erbyn hyn, a heb sylweddoli'n iawn be oedd o'n neud, fe drodd i syllu eto ar y dyn mawr wrth i hwnnw gyfarch hwn ac arall ar ei ffordd i ymuno â Lorrimer.

Ac yna fe gofiodd. 'Fo oedd o, siŵr Dduw!' meddai'n gyffrous. 'Fo ffoniodd i ddeud bod Smythe yn bwriadu mynd allan ar y Teras y diwrnod hwnnw!' Daeth esgus Bluto i ddiflannu am chydig funuda – *'Dwi'n mynd am bisiad!'* – yn ôl iddo rŵan.

Dyna pryd y gwelodd fod Lorrimer yn edrych yn graff arno,

cystal â gofyn *'A be sydd wedi dod â'r cyffro sydyn i dy lygada di, os gwn i?'*

* * *

'Sorri, Zen, ond sa i'n mynd i fod yn gwmni da iti heno. Ma 'da fi lot fowr o waith i neud!'

Roedd pawb yn paratoi i adael ac yn derbyn eu cotiau o un i un gan y gweision a'r morynion. Daethai Alex i sefyll wrth ei ymyl a manteisio ar gynnwrf y ffarwelio er mwyn cael gair sydyn efo fo.

'Paid â phoeni!' sibrydodd yntau'n ôl. 'Mae rheswm yn deud dy fod ti wedi blino . . . a dy fod ti isio llonydd . . . a mod i'n ormod o foi iti!'

Teimlodd gic ysgafn ar ei ffêr, yn dâl am ei wamalrwydd. Am eiliad fer, syllodd y ddau i lygaid ei gilydd ac roedd yr edrychiad hwnnw'n adrodd cyfrola am y berthynas oedd bellach wedi tyfu rhyngddyn nhw.

Difrifolodd Zen. 'Mi fydd raid imi fynd yn ôl i'r fflat, beth bynnag, i neud yn siŵr fod pob dim yn iawn yno. Nid Bayswater ydi Tower Hamlets, wedi'r cyfan! Does 'na ddiawl o ddim sy'n saff yn fan'no os nad ydi o wedi'i hoelio i'r llawr.'

Roedden nhw wedi cael tair noson gofiadwy iawn yng nghwmni'i gilydd a hitha wedi mwynhau'r profiad amheuthun o gael paratoi pryd ecsotig iddo bob min nos. Ond fe dreulient heno ar wahân ac fe gâi nwyd y ddau gyfle i gronni unwaith eto.

'Mi a' i am beint wedyn, falla. Siawns y bydd Duke, o leia, yn falch o 'nghwmni fi.'

Sŵn tynnu coes yn fwy na sŵn edliw oedd i'w glywed yn ei lais.

'Ie, cer di!' sibrydodd yn wamal. 'Ond sa i isie sboner â bola cwrw anferth 'da fe! Diall?' A gyda winc, cyn ei adael, meddai, 'Cofia adel y ffôn ymla'n, i mi dy ffono di o'r gwely, i weud 'thot ti be ti'n golli.'

Rai munudau'n ddiweddarach, dychwelodd Alex i Stryd y Fflyd efo'i golygydd a Tom Allen – y ddau wedi aros hyd y diwedd, wedi'r cyfan – a cherddodd Zen heibio'r Senotaff ac i lawr Parliament Street i gyfeiriad gorsaf Westminster, lle y câi ddal y Tiwb am orsaf Liverpool Street ar y *Circle Line.* Rhoddodd y daith ar droed gyfle iddo gnoi cil ar natur y berthynas oedd wedi tyfu rhyngddo fo ac Alex yn ystod y dyddia diwetha. 'Ma gen i hiraeth amdani'n barod,' meddyliodd, gan gyfadde'n gyndyn iddo'i hun am y tro cynta nad oedd wedi teimlo fel hyn am unrhyw ferch arall erioed o'r blaen. Fe wyddai be oedd ysu am gwmni ambell un yr eildro, i dawelu'i nwyd, ond roedd Alex yn wahanol, ac yn golygu llawer iawn mwy na hynny iddo. Cwlwm yn ei gylla oedd gorfod ei gadael, a theimlodd don o genfigen afresymol rŵan tuag at y ddau ddyn oedd yn cael rhannu car efo hi yn ôl i Fleet Street. 'Callia, wir Dduw!' meddai'n flin wrtho'i hun, gan anelu am y grisiau symudol a âi â fo i lawr i grombil y ddaear. 'Zen, y Claf o Gariad! Tri deg wyth oed, a dyma chdi fel rhyw blydi hogyn bach ysgol wedi colli'i ben yn lân.' Eto i gyd, ni allai anwybyddu'r cynhesrwydd pleserus o'i fewn na'r glöyn byw oedd yn gwibio trwy'i wythiennau. Oedd, roedd ganddo hiraeth amdani'n barod.

Yna, daeth y cof am Frank yn ôl iddo a diflannodd y glöyn byw a'r teimlad braf.

Pennod 19

Inverness Court, Bayswater, Llundain W2

Y peth cyntaf a wnaeth Alex ar ôl cyrraedd swyddfa'r *Chronicle* oedd anfon neges e-bost arall at Richard Tomlinson yng Ngenefa. *'Diolch am y wybodaeth ynghylch Stephen Smythe – defnyddiol iawn! Rwy'n dilyn y stori. Un cwestiwn arall y byddwn i'n falch iawn o gael ateb iddo – Ar ôl iddo ddod yn ôl i Vauxhall Cross, a gadwodd Andrew Lorrimer gysylltiad â rhywun yn Rwsia, tybed? Rwy'n awyddus i ddarganfod at bwy y byddai'n debygol o droi pe bai angen cyfieithydd arno i drosi o Rwsieg i Saesneg?'*

'Yffach o *long shot*!' meddai wrthi'i hun. Doedd Tomlinson ddim hyd yn oed wedi cyfarfod Lorrimer erioed, felly siawns sâl ar y naw oedd iddo wybod pwy oedd ei ffrindia fo.

Wedi gweld cadarnhad bod y neges wedi cychwyn ar ei thaith, dechreuodd lunio erthygl fer ar yr ymweliad â 10 Stryd Downing, oherwydd bod y Golygydd yn awyddus i adroddiad ymddangos yn rhifyn trannoeth. Erbyn iddi gwblhau hwnnw a chael cadarnhad ei fod yn dderbyniol, roedd yn tynnu am wyth o'r gloch. Cychwynnodd wedyn yn ôl am Bayswater ac unigrwydd y fflat yn fan'no gan ddifaru iddi ddeud wrth Zen na allen nhw weld ei gilydd y noson honno. Teimlai fod pob awr hebddo, bellach, yn wag ac yn oer. Ond *roedd* ganddi hi waith i'w neud, atgoffodd ei hun – gwaith a'i cadwai ar ddihun tan yr oriau mân, siŵr o fod – ond doedd hynny ddim yn rheswm pam na allai Zen fod yn clertian o gwmpas y fflat, yn agos ati. Fe wyddai pam ei bod wedi gneud yr esgus, wrth gwrs. Roedd arni ofn gwirioneddol iddo flino ar ei chwmni; ofn iddo ddechra gneud ei esgusion ei hun dros gadw draw. Dyna fyddai torcalon, meddai wrthi'i hun. 'Ond damo! Wi moyn 'i gwmni fe! Wi moyn e 'da fi, nawr!' Ac yna'n benderfynol, 'Sa i'n mynd i stopo fe byth 'to.'

Botymodd goler ei chôt hyd at ei gên a phrysurodd ei chamau ar Fetter Lane. Syrthiai ambell bluen drom o eira gyda'r glaw. 'Ma'n gas 'da fi Lunden yn y gaea,' meddai wrthi'i hun. 'Ma fe'n lle rhy o'r a unig heb Zen.'

O styried yr adeg o'r dydd, roedd hi'n anarferol o brysur ar y Tiwb a methodd gael lle i eistedd. Dyblodd hynny ei diflastod. Safai wrth ddrws canol y cerbyd efo'i chyfrifiadur bach mewn un llaw a'r llaw arall yn dal yn dynn wrth y strap uwch ei phen. I'r dde ac i'r chwith ohoni, yr un oedd yr olygfa, ac nid am y tro cyntaf o bell ffordd ers iddi ddod i Lundain, rhyfeddodd at y cymysgedd ethnig o'i chwmpas – yn ddu, yn frown, yn felyn, yn binc . . . yn hirwallt, yn farfog, yn hetiog, yn benfoel . . . y graenus a'r tlodaidd ysgwydd wrth ysgwydd yn dynn – rhai wedi ymgolli mewn llyfr neu yn yr *Evening Standard,* eraill yn syllu'n wag yn syth o'u blaenau fel pe bai dioddef y daith yn rhywbeth stoicaidd i'w neud.

Wrth i'r trên arafu yn Holborn, cododd tri . . . pedwar . . . yma ac acw yn y cerbyd ond roedd eraill eisoes yn fwy na pharod i neidio i'w lle. Felly hefyd yn Tottenham Court Road ond erbyn hynny roedd Alex yn ymwybodol o bâr o lygaid llonydd yn rhythu arni. 'Mae dynon fel fe yn hala'r cryd arna i,' meddyliodd. 'Gas 'da fi hen ddynon brwnt fel fe sy'n tynnu 'y nillad i 'da'u llyged.' Ei hofn bob amser – yn enwedig pan fyddai'n teithio adre'n hwyr fel hyn wedi iddi nosi – oedd y byddai rhywun fel y peth tenau acw, efo'i lygaid powld a'i ddannedd melyn, yn aros nes iddi adael y trên ac yna'n ei dilyn yr holl ffordd adref. 'Ych a fi!' meddai wedyn wrthi'i hun.

'S'dim dynon fel fe ar hewlydd Cafyrddin, diolch byth.' A dechreuodd ddifaru eto bod Zen yn ôl yn Tower Hamlets. 'So fe'n ca'l mynd bant byth 'to!' penderfynodd.

Aeth amryw allan yn Oxford Circus a chafodd hitha le i eistedd. Erbyn iddi sylwi, roedd y sbrych dyn wedi gadael hefyd a gollyngodd Alex ochenaid fechan o ryddhad. Ond roedd y drwg wedi'i neud! Weddill y daith – i Notting Hill Gate i ddechra ac o fan'no wedyn i Bayswater ar y *District Line* – dim ond un peth oedd ar ei meddwl, sef dychwelyd i Gymru i fyw. 'Dwy flyne 'to,' meddai wrthi'i hun, 'ac wedi 'ny a' i 'nôl i Ben y Tyle i gadw'r *bistro* . . . os daw Zen 'da fi.' Ac ychwanegodd yn benderfynol, 'Sa i'n mynd i unman hebddo fe, byth 'to.'

* * *

Tafarn y Bow Bells, Shoreditch, Llundain N1

Yn hytrach na mynd yn ôl i'w fflat yn Tower Hamlets, gan nad oedd y beic ganddo heddiw, aeth yn syth o orsaf Liverpool Street i ddisgwyl bws i fyny i Shoreditch. Fe âi hwnnw â fo cyn belled â'r Kingsland Road a gallai gerdded yn ddigon hwylus o fan'no i'r Bow Bells. Edrychodd ar ei wats. Hanner awr wedi chwech ar ei ben. Diawliodd pan welodd y gawod drom o eirlaw yn sgubo i fyny'r stryd a thynnodd ei anorac yn dynnach amdano.

Yn ystod y daith o Westminster, doedd o ddim wedi oedi'n rhy hir ar gyflwr Frank am fod hynny'n rhy boenus ganddo, yn ei atgoffa nid yn unig am farwolaeth ei fam ei hun flynyddoedd ynghynt ond yn ailgynnau hefyd yr euogrwydd oedd yn gymaint rhan o'r atgof hwnnw iddo. Felly, er mwyn symud ei feddwl, bu'n ceisio rhoi trefn yn ei ben ar y wybodaeth a gawsai gan Alex:

a) Lorrimer – Vauxhall Cross – pennaeth *Controllerate MI6* yn Nwyrain Ewrop yn niwedd y saithdega a dechrau'r wythdega – ffrind Valyukh – y ddau yn chwarae'r ffon ddwybig. Lorrimer felly'n fradwr. Wedi bod mewn sefyllfa i allu celu a difa gwybodaeth amdano'i hun a Valyukh.

b) Smythe (Igor Valyukh), yr Ysgrifennydd Amddiffyn, yn cyfaddef ar goedd, ar raglen deledu, iddo fod yn asiant dwbwl, ac yn datgan bwriad i ddatgelu cyfrinachau am *MI6* yn y cofiant y bwriadai Robert Fisk ei ysgrifennu arno. Lorrimer yn sicr o weld hynny'n fygythiad mawr iddo fo'i hun.

Cwestiwn: Fyddai hynny'n ddigon o gymhelliad i Lorrimer ladd Smythe?

Ateb: Byddai! Naill ai hynny neu gael ei daflu i garchar am weddill ei oes.

c) Lorrimer yn ymweld â *Toom-Kodi* yn Tallinn ac yn hawlio lluniau o Shmit a Valyukh.

Cwestiwn: Pam?

Ateb: Anodd deud. Falla i gymryd meddiant o bob llun oedd ar gael o Shmit a Valyukh, neu hwyrach i neud yn siŵr nad oedd yno unrhyw dystiolaeth yn ei gysylltu fo, Lorrimer, efo Valyukh.

Cwestiwn: Sut gafodd o'r cyfeiriad yn y lle cynta? Wedi'r cyfan, doedd erthygl Fisk yn yr *Independent* ddim eto wedi ymddangos, a go brin y byddai Smythe wedi cynnig y wybodaeth o'i wirfodd iddo.

Ateb: Dau bosibilrwydd. 1) Bod Lorrimer yn cofio'r cyfeiriad ers dyddia cynnar y berthynas rhyngddyn nhw neu 2) Bod Hilja Shmit wedi cael gwared â'r papur yn Hyde Park y diwrnod hwnnw a bod rhywun o *MI5* neu *MI6* wedi dod o hyd iddo fo wedyn. O gofio bod chwilio manwl wedi bod, yna yr ail oedd fwya tebygol.

ch) Lorrimer yn cael galwad ffôn i ddeud bod yr Ysgrifennydd Amddiffyn yn bwriadu mynd ar y Teras am goffi.

Cwestiwn: Pwy saethodd y fwled? Lorrimer ei hun?
Ateb: Go brin. Un fraich yn ddiffrwyth gan hwnnw.
Cwestiwn: Felly pwy oedd yr asasin?
Ateb: Saethwr proffesiynol oedd yn ddigon agos at Westminster i ymateb ar fyr-rybudd i'r alwad.

d) *Cwestiwn*: Pwy ffoniodd i roi'r wybodaeth i Lorrimer?
Ateb: Bluto, mwy na thebyg.
Cwestiwn: Felly, be ydi cysylltiad Bluto efo Lorrimer?
Ateb: Bluto, falla, yn cael ei gyflogi gan Vauxhall Cross (asiant UKN) i gadw'i glustiau'n agored yn Westminster ac i drosglwyddo gwybodaeth am rai o'r aelodau seneddol.
Cwestiwn: Oedd Bluto, felly, yn gwybod am ran Lorrimer yn y llofruddiaeth?
Ateb: Lorrimer yn rhy gyfrwys ac yn rhy brofiadol i roi lle iddo amau gormod, oni bai wrth gwrs iddo dynnu Bluto i mewn mor ddwfn i'r busnes fel bod hwnnw bellach yr un mor euog â Lorrimer ei hun. Hynny'n annhebygol, felly byddai'n syniad i rywun groesholi Bluto a'i gael i gyfadde ei fod wedi ffonio Lorrimer cyn mynd allan ar y Teras y diwrnod hwnnw.

dd) *Cwestiwn*: Be am Holmes? Oedd Lorrimer wedi'i ricriwtio ynta hefyd, falla, yn asiant *UKN* i *MI6*? Anarferol i rywun fod yn gweithio i Thames House *a* Vauxhall Cross – ond ddim yn amhosib. Pa mor anodd fyddai hi i Holmes gadw peth felly'n gyfrinach rhag ei feistri yn Spook House?

e) *Cwestiwn*: Oedd gan Holmes, Bluto neu *MI5* unrhyw ran yn y llofruddiaeth?
Ateb: *MI5* – Na. Holmes a Bluto? Go brin. Be oedd ganddyn nhw i'w ennill?

f) *Cwestiynau eraill*:
(i) Ai camgymeriad gan Maidu a Hilja oedd y busnes yn Hyde Park?

Ateb: Ia. Dim eglurhad arall.

(ii) Ai damwain ynteu llofruddiaeth oedd marwolaeth y brawd a'r chwaer yn nhwnnel Dartford?
Ateb: Llofruddiaeth.
Ar orchymyn pwy, felly?
Ateb: Lorrimer neu Smythe – y ddau â rheswm da dros fod isio cael gwared â nhw.

(iii) Pam oedden nhw yn nhwnnel Dartford o gwbwl, oni bai eu bod nhw'n trio dianc rhag rhywun. O gofio honiadau Richard Tomlinson am gynllwyn *MI6* i gael gwared â Slobodan Milosevic mewn rhyw dwnnel neu'i gilydd yn Serbia, yna tybad nad oedd y brawd a'r chwaer wedi cael eu herlid yn fwriadol i mewn i'r twnnel, i roi'r cyfle i rywun eu lladd yno.

(iv) Oedd gan unrhyw un o'r canlynol fys yn y brwas? – Sadoun Majid neu derfysgwyr Arabaidd eraill? . . . y *CIA* ? . . . y Mossad?
Ateb: NA i bob un.

g) *Cwestiwn*: Be ti am neud felly, Zen?
Ateb: Dim blydi syniad!

Am ddeng munud i saith, cerddodd i mewn i dafarn y Bow Bells. Cymharol dawel oedd hi yno, efo digon o le wrth y bar ac wrth y byrdda. Roedd y stafell wedi'i haddurno ers iddo fod yma ddiwetha, efo rhwydwaith o drimins Nadoligaidd yn hongian yn drwm o'r nenfwd a goleuada bach lliwgar yn gwibio'n ôl a blaen uwchben y bar. O'r pellter, deuai llais meddal Harry Belafonte yn cyhoeddi eto fyth *'that Man will live forever more because of Christmas Day'*.

'Zen, achan! Lle uffar ti 'di bod yn cadw? A be ddiawl ti'n neud yn edrach mor blydi posh yn dy golar a thei?'

'Wedi bod am de efo Tony Blair a Jack Straw a'r Ysgrifennydd Cartra ydw i.' Gwyddai'n iawn be fyddai'r ymateb.

'Ia, reit dda rŵan! Doniol uffernol! Ond dyna fo, os nad wyt ti isio deud wrth dy fêt, wel twll dy din di ddeuda i!' A chwarddodd. 'Ddim am gyfadda, mae'n siŵr, mai yng ngwely rhywun neu'i gilydd ti 'di bod. Be gymri di i'w yfad?'

'Wel peint siŵr Dduw, be arall!'

'Be wn i? Efo'r olwg sy arnat ti heno ro'n i'n meddwl y basa'n well gen ti *Martini* ne shampên pinc ne rwbath.'

Anelodd Zen gic chwareus ato wrth iddo droi at y bar a chwarddodd wedyn wrth weld Duke yn neidio'n theatrig i'w hosgoi.

'Ydi petha'n gwella rhywfaint yn y Tŷ Siarad 'na rŵan?' Roedd yn ei ôl, efo peint llawn ym mhob llaw.

'Gwella arna *i* wyt ti'n feddwl?'

'Ia.'

'Ydi . . . ryw gymaint, am wn i. Ond dwi 'di cael llond bol yno, Duke. Paid â synnu os na fydda i yno'n hir iawn eto.'

'O? A be nei di wedyn?'

'Priodi rhyw filionêres, falla.'

'Wel ffeindia un i minna hefyd tra wyt ti wrthi.'

Ar ôl y tynnu coes, trodd y sgwrs at bob math o byncia, ond pêl-droed a cheffyla rasio'n bennaf. A chafodd Zen wrando ar straeon wythnos o anlwc Duke – fel roedd o wedi rhoi ei grys ar un ffefryn mewn rhyw *chase* neu'i gilydd yn Huntingdon a hwnnw wedyn, trwy flerwch ei joci, wedi mynd din dros ben a thorri'i wddw. A ddaru'r joci ar ryw *cert* arall yn Sandown ' . . . ddim hyd yn oed trio ennill. Ro'n i'n gwatsiad y blydi ras ar y teli ac mi welis i'r uffar yn llacio'i afael ar y ffrwyn yn y blydi ffyrlong ola. Ond dwi'n dallt 'i gêm o, Zen! Mae'r un bartneriaeth yn mynd mewn ras fawr yn Cheltenham yn y gwanwyn ac mi geith o well handicap yn fan'no rŵan. Mi gerddith i ffwrdd efo'r ras honno iti. Garantîd! *Dun losin!* Cofia'i enw fo, Zen! *Dun losin!* A chofia roi dy grys arno fo yn Cheltenham.'

'Faint uffar o grysa ti'n feddwl s'gen i, Duke? Pe bawn i'n gwrando arnat ti a dy *certs* mi fyddwn i'n mynd o gwmpas y lle 'ma'n hannar noeth ers talwm iawn.'

Daeth y ddwyres o ddannedd gwynion i'r golwg yng nghanol ffrâm y farf daclus ddu. 'Yn ôl be ma'r merched ifanc 'ma'n ddeud, ti'n gneud mwy na digon o hynny'n barod, heb unrhyw help gen i.'

'Taw â dy rwdlan, y clown! Peint arall?'

Erbyn hanner awr wedi naw roedd y Bow Bells dan ei sang a chafodd Duke gryn drafferth mynd at y bar i nôl eu pumed peint. Clywai Zen ef yn ufferneiddio am fod pawb mor gyndyn o symud o'i ffordd a gwyddai y byddai ei gwyno'n parhau wedi iddo ddod yn ôl.

'Wyst ti ddim be ddiawl ydi neb y dyddia yma. Dwi'n deud wrthat ti! Ma hi 'di mynd i'r diawl yn y lle 'ma.'

'O?' *Dyma ni!* 'A be sy'n dy boeni di rŵan, Duke?'

'Clywad dau yn siarad wrth y bar o'n i rŵan. Un ohonyn nhw wedi gweld gwn gan rywun.'

'Be? I mewn yn fa'ma? Gan bwy 'lly?'

'Dwn 'im, duw! Rhywun wrth y drws yn fan'cw, mae'n debyg. Rwbath bach efo locsan ddu, yn ôl fel roedd hwn'na'n 'i ddisgrifio fo. Mi feddylis i ddechra mai sôn amdana i oedd o!' A chwarddodd yn fyr ac yn ddi-hiwmor. 'Sut bynnag, wrth iddo fo wthio at y bar, mae'n debyg bod carn y gwn wedi dod i'r golwg o'i bocad o. Smalio peidio sylwi na'th y llall. Weli di fai arno fo? Mynd yn ddall faswn inna wedi'i neud hefyd. Dwi'n deud wrthat ti, Zen, ma hi wedi mynd i'r diawl yn y lle 'ma, a fedri di ddim deud pwy 'di pwy na be 'di be erbyn rŵan. Does fawr ryfadd bod cymaint o bobol ofn mynd allan o'u tai ar ôl iddi dwllu, wir dduw!'

Daeth i feddwl Zen neud ymholiada. Roedd o'n blismon, wedi'r cyfan, ac er nad oedd o ar ddyletswydd rŵan, hwyrach y dylai neud rhywbeth neu'i gilydd.

'Am a wyddom ni, mae hannar rhein yn cario gwn.' Ac edrychodd Duke o'i gwmpas fel pe bai ganddo le i ama pawb oedd yno.

'Gneud dim, felly!' penderfynodd Zen ynddo'i hun. ''Swn

i'n trio'i daclo fo, mi allwn i gychwyn uffar o gyflafan waedlyd yma.'

Teimlai rywfaint yn well ar ôl gneud y penderfyniad, ond i dawelu'i gydwybod fe ffoniai Scotland Yard ar ei ffordd adre, i riportio'r peth. Siawns y gellid cael sgwàd yma cyn i'r dyn bach efo'r gwn gael cyfle i adael. Brysiodd i lowcio'i beint.

'Dwi am roi tro ynddi rŵan, Duke. Gwaith yn galw eto bora fory, sti. Ond gad imi fynd i nôl peint i ti cyn mynd, gan mai fi bia'r rownd nesa.'

'Na. Dw inna am fynd adra hefyd. Ma hi'n rhy blydi diflas yn fa'ma. Ti'n cofio pỳb mor dda oedd y Bow Bells 'ma, Zen, flynyddoedd yn ôl? Ti'n cofio'r hen Wally oedd yn cadw'r lle? Fo a Liz ei fisus? Ti'n cofio'r criw hwyliog oedd yn arfar bod yma? Joe Dix . . . Eddie Mills . . . Johnny Fingers . . . '

Gwenodd Zen yntau wrth godi o'i gadair. Yna gwgodd. 'Yn y gornol acw y byddai'r hen ddyn yn ista bob amsar. Ti'n cofio? . . . Fyddi di'n ei weld o o gwmpas weithia, Duke? . . . Na? Dwinna 'im 'di gweld yr uffar ers cnebrwn Mam, a llawn cystal gen i hynny.'

Roedd wedi bwriadu chwilio, ar ei ffordd allan, am y dyn bach efo'r gwn. Pe bai rhywun yn cael ei saethu yn yr ardal yn ystod y dyddia nesa yna byddai disgwyl iddo allu rhoi disgrifiad ohono. Ond, oherwydd i Duke ac ynta ymgolli cymaint yn yr hel atgofion, ac oherwydd y frwydyr barhaus i neud llwybyr iddo'i hun tua'r drws, fe anghofiodd edrych. Erbyn i'r peth ddod yn ôl i'w gof, roedd yn sefyll allan yn yr eirlaw. 'Rhy hwyr!' meddyliodd. 'Fedra i ddim mynd i mewn yn ôl yno rŵan, i chwilio.' Nid ei fod yn debygol o golli cwsg am y peth. Fel y deudodd Duke, y tebyg oedd bod y rhan fwya o'r diawliaid yn cario rhyw fath o arf, beth bynnag.

'Wel, yr hen fêt, mae'n rhaid i Scott yr Antartig dy adael di rŵan, a throi'i drwyn tua'r gogledd oer.' Tynnodd y dyn bach gwfl ei anorac i lawr dros ei dalcen a'i wasgu'n dynn wedyn am ei wyneb. Roedd mwy o blu i'w gweld yn yr eirlaw erbyn hyn. 'Sut ei *di* adra? Bws?'

Styriodd Zen y cwestiwn am eiliad neu ddwy, gan lygadu'r awyr yn ddiflas. Edrychodd ar ei wats. Pum munud i ddeg. 'Nage, tacsi! Pam lai!'

'Pam lai yn wir!' llafarganodd Duke unwaith eto, yn ffug feddw. Yna calliodd. 'Chei di ddim traffarth cael un ar Hoxton Square,' meddai, a phwyntio i'r cyfeiriad, fel pe bai ardal ei febyd yn ddiarth i Zen, bellach. 'A synnwn i ddim na fyddi di adra o mlaen i. Ond pryd wela i di eto ta, *amigo*? Nos fory?'

'Go brin.'

'Hm! Fodan arall, mae'n siŵr! *Adios,* y ci drain!' A chododd ei law mewn ffarwél ddramatig cyn cychwyn ar draws y ffordd, i gyfeiriad gogledd Hoxton a'r bocs bychan o fflat oedd yn gartre iddo.

'Hwyl, Duke! Cymar ofal!'

Wrth ei wylio'n mynd, teimlodd Zen bang bychan o euogrwydd. Falla y dylwn i fod wedi deud wrtho fo am Alex, meddyliodd. Fo, wedi'r cyfan, ydi'r unig fêt iawn sy gen i, a waeth imi gyfadda wrtho fo ddim – ac wrtha i fy hun hefyd, bellach – fod Alex yn golygu llawar iawn mwy imi, erbyn hyn, na ryw un noson wyllt o garu.

Trodd a chychwyn cerdded i gyfeiriad Hoxton Square, lle gwyddai y byddai rhes tacsis yno'n aros i ryw ffilm neu'i gilydd ddod i'w therfyn yn y *multiplex* lleol. 'Chwe sgrin a dewis o chwe ffilm!' meddai wrtho'i hun gyda gwên fach hiraethus wrth gofio awyrgylch fyglyd a llaith yr *Empire,* slawer dydd, lle byddai Duke ac ynta a gweddill plant Shoreditch yn cael dianc i fyd *Thunderbirds* a *Tarzan* . . . a'r arwr mawr ei hun, Clint Eastwood.

Chydig iawn o bobol oedd ar y ffordd, a thawel hefyd oedd y traffig. Aeth ei feddwl yn ôl at y cwestiyna oedd wedi bod yn mynd trwy'i ben yn gynharach. Os Lorrimer a laddodd yr Ysgrifennydd Amddiffyn, yna sut oedd dod â fo i gyfri? Pwy fyddai'n barod i neud hynny? Scotland Yard? Go brin! Hyd yn oed mewn achos mor ddifrifol â hwn, doedd ganddyn nhw mo'r awdurdod i fynnu cydweithrediad Vauxhall Cross. Na, oni bai bod C yn Vauxhall Cross yn barod i gymryd y cam cynta trwy gynnal ei ymchwiliad ei hun . . . neu bod Bluto neu Holmes yn barod i dystio yn erbyn Lorrimer – a derbyn bod gan y rheini unrhyw dystiolaeth gadarn, beth bynnag – yna go brin y gellid dwyn cyhuddiad yn ei erbyn o byth. Yr unig obaith arall oedd y Wasg. Pe gallai Alex godi digon o amheuon ynghylch Andrew Lorrimer yn y *Chronicle,* yna falla y ceid ymholiad swyddogol wedyn.

Yn sŵn gweiddi a rhegi a chlindarddach tun gwag, daeth criw o bobol ifanc i'r golwg rownd y tro o'i flaen, pedwar ohonyn nhw'n rhes ar draws y ffordd, yn cicio'r tun o'r naill i'r llall tra bod y pumed yn gweiddi sylwebaeth ar y gêm. Yn eu dilyn, roedd dwy ferch gegog, fawr hŷn na phedair ar ddeg oed, efo sigarét mewn llaw, yn cymryd arnyn fod yn gefnogwyr brwd West Ham. Nhw ill dwy oedd yn gneud y rhegi i gyd. Daeth tri char ar gwt ei gilydd rownd y tro a gorfod arafu nes i'r criw symud yn gyndyn o'u ffordd.

Fel y deuent yn nes ato, safodd Zen o'r neilltu i roi lle iddyn nhw fynd heibio. Hanner disgwyliai ymosodiad – geiriol os nad corfforol – ond ymlaen yr aethon nhw heb brin dalu sylw iddo. Tynhaodd goler ei gôt o dan ei ên.

'Excuse please!'

Dychrynodd braidd wrth glywed llais mor agos ato. Trodd i'w wynebu. Doedd y criw ifanc ond wedi mynd rhyw hanner canllath, a sŵn y tun yn dal i glindarddach o droed i droed ganddyn nhw, ond rhyngddyn nhw ac yntau, rŵan, safai dyn ar ganol y ffordd, ei ddwylo yn ei bocedi a'i wyneb mewn cysgod oherwydd bod lamp stryd yn llachar tu ôl iddo.

'Are yoo Steven Zendon Smeeth?'

Craffodd Zen ar y siâp du. *Paparazzi!* oedd ei amheuaeth gynta a pharodd hynny i'w wrychyn godi.

'Are yoo Steven Zendon Smeeth, please?'

Na, doedd ei glust ddim wedi'i gamarwain; roedd yr acen yn yddfol gras y tro yma hefyd. Nid Sais, felly!

'Pwy sy'n holi?' Mwya sydyn, fe deimlai'n nerfus iawn, o

gofio'r tro diwetha i rywun ofyn yr un cwestiwn iddo.

Cymerodd y dieithryn ddau gam ymlaen, ei wyneb o hyd mewn düwch, tra bod gwyneb Zen ei hun yn noeth i oleuni'r lamp. Doedd dim mwy na phedair llath rhyngddyn nhw erbyn hyn.

'Be wyt ti isio?'

Gwelodd ef yn sefyll eto ac yn tynnu darn o bapur o'i boced chwith, yn ei godi uchder ysgwydd a chraffu arno. *Llun!* meddyliodd Zen. *Be uffar sy'n mynd ymlaen?*

Dyna pryd y daeth y gwn i'r golwg o'r boced dde.

Baril hir! Tawelydd!

Doedd unlle i droi nac i ddianc. Dim cysgod chwaith.

Tafla dy hun i'r llawr a rowlio! Rowlio a rowlio am dy fywyd!

Ni chlywodd yr ergyd ac ni theimlodd boen, dim ond pwniad caled yn ei frest. Yna, aeth pobman yn ddu.

Daeth 'Hwrê!' uchel o'r pellter wrth i'r tun gwag ddarganfod rhyw gôl ddychmygol, aeth bws a char heibio heb arafu a daliodd yr eirlaw i syrthio.

* * *

Methai Alex â chredu be oedd hi newydd ei glywed. Ers cyrraedd adre, ddwyawr ynghynt, bu ar y ffôn yn hir efo'i thad ac yna'n ddiweddarach daeth galwad annisgwyl hefyd oddi wrth ei chwaer Catherine, o Angola. 'Wi'n gobitho aros yma yn Llunden am falle ddwy flyne 'to, Catherine, ond wedyn ma 'na i ofon y bydd raid i fi fynd 'nôl gatre. Wi ddim moyn gweld Tada'n gwerthu Pen y Tyle, ti'n diall, ond sa i'n siŵr faint mor hir 'to y bydd e'n gallu ymdopi â gwaith y ffarm.' Bu bron iddi â gofyn i'w chwaer be oedd ei bwriadau *hi* yng ngwyneb sefyllfa'u rhieni ond brathodd ei thafod. Rhaid oedd derbyn bod Catherine, bellach, am gysegru'i hoes i wasanaethu'r difreintiedig ar gyfandir Affrica. Mewn gwaed oer gallai Alex dderbyn hynny, ac ymfalchïo i raddau yn yr aberth, ond heno dim ond chwerwedd a deimlai, oherwydd bod egwyddorion ei chwaer yn galw am aberth ganddi hitha hefyd rŵan.

Roedd yn arferiad ganddi wrando ar bob bwletin newyddion posib, ar y BBC ac ITV fel ei gilydd, a heno roedd wedi bod yn aros am Newyddion Deg o'r Gloch y BBC a Huw Edwards yn cyflwyno. Fo, oherwydd ei acen Gymreig a'i broffesiynoldeb, oedd ei hoff gyflwynydd hi, ond daeth ei brif stori, heno, fel cic galed i'w chylla, a mynd â'i gwynt hi'n llwyr. Llifodd y siom fel dŵr oer drwy'i gwythiennau wrth iddi wrando ar hanes cyrchoedd gan heddluoedd ledled Ewrop yn ystod yr awr ddiwethaf – ' . . . *Am hanner awr wedi naw heno, amser Prydain, cymerwyd y camau cyntaf ar un o'r cyrchoedd mwyaf cymhleth ac uchelgeisiol a drefnwyd erioed gan Interpol, wrth i unedau cyffuriau a gwrth-derfysgaeth, mewn cymaint ag wyth o wledydd i gyd, ymosod yn ddirybudd ar ganolfannau yn Llundain a Pharis, Brwsel ac Amsterdam, Frankfurt a Rhufain, Fiena a Phrâg. Canlyniad wythnosau o gynllunio gofalus oedd y cyrchoedd hyn ac yn ôl lladmerydd ar ran Scotland Yard fe lwyddwyd i chwalu un o'r rhwydweithiau mwyaf dieflig sydd wedi gweithredu ar gyfandir Ewrop erioed . . .'*

Gwelodd Alex y sgrin yn ymrannu'n bedair rhan a phytiau o ffilm yn dangos *carabinieri* a *gendarmes* arfog yn malu eu ffordd trwy ddrysau caeedig yn Rhufain a Pharis gan floeddio rhybuddion a thaflu i'r llawr bob copa gwalltog oedd yn sefyll yn eu ffordd, yn ddynion a merched, i'w rhoi nhw wedyn mewn cyffion a'u cludo i'r ddalfa. ' . . . *Ac yma yn Llundain, caed cyrchoedd cyffelyb gan Scotland Yard ar dai yn Kensington a Bayswater a Shepherd's Bush, ac ar y warws hon yn Fulham hefyd, lle mae Nicholas Witchell yn aros i roi inni fanylion y cyffro a welwyd yno yn ystod yr hanner awr a . . .* ' Taflodd y cyflwynydd gip sydyn i gyfeiriad cloc y stiwdio. ' . . . *thri munud diwethaf. Beth yw'r newyddion diweddaraf oddi yna, Nick?'*

'Wel, Huw, am hanner awer wedi naw ar ei ben . . .'

Prin bod gan Alex yr amynedd i wrando, wrth i'r gohebydd gwalltgoch ddechra adrodd hanes y cyffro a fu yn Fulham.

' . . . *fel rhan o gyrch a gydlynwyd gan Interpol, fe aeth criw o blismyn arfog, aelodau o unedau cyffuriau a gwrthderfysgaeth Scotland Yard, i mewn i'r warws hon yn Fulham . . .'* Amneidiodd â'i law at yr adeilad mawr tu ôl iddo. *' . . . ac arestio dau ddyn. Cawn ar ddeall mai gofalwyr nos oedd y ddau, yno i gadw gwyliadwriaeth, ond yn ôl lladmerydd ar ran yr heddlu roedd y ddau yn arfog ac yn beryglus a chaed peth trafferth i'w cymryd i'r ddalfa. Deellir bod gwn wedi cael ei danio ond wyddom ni ddim eto gan bwy. Yn ôl datganiad a wnaed gan yr heddlu ychydig funudau'n ôl, nid oes neb wedi cael ei anafu . . .'* Taflodd y gohebydd gip dros ei ysgwydd i gyfeiriad drws y warws. *' . . . Ar hyn o bryd mae uned fforensig yn archwilio'r safle yn fanwl. Dyw'r heddlu, hyd yma, ddim yn fodlon datgelu be sydd yn yr adeilad. Ers imi gyrraedd yma rai munudau'n ôl, Huw, dwi wedi clywed pob math o sibrydion – fod yma nwyddau contraband . . . fod yma offer bathu arian ffug . . . fod degau o ffoaduriaid anghyfreithlon yn llechu yma . . . ond ni chefais, hyd yma, gadarnhad o fath yn y byd. Awgrym arall yw mai chwilio am gyffuriau maen nhw'n bennaf. Fel y gŵyr y gwylwyr, erbyn hyn, caed cyrchoedd hefyd ar dai yn Kensington, Shepherd's Bush a Bayswater ac ymgyrchoedd cyffelyb mewn nifer o wledydd eraill, ledled Ewrop, y cyfan o fewn y deugain munud diwethaf. Yn ôl lladmerydd ar ran Scotland Yard dyma'r cyrch mwyaf eang ac uchelgeisiol i Interpol ymgymryd ag ef erioed, a'r un mwyaf llwyddiannus hefyd, Huw.'*

'Wel diolch yn dwlpe!' meddai Alex yn chwerw. 'Shwd yffach ma'r BBC yn gallu bod 'na a finne ddim? O'dd Scotland Yard wedi addo, w!' Er ei gwaetha, teimlodd ddagrau siom yn llenwi'i llygaid. Ac i feddwl bod un cyrch wedi ei gynnal mor agos ati, yma yn Bayswater! A hitha'n gwybod dim!

Wrth i wyneb Huw Edwards ddod yn ôl i lenwi'r sgrin, fe deimlai Alex rywfaint o chwerwedd tuag ato ynta hefyd, am iddo ddwyn ei stori fawr hi.

'Diolch am hyn'na, Nick. Fe ddown yn ôl atat ti cyn diwedd y rhaglen. Ac yn awr at weddill y newyddion. Rydym newydd glywed bod dyn wedi cael ei saethu yn Shoreditch, rai munudau'n ôl. Mae'n rhy fuan i'r heddlu ei enwi ond deellir . . .'

Yn ddiamynedd ac yn ddig, pwysodd Alex fotwm y teclyn yn ei llaw a thywyllu'r sgrin. 'O'n nw wedi addo!' Ac yna'n uwch ac yn ddicach, 'Jawch erio'd, o'n nhw wedi addo!' Cydiodd yn ei ffôn a deialu rhif Zen. Ni chafodd ateb.

Pennod 20

Bayswater

Chydig iawn o gwsg a gafodd hi'r noson honno. Pe bai ffôn Zen ymlaen ganddo, byddai wedi ei ddeffro yn yr oriau mân, am sgwrs. Fo oedd yr unig un a fyddai'n sylweddoli maint ei siom hi. Roedd arni angen ei gydymdeimlad; angen ei freichiau cryfion i'w chysuro; angen ei eiriau o gariad yn ei chlust.

Erbyn i'r wawr dorri, roedd hi wedi dod i benderfyniad. Os cytunai Zen i ddod gyda hi, yna fe âi hi'n ôl i Sir Gâr i fyw, i ofalu am ei rhieni, i ailagor Bistro Pen y Tyle, i roi trefn ar bethau unwaith eto. Ac fe gâi Zen gymryd gofal o'r ceffylau a rhedeg y fferm. Waeth beth feddyliai'i thad, roedd hi'n ffyddiog y byddai Zen, er gwaetha'i ddiffyg profiad o amaethu, yn gallu cymryd at y gwaith yn syth. Gydag amser, fe ddeuai'r gweision i'w dderbyn. Fyddai ganddyn nhw ddim dewis! Ac os oedd ei acen gocni yn mynd i swnio allan o le ym mart Caerfyrddin, wel tyff! Buan y deuai pawb i arfer efo fo, beth bynnag . . . ac i'w hoffi.

Trwy ymresymu felly, roedd Alex wedi derbyn ei siom ac wedi dod i benderfyniad arall hefyd. Fe gâi Gus Morrisey glywed fore heddiw ei bod hi'n cychwyn gweithio mis o notis. Yna, fe ffoniai ei thad i ddeud wrth hwnnw am ei bwriad.

'Bydd e'n falch, wi'n siŵr,' meddyliodd. Ond fe garai allu teimlo mwy o argyhoeddiad, serch hynny. A Zen? Be amdano fo? Roedden nhw wedi bras drafod y syniad cyn hyn ac roedd ynta wedi dangos rhyw gymaint o ddiddordeb mewn mentro – mentro ar fath gwahanol o waith a math gwahanol iawn o fyw. 'Gwell cysylltu 'da fe, gynta, wi'n credu, cyn gweud dim wrth Mr Morrisey.'

Yn y gawod boeth ac yna wrth wisgo, teimlodd orfoledd yn gyrru o'r newydd drwy'i gwythiennau. Roedd Scotland Yard, trwy beidio cadw at eu gair, wedi gneud tro da â hi. Roedden nhw wedi'i gorfodi hi i neud penderfyniad y byddai'n rhaid iddi fod wedi'i neud yn hwyr neu'n hwyrach, beth bynnag. Dim ond i Zen gytuno! Dibynnai popeth ar hynny. Penderfyniad Zen fyddai ei dyfodol hi.

Wedi rhoi bywyd yn y teledu, rhoddodd ddŵr i'w ferwi a gwthiodd dafell o fara i'r tostiwr. Yna aeth i estyn cwpan a soser, a chyllell a phlât iddi'i hun. Yr un golygfeydd â neithiwr gâi eu dangos ar Benawdau'r Newyddion am hanner awr wedi saith. Agorodd y cwpwrdd bwyd i nôl y potyn marmalêd.

'Arestiwyd dau gant a phymtheg, mewn naw o wledydd i gyd. Yn ogystal â'r gwledydd a enwyd eisoes, deellir bod nifer wedi cael eu cymryd i'r ddalfa yn Mosco yn ogystal ... aelodau blaenllaw o'r Maffia yn Rwsia . . .'

'Trueni, 'fyd!' meddyliodd Alex. 'Sa hi 'di bod yn sgŵp a hanner i'r *Chronicle.* Sgwn i shwd ma *fe,* Gus Morrisey, yn twmlo? Yn grac weden i. Ond 'na fe, 'i ffrind *e* yw Gregory Roylance wedi'r cyfan, a na'th e addo . . .'

' . . . Nid yw'r heddlu, hyd yma, wedi datgelu enw'r sawl a saethwyd yn Shoreditch neithiwr. Fe wneir hynny wedi iddyn nhw gysylltu ag aelodau'r teulu. Deellir mai plismon oedd y gŵr a gafodd ei . . .'

Pwysodd fotwm i weld a oedd unrhyw newyddion ar ITV a phan welodd nad oedd, trodd y sŵn i lawr.

'Fe ga's Miss Ewell 'i dial, a wi'n falch,' meddyliodd. Ac wrth feddwl, rhyfeddodd nad oedd hi hyd yn oed yn gwybod enw cyntaf y fam ifanc yn Fulham oedd wedi cael bywyd mor fyr ac mor drist.

Treuliodd weddill ei munudau wrth y bwrdd bwyd yn darllen dros y nodiadau y bu'n gweithio arnynt y noson cynt. Teimlai'n hollol siŵr, erbyn hyn, bod a wnelo Andrew Lorrimer o Vauxhall Cross rywbeth â llofruddiaeth yr Ysgrifennydd Amddiffyn. Roedd yn ormod o gyd-ddigwyddiad iddo fod wedi gweithio mor agos efo Igor Valyukh, flynyddoedd yn ôl, a'i fod rŵan yn rhan o'r ymholiadau i'w farwolaeth. Mwya'n y byd y meddyliai am y peth, sicra'n y byd oedd hi bod gan Lorrimer gystal rheswm â neb dros fod wedi lladd y Gweinidog Gwladol.

'Dim fe'i hunan, falle, ond rhywun arall drosto fe. Ond pwy? A shwd ma profi 'ny?'

* * *

Swyddfa'r Chronicle

'Bore da,' meddai hi wrth amryw wrth iddi gerdded at ei desg. 'Bore braf, ond o'r!' Roedd wedi ymgolli gormod yn ei meddylia a'i chynllunia i sylwi ar yr edrychiad rhyfedd a gâi gan ambell un, anghrediniol gan arall.

Cynhyrfodd yn lân, ar ôl cyrraedd ei desg, pan welodd fod ateb wedi dod oddi wrth Tomlinson yn y Swistir. 'Whare teg iddo fe am ymateb mor glou.'

Annwyl Alex, Pan dderbyniais eich neges neithiwr fe es ar y ffôn yn syth efo cyfaill imi yn Awstralia, yntau fel minnau yn alltud ers blynyddoedd oherwydd iddo wrthod cydymffurfio. Roeddem ein dau yn MI6 *efo'n gilydd am sbel yn Nwyrain Ewrop ond bod* X *(wna i ddim rhoi ei enw ichi) wedi bod yno flynyddoedd o fy mlaen i. Ar ôl derbyn eich ymholiad, neithiwr, cofiais ei fod wedi gweithio am gyfnod byr efo Lorrimer cyn i hwnnw ymddeol fel pennaeth y* Controllerate. *Sut bynnag, fe rois eich cwestiwn chi iddo, a'r unig Rwsiad y gallai ef feddwl amdano y byddai Lorrimer yn debygol o fod wedi cadw cysylltiad ag ef fyddai dyn o'r enw Sergei Molov . . .'*

'Bingo!' gwaeddodd, a chwerthin yn uchel wedyn. Ni sylwodd ar bennau'n troi nac ar y syndod wrth iddyn nhw edrych ar ei gilydd wedyn.

' . . . Yn ôl X *roedd y ddau yn gryn ffrindiau, o styried mai Rwsiad oedd Molov. Cofiwch ein bod ni'n sôn yn awr am y dyddiau cyn* perestroika *pan oedd yn Rhyfel Oer rhwng y Soviet a'r Gorllewin. Mae* X *yn siŵr ynddo'i hun, er na allai byth brofi'r peth, meddai ef, mai Igor Valyukh a gyflwynodd Molov i Lorrimer. Fel Valyukh, roedd Molov hefyd yn swyddog yn y Fyddin Goch ac mae* X *yn cofio bod gan* MI6 *ffeil arno yn Berlin a'i fod ef,* X, *wedi pori drwy'r ffeil honno fwy nag unwaith, fel ag efo aml i ffeil arall debyg iddi, wrth gwrs. Wedi'r cyfan, roedd disgwyl i bob asiant gyfarwyddo'i hun â phobol fel Valyukh a Molov oedd yn honni eu bod wedi cael eu dadrithio gan gomiwnyddiaeth. Un ffaith ddiddorol y mae* X *yn ei chofio am Sergei Molov ydi ei fod wedi cael ei anrhydeddu â sawl medal gan y Soviet, ac un ohonyn nhw oedd Medal y Saethwr Gorau. Rwy'n rhag-weld y bydd y wybodaeth hon yn eich cyffroi!*

Cymerwch ofal, Alex. Cofiwch fod braich MI6 *yn un hir iawn.*

Yn ddiffuant, Richard Tomlinson.

Trosglwyddodd y neges e-bost ar bapur ac aeth i chwilio am y Golygydd, siom y stori gyffuriau eisoes yn angof, fel hefyd ei phenderfyniad i ymddiswyddo. Beth na roddai am gael Zen wrth ei hymyl yr eilad 'ma, i rannu ei chyffro.

Roedd Gus Morrisey mewn cyfarfod, yn ôl Marta ei ysgrifenyddes bersonol, ond roedd eisoes wedi bod yn holi am Alex ac wedi gadael gorchymyn iddi ddod i'w weld gynted ag y cyrhaeddai i'w gwaith.

'Gwell iti fynd i mewn yn syth, felly.'

Tybiai Alex fod Marta'n edrych yn ddwysach nag arfer.

'Tom Allen a Vince Edwards sydd i mewn efo fo ar y funud ond mae o isio dy weld titha hefyd. Mi ro i ganiad i ddeud wrtho dy fod ti wedi cyrraedd.'

Ei hofn oedd bod y golygydd am ei hanfon hi allan i Fulham eto heddiw, neu'n waeth fyth i rywle fel Shepherd's Bush, i ddilyn y stori gyffuriau. Cael rhwydd hynt i fynd ar ôl gwybodaeth Tomlinson roedd hi eisiau rŵan, yn fwy na dim arall.

'Mae Alex Morgan wedi cyrraedd, Mr Morrisey.' Yna, wrth roi'r teclyn yn ôl yn ei grud, trodd eto at Alex. 'Roedd yn wir ddrwg gen i glywed, cofia.'

'Wel, so hi'n ddiwedd byd odi hi, Marta?'

Cafodd edrychiad od yn ôl. 'Mae o am iti fynd yn syth i mewn.'

Peidiodd pob sgwrs pan gerddodd hi drwy'r drws a throdd y tri – y Golygydd, y Golygydd Gwleidyddol a'r Golygydd Newyddion – eu pennau i edrych arni. Roedd golwg mor ddifrifol ar eu gwyneba fel y bu bron iddi â chwerthin yn uchel. Doedd bosib bod Gus Morrisey'n teimlo unrhyw euogrwydd oherwydd brad Scotland Yard, meddyliodd. Ond efallai mai dig oedd o – y tri ohonyn nhw – am fod y *Chronicle* wedi colli'r stori fawr a'u bod nhw hwyrach yn gweld rhywfaint o fai arni hi am hynny.

Gwenodd. 'Bore da!' meddai'n siriol.

'Bore da!' meddai dau ohonyn nhw'n ôl, yn ddiysbryd.

'Ydi hi, Alex?' oedd ymateb Tom Allen a throi ei lygaid yn reddfol i gyfeiriad y set deledu yng nghornel y stafell.

Sylwodd Alex fod sgrin honno'n olau ond yn fud; bod y sŵn newydd gael ei droi i lawr, fe dybiai. Rhyw uwch-swyddog neu'i gilydd o'r heddlu oedd i'w weld yn siarad.

'Eistedd, Alex! Sut wyt ti'n teimlo?'

Chwarddodd, yn nerfus braidd wrth synhwyro'r fath bryder yn ei lais. 'Wi'n iawn, Mr Morrisey, ond sa i'n diall pam na'th Scotland Yard ddim cysylltu 'da ni. Ro'n nhw wedi addo.' Chwarddodd eto. 'Ta beth, ma 'da fi wybodeth newydd. Wi'n credu bo fi'n gwbod pwy yw'r llofrudd.'

Roedd hi wedi disgwyl iddyn nhw ddangos rhywfaint o syndod ond nid cymaint â hyn. Teimlodd wefr o weld yr olwg anghrediniol ar wynebau'r tri.

'Ti'n gwbod?' gofynnodd Tom Allen, yn syfrdan bron.

'Odw. O's 'da chi amser ifi egluro? Wi newy dderbyn neges 'to, wrth . . . '

Torrodd y Golygydd ar ei thraws a phwyntio at y set deledu. 'Nacw ydi o, Alex? Ai nacw ydi'r llofrudd?' Anelodd y teclyn a phwyso'r botwm sain.

' . . . ffotoffit a luniwyd gan un o gwsmeriaid y Bow Bells neithiwr . . . '

Llanwai llun-gwneud y sgrin. Gwyneb caled mewn barf ddu . . . llygaid oer . . . craith amlwg ar y wefus uchaf.

' . . . Tystiodd un gŵr iddo weld gwn ym mhoced y dyn. Yn ôl y tafarnwr, bu'r dieithryn yn sefyll ar ei ben ei hun wrth y drws am dros ddwyawr yn nyrsio un peint o gwrw. Roedd golwg amheus arno, meddai, ac roedd fel pe bai'n cadw llygad ar un o'r cwsmeriaid ond ni allai ddweud pwy. Aeth allan heb i neb sylwi ond yn fuan wedyn daeth rhywun i mewn efo'r newydd fod dyn wedi cael ei saethu ar y stryd tu allan . . . '

'Ie! Fe yw e!' gwaeddodd Alex yn gyffrous. 'Sergei Molov!' Roedd hi wedi mynd yn nes at y sgrin, i graffu ar y llun-gwneud. Y graith ar y wefus ucha oedd y dystiolaeth amlycaf iddi, wrth iddi gofio disgrifiad y weddw Shmit yn *Toom-Kodi*. 'A ma 'da fe ddant aur 'fyd!'

'Sut gwyddost ti?'

'O'dd e'n swyddog yn y Fyddin Goch 'da Igor Valyukh . . . Stephen Smythe, hynny yw . . . a ma 'da fe fedal i ddangos taw fe, unweth, o'dd y saethwr gore yn y fyddin . . . ' Aeth â'r copi o e-bost Tomlinson i'w ddangos i Gus Morrisey. ' . . . a ma fe'n ffrindie 'da Andrew Lorrimer yn *MI6* . . . a wi'n credu taw fe saethodd yr Ysgrifennydd Amddiffyn a taw Lorrimer wedodd wrtho fe am neud 'ny.'

'Be?' Tom Allen oedd yn gofyn rŵan. 'Wyt ti'n trio deud mai hwn saethodd Smythe *a* Zen?'

'Zen?' Dangosodd ddychryn am eiliad ond yna ciliodd ei dryswch. 'O! Yn Hyde Park 'ych chi feddwl? Nage. Ni'n gwbod taw Maidu a Hilja Shmit o'dd rheiny, w.'

Gwelodd hi'r edrychiad ansicir rhyngddyn nhw, o'r naill i'r

llall, yna clywodd Tom Allen yn deud o dan ei wynt, 'Dydi hi ddim yn gwbod!'

'Sa i'n gwbod beth?' Yn sydyn, teimlodd Alex law oer yn cydio am ei chalon wrth iddi synhwyro newydd drwg. 'Sa i'n gwbod beth, Mr Allen?' Yna'n fwy taer, wrth i'w hofn grynhoi, 'Beth o'ch chi'n feddwl pan wedoch chi Smythe *a* Zen? S'dim byd 'di digwdd i Zen o's e? . . . O's e?' Edrychodd mewn dychryn arnynt, o un i un.

Gus Morrisey oedd y cynta i ymateb. 'Alex, dydi'r newyddion ddim yn dda, mae gen i ofn.' Aeth eiliada eto heibio cyn iddo allu torri'r garw iddi. Doedd dim ffordd garedig o neud hynny. 'Mae'n ddrwg gen i orfod deud hyn wrthyt ti, Alex, ond Zen oedd y plismon gafodd ei saethu yn Shoreditch neithiwr, a'r dyn yna – yr un wyt ti newydd ei ddisgrifio inni, a rhoi enw iddo fo – ydi'r un ddaru'i saethu fo, maen nhw'n ama.'

'So fe'n . . . ? So fe . . . ?' Edrychai'n welw ac yn syfrdan, ac yn eiddil iawn mwya sydyn. Methai orffen ei chwestiwn.

'Ydi, mae gen i ofn ei fod o. Fe aeth y fwled yn syth trwy'r galon. Doedd dim gobaith, Alex . . . na dim y gallai neb fod wedi'i neud, chwaith.'

Teimlodd hi'r gwaed yn codi'n boeth ac yn goch i'w phen a'r ystafell yn troi o'i chwmpas. Yna, aeth popeth yn ddu wrth i'r llawr ddod i fyny i'w chyfarfod.

Plygodd Tom Allen yn bryderus drosti, aeth Vince Edwards y Golygydd Newyddion i chwilio am gymorth rhai o ferched y staff a chododd Gus Morrisey'r ffôn. 'Marta, tria gael gafael ar y Cadlywydd Rhanbarthol Gregory Roylance yn Scotland Yard . . . y funud 'ma . . . neu unrhyw un sy'n ymneud ag achos y llofruddiaeth yn Shoreditch. Dwed wrtho fo fod y *Chronicle* yn gwybod pwy ydi'r llofrudd.'

' . . . *O fewn y munudau diwethaf,*' meddai llais y ferch o'r set deledu yn y gornel, '*mae'r heddlu wedi enwi'r plismon a saethwyd yn farw yn Shoreditch neithiwr. Roedd Steven Zendon Smith, tri deg ac wyth oed, yn aelod o'r gwarchodlu ym Mhalas Westminster.*

Credir y gall fod cysylltiad rhwng ei farwolaeth ef a llofruddiaeth Stephen Smythe, yr Ysgrifennydd Amddiffyn, fis yn ôl. Roedd Mr Smith yn un o'r pedwar swyddog oedd yn gwarchod y diweddar weinidog gwladol ar y Teras yn Westminster, pan saethwyd hwnnw gan asasin . . .'

'Helô? . . . Ia, Gus Morrisey'n siarad. Golygydd y *Chronicle*. . . . Ac efo pwy dwi'n siarad?' Nid oedd wedi gollwng y ffôn o'i law tra oedd Marta'n cysylltu efo Scotland Yard. ' . . . Prif Arolygydd be, ddwedsoch chi? . . . Haskins? Dwi'n credu, Brif Arolygydd Haskins, y dylech chi anfon rhywun draw yma ar fyrder i glywed be sydd gynnon ni i'w ddeud am y llofruddiaeth neithiwr, ac am lofruddiaeth yr Ysgrifennydd Amddiffyn hefyd. Ond cyn hynny, ga i awgrymu eich bod chi'n symud yn gyflym iawn i rwystro gŵr o'r enw Andrei Molov . . . Rwsiad, dwi'n tybio . . . rhag gadael y wlad, a'ch bod chi hefyd yn gyrru rhywun draw i Vauxhall Cross i holi dyn o'r enw Andrew Lorrimer yn fan'no. Fe gewch eglurhad llawn gen i pan ddowch chi yma i swyddfa'r *Chronicle*.'

' . . . Mae ein gohebydd Colin Bland yn Shoreditch nawr yn holi tad y plismon a laddwyd. Colin?

Newidiodd yr olygfa ar y sgrin a daeth gwyneb oer Colin Bland i'r golwg. Roedd coler ei gôt wedi'i chodi'n uchel am ei glustiau a rhedai'r gŵr ifanc ei law yn aml dros ei wallt i'w gadw i lawr yn y gwynt cryf. Wrth ei ymyl safai dyn main mewn anorac flêr, a sigarét yn mygu mewn un llaw ganddo. *'Diolch, Natasha. Dwi'n sefyll ar y funud tu allan i dafarn y Bow Bells yn Shoreditch, lle treuliodd Steven Smith, sef y plismon a laddwyd, ei oriau olaf neithiwr. Fe ddaeth allan drwy'r drws yma . . .'* Amneidiodd at ddrws y dafarn tu ôl iddo, lle'r oedd plismon yn sefyll ar wyliadwriaeth. *' . . . am chydig funuda cyn deg o'r gloch neithiwr a chychwyn cerdded i lawr y stryd hon, Green Walk . . .'*

Caed cip ar y stryd trwy lygad dyn y camera a gwelwyd rhan ohoni yn y pellter wedi'i amgylchynu â thâp glas a melyn yr heddlu.

' . . . Credir bod y llofrudd hefyd wedi treulio'i fin nos yn y dafarn

a'i fod wedi dilyn Mr Smith allan ac wedi'i saethu'n farw rhyw ganllath o lle dwi'n sefyll nawr. Yn f'ymyl i yn fa'ma mae Mr Frederick Smith, tad y plismon a laddwyd.'

Ciliodd lens y camera er mwyn dod â'r ddau ddyn i mewn i'r llun unwaith eto.

'Ga i, yn gynta, gydymdeimlo efo chi, Mr Smith, yn eich profedigaeth.'

'Diolch.'

'Sut oeddech chi'n teimlo pan glywsoch chi be oedd wedi digwydd?'

'Wel am ddiawl o gwestiwn gwirion!' meddai Tom Allen wrtho'i hun.

Dyn main a di-raen yr olwg oedd Frederick Smith. Nid oedd wedi siafio ers rhai dyddia ac wrth iddo agor ei geg gellid gweld darnau o fwyd yn glynu rhwng ei ddannedd gosod.

'Sioc! Uffar o sioc!' Cododd y sigarét i'w geg a llenwi ei ysgyfaint â mwg.

'Fo oedd eich unig fab, dwi'n deall?'

'Ia. Mae gen i ddwy ferch hefyd ond Steve ydi fy ffefryn i wedi bod o'r cychwyn, a rŵan mae rhyw ddiawl wedi . . .'

Gwelwyd ef yn troi ei wyneb draw mewn sioe o guddio'i alar.

'Tro hi i ffwrdd, Tom!' meddai Gus Morrisey gan gyfeirio at y set deledu. Roedd Alex yn dod ati'i hun. Daliai un o ferched y staff wydryn o ddŵr wrth ei cheg tra bod un arall yn rhedeg cadach gwlyb dros ei thalcen.

'Diolch, ferched!' meddai'r Golygydd. 'Os byddwch chi cystal â helpu i'w chodi hi i gadair fe gewch chi fynd wedyn.'

* * *

Cyrhaeddodd y Prif Arolygydd Haskins yng nghwmni Gregory Roylance a dau dditectif. Cododd Morrisey i ysgwyd llaw efo'r ddau swyddog. Gwnaeth Tom Allen a Vince Edwards yr un peth wrth iddyn nhw gael eu cyflwyno'n frysiog.

Eisteddai Alex fel delw yn gwylio'r cyfan yn digwydd ond heb fedru ymateb mewn unrhyw ffordd. Golygfa allan o fyd arall a welai. Golygfa heb liw ynddi. Golygfa mewn gwawr lwyd . . . mewn niwl. Clywodd y Golygydd . . . ni allai feddwl beth oedd enw hwnnw . . . yn adrodd stori wrth lond stafell o ddieithriaid . . . yn crybwyll enwau oedd ond yn perthyn i'w hisymwybod hi . . . *Stephen Smythe . . . Richard Tomlinson . . . Andrew Lorrimer . . . Sergei Molov . . . Steven Smith* . . . Gwelodd ef yn dangos dalen o bapur ac yn cyfeirio at ryw *Alex Morgan*, ac yna clywodd yr enw *Zen*, a gwenodd wên bell. Yna, synhwyrodd fod rhywun yn gofyn cwestiwn iddi oherwydd roedd pawb, mewn hanner cylch, yn rhythu arni ond ni allai hi wneud dim ond ysgwyd pen a syllu'n wag yn ôl. Ac aeth y siarad ymlaen . . . ac ymlaen . . . ac ymlaen . . . ac o'r diwedd roedd y stafell yn wag ond am y ddau oedd yn galw'i gilydd yn Tom a Gus.

'Dyma iti baned o goffi, Alex, a rwbath bach yn 'i lygad o.'

Llanwyd ei ffroenau ag arogl y wisgi a theimlodd ef yn boethach na'r coffi yn ei llwnc.

'Dwi'n meddwl y byddai'n well iti gymryd chydig ddyddia i ffwrdd, Alex. Mi wnâi les iti fynd adre at dy deulu am sbel.'

'Na!'

Swniai ei llais yn ddieithr iddi, fel adlais mewn stafell wag.

'Paid â phoeni! Mi fyddan nhw wedi dal y cythral cyn nos. Dim byd sy'n sicrach iti. Pam na ffoni di dy rieni?'

'Na!'

Ble 'yt ti, Zen? Pam na ddest ti i aros 'da fi nithwr, 'nghariad i? Pam na ddest ti i mreichie i? Dyna o't ti'i ishe, ontefe, Zen annwl? Fi wedodd allet ti ddim dod. Fi wedodd mod i'n rhy fishi. Ond o'n i moyn i ti fod 'da fi 'fyd, cofia. O'n i moyn dy freichie'n dynn amdana i. Wi moyn dy freichie amdana i nawr, 'fyd. Wi moyn ti 'da fi, Zen! Wi moyn ti 'da fi. O Dduw, wi moyn ti 'da fi!

'Ddylen ni gael doctor ati, Gus?'

'Na. Mae hi'n crio rŵan. Fe neith hynny fwy o les na dim iddi, Tom. Gofyn i Marta am rif ffôn ei rhieni hi yng Nghymru.'

Wi 'di colli ti, Zen . . . 'di colli ti am byth. Wi'n gwbod 'ny nawr. Sa i 'di gweld ti ers ache, wdw i? Ond sa i'n mynd i weld ti byth 'to, wdw i? So ni'n mynd i garu byth 'to, 'yn ni? So ti'n dod 'nôl, 'yt ti, 'nghariad i? 'Nghariad annwl i! So ti byth yn mynd i ddod 'nôl.

Roedd ei chorff bregus yn cael ei sgrytian gan y dagrau.

'Alex! Mae dy dad ar y ffôn. Mae o isio siarad efo ti.'

'Alex! Shwd 'yt ti, cariad?'

'Helô, Tada. Shwd ma Mam?' Llais plentyn oedd yn gofyn y cwestiwn. Plentyn ar goll.

Trodd Gus Morrisey a Tom Allen draw unwaith y clywson nhw'r iaith ddieithr.

'Ma Mam yn iawn, cariad. Ond shwd wyt ti? O'dd Mr Morrisey'n gweud bod ti 'di ca'l sioc fowr ond wedodd e ddim beth. A ma dy laish di'n swno'n rhyfedd.'

'Wi'n dod gatre, Tada.'

'A! Wi mor falch o glywed 'ny.'

'Wi'n dod gatre nawr.'

Synhwyrodd Ambrose Morgan y pellter a'r gwacter yn llais ei ferch. 'So ti am weud be sy 'di digwydd 'te? So ti'n dost, gobitho?'

'Wi'n dod gatre i aros, Tada.' Doedd hi ddim hyd yn oed wedi clywed ei gwestiwn. 'Wi ddim moyn bod yn Llunden byth 'to.'

Tawelwch eiliadau o ben arall y lein, yna, 'Wi mor falch, Angharad fach. A dy fam.' Tawelwch eto, yna ychwanegodd. 'A Douglas 'fyd, pan weda i 'tho fe.'

Dychrynodd Gus Morrisey a Tom Allen pan welsant hi'n taflu'r ffôn oddi wrthi, fel pe bai hwnnw'n boeth. Dychrynwyd hwy'n llawer mwy gan ei sgrech hir.